GUTE FAHRT! 3

NIVEAU A2+→B1

ALLEMAND

Collection dirigée par
Jean-Pierre Bernardy
Inspecteur Pédagogique Régional – Académie de Créteil

Susanne Connert
Professeur agrégé
Collège Rosa Parks, Gentilly (94)

Catherine Creux
Académie de Créteil

Nils Haldenwang
Professeur certifié
Collège Jean de Beaumont, Villemomble (93)
Formateur – Académie de Créteil

Ingrid Lacheny
Maître de conférences
Université d'Artois, Arras (62)

Odila Martiné
Professeur certifié
Lycée Marx Dormoy, Champigny sur Marne (94)
Formatrice – Académie de Créteil

Catherine Pavan
Professeur certifié
Collège Yvonne Le Tac, Paris (75)

À la fin de la quatrième année d'apprentissage au collège, l'objectif est d'atteindre le niveau A2+ et de progresser vers le niveau B1.

ÉCOUTER	LIRE	S'EXPRIMER ORALEMENT EN CONTINU	PRENDRE PART À UNE CONVERSATION	ÉCRIRE
A2				
Comprendre une intervention brève si elle est claire et simple. • Comprendre assez pour pouvoir répondre à des besoins concrets ou réaliser une tâche : consignes, expressions familières de la vie quotidienne, présentations, indications chiffrées, récits... • Identifier le sujet d'une conversation, le point essentiel d'une annonce ou d'un message. • Comprendre et extraire l'information essentielle de courts passages enregistrés audio et audiovisuels ayant trait à un sujet courant.	**Comprendre des textes courts et simples.** • Comprendre une lettre personnelle simple et brève. • Lire des écrits factuels simples et prélever une information dans des prospectus, menus, annonces, inventaires et horaires, signalétiques urbaines, lettres, brochures, courts articles de journaux. • Suivre la trame d'une histoire.	**Produire en termes simples des énoncés sur les gens et sur les choses.** • Mettre en voix un court texte mémorisé. • Se présenter ou présenter simplement des personnes. • Décrire sa vie quotidienne (son environnement, ses activités...). • Raconter une histoire ou relater un événement ; décrire un objet, une expérience. • Faire une brève annonce ou présenter un projet. • Fournir une explication (comparaisons, raisons d'un choix).	**Interagir de façon simple avec un débit adapté et des reformulations.** • Établir un contact social : présentations, salutations et congé, remerciements... • Se faire comprendre dans un entretien et communiquer des idées et de l'information. • Demander et fournir des renseignements. • Dialoguer sur des sujets connus, des situations courantes, des faits, des personnages légendaires ou contemporains. • Réagir à des propositions : accepter, refuser, exprimer ses goûts, ses opinions, faire des suggestions.	**Écrire des énoncés simples et brefs.** • Écrire un message simple (bref message électronique, lettre personnelle). • Rendre compte ou décrire de manière autonome en reliant les phrases entre elles. • Relater des événements, des expériences en produisant de manière autonome des phrases reliées entre elles. • Faire le récit d'un événement, d'une activité passée, une expérience personnelle ou imaginée. • Écrire un court poème.
B1				
Comprendre les points essentiels d'une intervention énoncée dans un langage clair et standard. • Comprendre ce qui est dit pour réaliser une tâche en situation réelle ou simulée. • Comprendre une information factuelle sur des sujets de la vie quotidienne ou étudiés. • Suivre une conversation en situation réelle ou simulée. • Comprendre les points principaux d'une intervention sur les sujets familiers ou étudiés y compris des récits courts. • Suivre le plan général d'un exposé court sur un sujet connu. • Comprendre les points principaux de bulletins d'information et de documents enregistrés simples portant sur des sujets connus.	**Comprendre des textes essentiellement rédigés dans une langue courante.** • Comprendre des instructions et consignes détaillées. • Comprendre suffisamment pour entretenir une correspondance suivie. • Localiser des informations recherchées ou pertinentes pour s'informer et réaliser une tâche. • Comprendre un enchaînement de faits. • Reconnaître les grandes lignes d'un schéma argumentatif.	**S'exprimer de manière simple sur des sujets variés.** • Prendre la parole devant un auditoire, mettre en voix un texte. • Restituer une information avec ses propres mots, éventuellement à partir de notes. • Relater des expériences vécues, en rendre compte (événements, dialogues, texte écrit ou oral). • Décrire. • Expliquer. • Exprimer des sentiments, une opinion personnelle. • Argumenter pour convaincre.	**Faire face à des situations variées avec une relative aisance, à condition que la langue soit standard et clairement articulée.** *Approfondissement du niveau A2* • Engager la conversation et maintenir le contact pour : échanger des informations, réagir à des sentiments, exprimer clairement un point de vue. • Prendre part à une discussion pour expliquer, commenter, comparer et opposer. • Interviewer et être interviewé, conduire un entretien préparé et prendre quelques initiatives. • Faire aboutir une requête.	**Rédiger un texte articulé et cohérent, sur des sujets concrets ou abstraits, relatif aux domaines qui lui sont familiers.** • Restituer une information avec ses propres mots, paraphraser simplement de courts passages écrits. • Prendre des notes sous forme d'une liste de points. • Rédiger un courrier personnel (incluant des avis sur des sujets abstraits ou culturels). • Rendre compte d'expériences, de faits et d'événements. • Écrire un court récit, une description, un poème, de brefs essais simples. • Rédiger des messages courts de type informatif ou injonctif.

Édition : **Petra Treuer**
Iconographie : **Electron Libre**
Conception de la maquette : **Marc & Yvette**
Mise en pages : **La papaye verte**
Couverture : **Grégoire Bourdin**
Cartographie : **La papaye verte**

© Éditions Nathan 2013
ISBN 978.2.09.175247.1

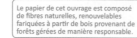

Le papier de cet ouvrage est composé de fibres naturelles, renouvelables fabriquées à partir de bois provenant de forêts gérées de manière responsable.

Avant-propos

Avec ce troisième volume de la collection GUTE FAHRT !, les professeurs d'allemand disposent désormais d'un ensemble qui leur permettra d'amener les élèves du collège qui étudient l'allemand depuis la 6e ou la 5e à progresser vers le *niveau B1* du Cadre européen commun de référence pour les langues (CECRL), pour aborder ensuite dans de bonnes conditions la classe de seconde au lycée.

Les huit chapitres de GUTE FAHRT ! **3** s'inscrivent dans le thème général du programme, *L'ici et l'ailleurs*. C'est dans ce cadre que s'organisent les entraînements aux activités langagières ainsi que la consolidation et l'enrichissement des structures et du lexique. Cette approche vise également à aider l'élève à mieux comprendre les réalités culturelles des pays germanophones et à les mettre en relation avec ce qu'il connaît dans son environnement habituel. Il développe ainsi une compétence culturelle et interculturelle, élargit son horizon et prend conscience des spécificités de sa propre culture.

La *pré-unité* qui ouvre le manuel permet à la fois de réactiver les acquis des élèves et d'effectuer, si le professeur le juge utile, une évaluation diagnostique dans les différentes activités langagières. Afin d'offrir une plus grande variété de thèmes, les **huit chapitres** qui suivent ont été recentrés autour de deux *Stationen*. Les pages *Zugabe* et *Kulturclub* apportent un éclairage supplémentaire sur les aspects culturels de l'unité et renforcent l'exposition à la langue par la lecture de documents authentiques. La double page *Workshops* propose, toujours dans une perspective actionnelle, l'étude d'**extraits vidéo**, des activités faisant appel à l'utilisation des **TIC** (technologies de l'information et de la communication) et, enfin, une sensibilisation à différents domaines artistiques, qui peut trouver sa place dans les projets interdisciplinaires conduits dans le cadre de l'enseignement de **l'histoire des arts**. Les extraits du roman *Edvard*, en fin de manuel, invitent l'élève à aborder des lectures de plus longue haleine, peut-être dans une démarche autonome. Pour le reste, l'élève retrouvera des rubriques qui lui sont désormais familières et qui jalonnent son parcours à l'intérieur de chaque unité, guidé par un **projet final** et préparé par un ensemble de **tâches intermédiaires** à réaliser.

GUTE FAHRT ! **3** accompagne l'élève jusqu'au terme de sa scolarité au collège. Aussi se doit-il également de contribuer à l'acquisition et à la validation des compétences du *Socle commun des connaissances et des compétences*. Dans la continuité de GUTE FAHRT ! **2**, il fournit aux élèves et professeurs de nombreux repères et outils pour évaluer la maîtrise du niveau A2 (compétence 2 du socle). Mais il permet également à la discipline allemand d'être partie prenante dans la construction et la validation des autres compétences, en encourageant notamment le recours aux technologies de l'information et de la communication (compétence 4) et en faisant constamment appel à l'autonomie et à l'esprit d'initiative des élèves (compétence 7). La réflexion sur le fonctionnement de l'allemand aide à mieux comprendre sa propre langue (compétence 1), la découverte de nouvelles réalités culturelles et artistiques participe à la construction de la culture humaniste de l'élève (compétence 5) et au développement de compétences sociales et civiques (compétence 6). Et ces compétences, à leur tour, convergent vers ce qui constitue la finalité de tout apprentissage d'une langue vivante : préparer l'élève à la situation de rencontre avec des partenaires étrangers, situation à laquelle la plupart de nos élèves seront confrontés dans les années à venir, au cours de leur scolarité, de leurs études et de leur vie professionnelle.

Les auteurs

Présentation du manuel

La structure d'une unité

2 Stationen

En page de gauche
- Un document oral ou écrit pour découvrir les nouvelles structures

En page de droite
- Des activités pour consolider les acquis
- **Zwischenstation :** des tâches intermédiaires pour réemployer les acquis
- **Ich kann's :** un bilan des acquis de la *Station*

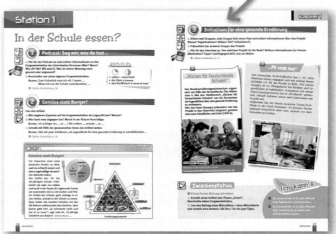

OUVERTURE

- Un grand visuel pour entrer dans la thématique de l'unité
- Les objectifs d'apprentissage par activité langagière
- **Unser Projekt :** la tâche finale de l'unité

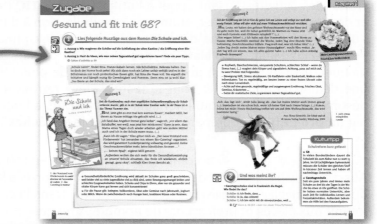

1 double page
Zugabe
avec des documents authentiques pour aller plus loin

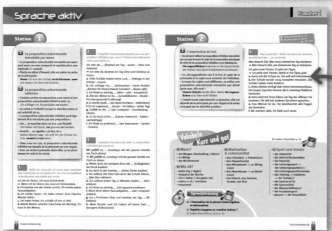

1 double page
Sprache aktiv
- Un bilan grammatical par *Station* et des exercices
- Un bilan lexical de l'unité
- Un entraînement à la prononciation et à l'accentuation

Les logos utilisés dans le manuel

Écouter **Lire** **Parler en continu** **Parler avec quelqu'un** **Écrire**

Le CD audio classe

Les fichiers MP3 élève

➜ Cahier d'activités p. 59
Renvoi au Cahier d'activités

Les rubriques récurrentes

Vokabeln
Aide à l'expression

Kulturtipp
Certains aspects de la culture germanique

1 double page
Kulturclub
- Présentation d'aspects de la civilisation des pays de langue allemande
- **Webquest :** Recherches Internet pour aller plus loin

1 double page
Workshops
- Un atelier **Video** par unité
- Un atelier **TIC**
- Un atelier **histoire des arts** par unité

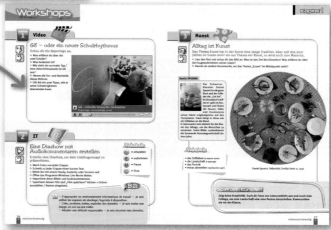

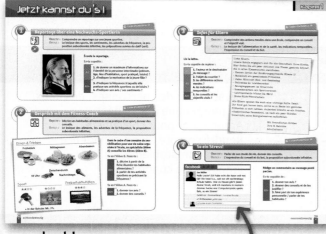

1 double page
Jetzt kannst du's!
Des tâches pour s'évaluer et valoriser les compétences acquises dans les cinq activités langagières

1 page
Unser Projekt
Tâche finale guidée pour réutiliser tous les acquis de l'unité

En fin du manuel
- Lecture longue *Edvard*
- Les scripts des compréhensions orales de l'audio élève
- Un mémento grammatical
- Un lexique bilingue allemand-français, français-allemand

fünf **5**

Sommaire

Compétences grammaticales	Compétences lexicales	Compétences culturelles et tâche finale
• La structure de la phrase • Le présent de l'indicatif • Le parfait	• Les centres d'intérêts • Les loisirs • La personnalité • Les sentiments • Le quotidien	• Les loisirs des jeunes Allemands
• La proposition subordonnée introduite par *wenn* • La proposition subordonnée infinitive • L'expression du but **Sprechtraining** ▪ L'intonation de la phrase (interrogative et déclarative) ▪ Voyelles longues ou voyelles brèves ?	• La nourriture • Le sport • La santé • L'école • Les adverbes de temps	• Les habitudes alimentaires des jeunes Allemands • Les rythmes scolaires (réforme G8) **Mein Alltag in Deutschland** Unser Projekt Créer un test sur les habitudes alimentaires et l'activité physique.
• L'expression de la cause • Le prétérit • La proposition subordonnée introduite par *als* **Sprechtraining** ▪ L'accent de mot ▪ Le son [s], [z] ou [t͡s] ?	• La musique • Les goûts et les préférences • Les indications de temps (biographie) • Le monde de l'opéra	• Les musiciens de pays germanophones • Les activités musicales **Talente fördern** Unser Projekt Interviewer un compositeur germanophone.
• La proposition subordonnée relative (1) • L'adjectif substantivé • La déclinaison de l'adjectif épithète **Sprechtraining** ▪ L'accent de groupe ▪ Les diphtongues	• Les voyages • Les noms de pays, les nationalités • Les activités culturelles et sportives	• Les destinations de vacances des Allemands • Les pays germanophones • Les voyages scolaires **Im deutschsprachigen Raum unterwegs** Unser Projekt Sous la forme d'une saynète radiophonique, imaginer une anecdote de voyage.
• Les prépositions • Exprimer la contradiction ou l'opposition **Sprechtraining** ▪ Les phrases complexes ▪ [pʰ], [tʰ], [kʰ] en début de mot	• Les indications temporelles • Les notions historiques • Le quotidien • L'opinion • Les préjugés	• Les relations franco-allemandes • L'interculturel **Wechselseitige Spuren** Unser Projekt Réaliser une émission pour célébrer l'amitié franco-allemande.

Compétences grammaticales	Compétences lexicales	Compétences culturelles et tâche finale
• La proposition subordonnée relative (2) • Le passif (1) **Sprechtraining** ■ Les préverbes séparables / inséparables ■ *-er*, *-e* et *-en* en fin de mot	• Le monde moderne et l'innovation • L'entreprise • Les inventions	• Des entreprises allemandes • *Metropolis* (F. Lang) • La Thuringe **Thüringen – immer vorne** *Unser Projekt* Organiser un concours pour rendre son école plus innovante.
• Le subjonctif II • Les interrogatifs en *wo(r)-* • Le subjonctif II (suite) **Sprechtraining** ■ L'accentuation des mots étrangers ■ Les sons [ç], [ʃ], [ʃp], [ʃt]	• Les nouvelles technologies • L'amitié • Les dangers et les mises en garde	• Les dangers du web • L'art et les nouvelles technologies **High Tech in Deutschland** *Unser Projekt* Créer un roman-photo pour mettre en garde contre les dangers du net.
• Le passif (2) • Les masculins faibles • La comparaison **Sprechtraining** ■ Les mots composés ■ La neutralisation	• La ville • L'architecture • L'histoire	• Berlin • Potsdam • L'écologie dans l'architecture **Berlin gestern und heute** *Unser Projekt* Préparer et présenter une visite guidée de Berlin avec un diaporama.
• Le pronom relatif au génitif • Le subjonctif II au passé • Exprimer la chronologie **Sprechtraining** ■ L'accent d'insistance ■ Le son [ŋ] ou [ŋk] ?	• Les légendes et les récits imaginaires • L'histoire • Les héros • Les arts du spectacle	• Le roi Louis II de Bavière • Les châteaux de Bavière • Les légendes germaniques • Richard Wagner **Geschichte und Legende** *Unser Projekt* Concevoir une petite pièce de théâtre en actualisant une légende germanique.

Etappe 1 | Fernsehen aktuell

Piste 1

1 Reality-Shows

a. Kennst du folgende Sendungen? Worum geht es? Was ist deine Lieblingssendung?

b. Du hörst jetzt die Aussagen von fünf Kandidaten. An welcher Sendung haben sie teilgenommen? Nenne Indizien.

➔ Cahier d'activités p. 5

A

B

C

D

E

F Steinzeit – Das Experiment

Piste 2

2 Interview mit einer Kandidatin

Hör dir das Interview an. Was erfährst du über die Sendung und die Kandidatin (Identität, Gefühle, Hobbys, Zukunftspläne)?

➔ Cahier d'activités p. 5

Medien & Freizeit

3 Freizeitaktivitäten

a. Lies den Artikel und die Kommentare. Was erfährst du über die Freizeitaktivitäten der Jugendlichen? Sind die Aussagen von Timo und Hanna repräsentativ für die aktuellen Trends?

b. Macht eine Umfrage über die Freizeitaktivitäten in eurer Klasse.

➔ Cahier d'activités p. 6

http://www.juz-ol.de

Was machen Jugendliche in ihrer Freizeit?

Medien spielen eine immer größere Rolle im Leben der Jugendlichen. 90 Prozent sehen regelmäßig fern, im Schnitt zwei Stunden pro Tag. Beliebt sind vor allem Casting-Shows, Action- und Krimiserien. Ebenfalls 90 Prozent der Jugendlichen sind täglich online. Jeder zweite Schüler hat sogar einen eigenen Computer in seinem Zimmer, und fast alle haben ein Handy mit Internetzugang.

Dabei gibt es Unterschiede in der Mediennutzung zwischen Jungen und Mädchen: Jeder zweite Junge spielt Computerspiele. Mädchen sind dagegen stärker in den Communitys wie Facebook als die Jungen.

Dennoch sind die nicht-medialen Freizeitaktivitäten relativ stabil. Am liebsten verbringen Mädchen und Jungen ihre Freizeit immer noch mit ihren Freunden und nutzen meistens das Handy, um ein Treffen zu planen. Außerdem zeigt sich ein positiver Trend beim Sport. Für die Hälfte aller Jugendlichen ist es eine der wichtigsten Sachen im Leben. Die Mehrheit nennt sogar den Schulsport als Lieblingsfach!

Jugendzeitung online, 21.2.2013

2 Kommentare

Timo 22.2. um 12.17 Uhr

Früher habe ich gern ferngesehen, aber in letzter Zeit nicht mehr. Die fake Realityshows, Talks und Reportagen finde ich blöd. Am liebsten lese ich, z.B. Krimis und Science-Fiction, und treffe mich mit meinen Freunden.

Hanna 24.2. um 15.51 Uhr

Sport ist nicht mein Ding! Ich spiele lieber Computerspiele und chatte mit meinen Freunden. Ansonsten schaue ich mir gerne alle Talentshows an, weil die einfach sehr lustig sind. Meine Eltern haben nichts dagegen, solange ich gute Noten in der Schule habe.

Etappe 3 — Eine Casting-Show

4 — Deutschland sucht den Super-Schüler!

Bereitet eine Casting-Show zum Thema „Deutschland sucht den Super-Schüler!" vor.
Bildet zwei Gruppen.

Die Kandidaten	Die Jury
– stellen sich vor (siehe ①), – ziehen Bilanz einer Aktion in der Schule (siehe ②), – präsentieren ein Projekt (siehe ③), – antworten auf die Fragen der Jury.	– stellt den Kandidaten Fragen über Deutschland, – diskutiert über die Kandidaten und wählt den Super-Schüler.

➡ Cahier d'activités pp. 7-8

Kerstin Imbach (14)

München
Erich-Kästner-Realschule (Kl. 9)
Schwimmen
Musik
offen – kontaktfreudig

①

Leon Pickert (15)

Aachen
Anne-Frank-Gymnasium (Kl. 10)
Rad fahren
Kunst
ruhig – engagiert

Die Schulaktion ②

Stadtrallye durch Bremen mit der Partnerklasse

③

Projektideen
- Sozialpraktikum
- Sportwoche
- Musik-AG
- Webradio
- ...

Eine Fernsehserie

In der Fernsehserie *Das Haus Anubis* leben neun Jugendliche zwischen 14 und 16 Jahren in einem Internat zusammen. Es geht um Liebe und Freundschaft, aber im Haus passieren auch mysteriöse Dinge ...

 ## Porträts

a. Schau dir die Fotos an. Welche Rolle würde am besten zu dir passen? Begründe deine Wahl.

b. Schreib Kommentare für die Bildergalerie der offiziellen Website. Stell die Figuren vor (Aussehen, Hobbys und Interessen ...).

➔ Cahier d'activités p. 9

DAS HAUS ANUBIS

A Nina Martens
B Delia Seefeld
C Magnus von Hagen
D Kaya Sahin

 ## Im Internat

Du bist neu im Haus Anubis. Schreib deinem besten Freund / deiner besten Freundin einen Brief und erzähl ihm / ihr von deinem neuen Leben im Internat (Gefühle, Kontakt mit den anderen Jugendlichen, Zimmer, Aktivitäten ...).

Liebe(r) ...,
ich bin schon eine Woche im Internat und ...

Sprache aktiv

 1 **La structure de la phrase**

Marco a reçu des messages incompréhensibles.
Remets les éléments suivants dans l'ordre.

a. sehe – ich – Heute Abend – fern – mit meinen Eltern.
b. mit Leonie – Am Wochenende – gehen – möchte –
ins Kino – ich.
c. wir – im Schwimmbad – uns – um sechs Uhr –
Treffen – ?
d. nicht – Ich – kommen – kann – , – weil – bin – krank
– ich.

 2 **Le présent de l'indicatif**

Fabian a rédigé sur un forum un article sur ses loisirs,
mais un virus a effacé les formes verbales du présent
de l'indicatif. Conjugue les verbes en italique.

Hallo zusammen,
ich *lesen* gerade einen Artikel über die Freizeitaktivitäten der Jugendlichen und möchte gern wissen, was
ihr in eurer Freizeit *machen*? Am liebsten *treffen* ich
mich mit meinem besten Freund, und wir *spielen* zusammen Videospiele. Ansonsten *sehen* ich fern. „Das
Haus Anubis" *finden* ich super! *Kennen* ihr die Serie?
Es *gehen* um neun Jugendliche, die in einem Internat
leben. Felix *sein* mein Lieblingsschauspieler. Er *fahren*
gern Rad und *lesen* Fantasy-Romane, wie ich ;-)
Bis bald.

 3 **Le parfait**

Plusieurs personnes ont posté des tweets pour
raconter leur soirée d'hier. Forme des énoncés au
parfait et utilise des compléments circonstanciels de
temps. Par exemple : *gestern, um 19 Uhr, zuerst ...
und dann ...*

Sven: im Internet surfen / Mails schreiben
→ *Nach dem Abendessen habe ich im Internet gesurft
und Mails geschrieben.*
a. Marco: mit Freunden chatten / Onlinespiele spielen
b. Lea: Hausaufgaben machen / ein Buch lesen
c. Philipp: zu Hause bleiben / fernsehen
d. Julia: Freunde treffen / ins Kino gehen
e. Florian: meine Oma besuchen / bei ihr essen

Vokabeln Kurz und gut

En groupes : classez et complétez ce lexique de la vie quotidienne
en vous servant de cette carte mentale.

- das Mineralwasser
- ein Praktikum machen
- Geschichte
- *fern*sehen
- das Klassenzimmer
- zu Hause
- das Obst

- die Küche
- bei einem Austausch *mit*machen
- das Rathaus
- sein Schlafzimmer *auf*räumen
- reiten
- in der Stadt
- der Imbiss

- Erdkunde
- die Wurst
- Hausaufgaben machen
- *auf*passen
- kochen
- lecker
- klettern

Kapitel 1

Gesund und fit in der Schule

★A2/A2+★

Je vais apprendre à...

 Écouter
- Comprendre des informations sur des habitudes alimentaires et des modes de vie.
- Comprendre des conseils pour manger équilibré.

 Lire
- Comprendre des informations relatives à un projet.
- Comprendre le fonctionnement d'une école.
- Comprendre des conseils pour mener une vie saine.

 Parler en continu
- Parler de mes habitudes alimentaires et de mon mode de vie.
- Expliquer une recette de cuisine.

 Parler avec quelqu'un
- Donner des conseils.
- Donner mon avis sur les rythmes scolaires.

 Écrire
- Décrire mes habitudes et mon mode de vie.

Unser Projekt

 Créer un test sur les habitudes alimentaires et l'activité physique.

Station 1

In der Schule essen?

① Podcast: Sag mir, was du isst ...

a. Hör dir den Podcast an und notiere Informationen zu den Essgewohnheiten der interviewten Personen (Was? Wann? Wie oft? Wo? Mit wem?). Was ist deiner Meinung nach gesund oder ungesund?

b. Beschreibe nun deine eigenen Essgewohnheiten.

> BEISPIEL: Zum Frühstück esse ich oft / immer ...
> Wenn ich von der Schule zurückkomme, ...

→ Cahier d'activités p. 10

Vokabeln

- selten – manchmal
- der Käse *le fromage*
- das Rindfleisch *la viande de bœuf*

② Gemüse statt Burger!

Lies den Artikel.

a. Wie reagieren Experten auf die Essgewohnheiten der Jugendlichen? Warum?

b. Was kann man dagegen tun? Macht in der Klasse Vorschläge.

> BEISPIEL: Ich schlage vor, ... zu ... / Wir sollten ..., anstatt ... zu ...

c. Schreib mit Hilfe der gesammelten Ideen den Artikel weiter.

> BEISPIEL: Hier ein paar Initiativen, um Jugendliche für eine gesunde Ernährung zu sensibilisieren ...

→ Cahier d'activités p. 10

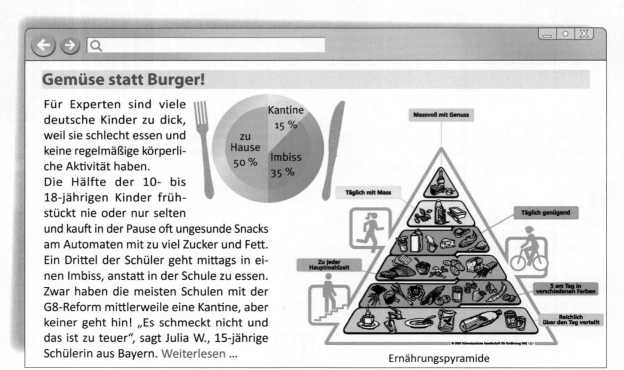

Gemüse statt Burger!

Für Experten sind viele deutsche Kinder zu dick, weil sie schlecht essen und keine regelmäßige körperliche Aktivität haben.

Die Hälfte der 10- bis 18-jährigen Kinder frühstückt nie oder nur selten und kauft in der Pause oft ungesunde Snacks am Automaten mit zu viel Zucker und Fett. Ein Drittel der Schüler geht mittags in einen Imbiss, anstatt in der Schule zu essen. Zwar haben die meisten Schulen mit der G8-Reform mittlerweile eine Kantine, aber keiner geht hin! „Es schmeckt nicht und das ist zu teuer", sagt Julia W., 15-jährige Schülerin aus Bayern. Weiterlesen ...

Kantine 15 %
zu Hause 50 %
Imbiss 35 %

Massvoll mit Genuss
Täglich mit Mass
Täglich genügend
Zu jeder Hauptmahlzeit
5 am Tag in verschiedenen Farben
Reichlich über den Tag verteilt

© 2005 Schweizerische Gesellschaft für Ernährung SGE

Ernährungspyramide

③ Initiativen für eine gesunde Ernährung

a. Bildet zwei Gruppen. Jede Gruppe liest einen Text und notiert Informationen über das Projekt (Name? Organisatoren? Aktion? Ziel? Teilnehmer?).

b. Präsentiert der anderen Gruppe das Projekt.

c. Hör dir das Interview an. Von welchem Projekt ist die Rede? Notiere Informationen zur Person (Motivation? Tipps? Lieblingsgericht?) und zur Aktion.

➜ Cahier d'activités p. 11

A

„Küchen für Deutschlands Schulen"

Das Bundesernährungsministerium organisiert mit Hilfe des Fernsehkochs Tim Mälzer zum 4. Mal den Wettbewerb „Küchen für Deutschlands Schulen", um die Kenntnisse der Jugendlichen über eine gesunde Ernährung zu verbessern.

Wer das beste Konzept präsentiert und das Projekt in den Unterricht integriert, gewinnt eine neue Schulküche und Geld (1000 €).

Fernsehkoch Tim Mälzer

Weitere Informationen unter:
www.klassekochen.de

B

„Fit statt fett"

Der ehemalige Profi-Fußballer des 1. FC. Köln Matthias Scherz engagiert sich mit seinem Verein SCHERZ e.V. für die Kinder in Köln. Ziel seines Projekts ist es, Übergewicht bei Kindern und Jugendlichen zu bekämpfen. Zusammen mit einem Schul-Catering-Service hat er „Fit-Menüs" entwickelt. Aktuell nehmen schon zwei Gymnasien am Projekt teil.

Außerdem hat der Verein moderne Trimm-Dich-Pfade in der Stadt finanziert. So können Kinder jederzeit körperlich aktiv sein, anstatt vor dem Fernseher zu hocken.

Ex-Fußballprofi Matthias Scherz

Zwischenstation

■ **Einen Forum-Beitrag schreiben**

1. Schreib einen Artikel zum Thema „Essen".
Beschreibe deine Essgewohnheiten.

2. Lies den Beitrag eines Mitschülers / einer Mitschülerin und schreib eine Antwort. Gib ihm / ihr ein paar Tipps.

Ich kann's

💬 Je comprends et je sais décrire des habitudes alimentaires.

💬 Je comprends et je sais donner des conseils pour avoir une alimentation saine.

Station 2

Sportschule Potsdam

(1) Willkommen!

a. Lies das Vorwort. Wo befindet sich die Schule? Inwiefern ist sie keine „normale" Schule?

b. Bildet drei Gruppen. Jede Gruppe liest eine Rubrik und informiert die Mitschüler über das Angebot.

➜ Cahier d'activités p. 13

www.sportschule-potsdam.de

Friedrich Ludwig Jahn Sportschule in Potsdam

Seit 1950 geben wir unser Bestes, damit jeder Jugendliche seinen Traum vom großen sportlichen Erfolg erfüllen kann. Als Eliteschule des Sports bieten wir 10 Sportarten an. Und das Gebäude verfügt natürlich über die modernsten Sportanlagen.

| AKTUELLES | SCHULE | TRAINING | INTERNET | MENSA | MEDIATHEK | KONTAKT |

Lernen
- 80 Lehrer und Lehrerinnen
- Ganztagsschule, von der Klasse 7 bis zum Abitur
- Flexible Abiturplanung für Leistungssportler
- Individualisiertes Lernen
- Geregelte Zeiten für Lernen, Trainieren und Regeneration

Trainieren
- 30 Trainer
- 5 Mannschaftssportarten: Volleyball, Fußball, Handball, Kanurennsport, Rudern
- 3 Individualsportarten: Judo, Schwimmen, Leichtathletik
- 2 Ausdauersportarten: Triathlon und Fünfkampf
- 2 Ärzte und 6 Physiotherapeuten

Leben
- 30 Erzieher
- Internat
- 400 Betten in Doppel- und Einzelzimmern mit Dusche / WC / TV
- Kantine: gesunde Ernährung der Sportler
- Freizeitaktivitäten nach dem Training

(2) Mehr Infos über die Schule

Piste 5

Anna hat die Website gesehen. Um nähere Informationen zu bekommen, ruft sie die Schule an. Auf welche Themen beziehen sich ihre Fragen? Hör zu und notiere die neuen Informationen.

➜ Cahier d'activités p. 13

Vokabeln

- **sich um etwas bewerben**
  postuler (pour qqch.)
- **über etwas verfügen**
  disposer de qqch.
- **auf eine Frage antworten**

③ Forum Sportschule

a. Anna schreibt im Forum einer Sport-Community. Lies die Beiträge. Welche Erfahrungen sind positiv? Welche negativ?

b. Kannst du dir vorstellen, Profisportler zu werden? Warum (nicht)? Schreib deinen eigenen Beitrag.

➔ Cahier d'activités p. 14

Frage von Anna 04   26.07.2013 – 17:40

Wer kann mir von seinen Erfahrungen mit einer Sportschule erzählen? Schulleben? Stress? Zeit für sich und seine Freunde? Freu mich auf eure Antworten.

Antworten (3)

Antwort von Zulu   26.07.2013 - 18:54

Hallo, hab' schon vor ein paar Jahren eine Sportschule besucht. Klar, es ist das Beste, wenn man mal Profisportler werden will. Aber Vorsicht, der Körper kriegt Schäden, wenn man zwei- oder dreimal am Tag trainiert. Ich persönlich musste aufhören. Dir geht's vielleicht anders, ich drück dir die Daumen!

Antwort von pooky   26.07.2013 - 21:29

Man muss hochmotiviert sein! Nicht nur für dich, sondern auch für deine Familie und deine Freunde ist es schwer. Die sagen alle, „unsere Betreuer ersetzen die liebe Familie" – alles Quatsch. Ich habe nur schlechte Erfahrungen gemacht, überhaupt keine Freunde gehabt; es ist so weit gegangen, dass ich am Ende gar keine Lust mehr hatte, morgens aufzustehen. Ich hatte Kopf- und Bauchschmerzen. Mir war der Druck einfach zu groß.

Antwort von wurststurm   27.07.2013 - 12:05

Ich besuche eine Sportschule seit zwei Jahren. Zwei Trainingseinheiten pro Tag, dazwischen Schule und Hausaufgaben. Du musst also auf einiges verzichten, langes Chatten, Fernsehen usw. Aber früher musste ich nach dem Unterricht oft direkt zum Training nach Frankfurt.

---

④ Erste Eindrücke

a. Nach einer Woche in der Sportschule ruft Anna ihre Mutter an. Hör zu und ziehe Bilanz (Gefühle, Erfahrungen, Reaktion der Mutter).

b. Du bist Anna. Erzähle in deinem Blog von der ersten Woche.

➔ Cahier d'activités p. 14

Vokabeln

- sich um jdn Sorgen machen
  se faire du souci pour qqn
- sich an etwas gewöhnen
  s'habituer à qqch.
- auf etwas verzichten
  renoncer à qqch.

Zwischenstation

■ **Ein Interview über Sport durchführen**

Macht ein Interview für die Radio-AG eurer Schule. Arbeitet zu zweit. Schüler A interviewt Schüler B über seine sportlichen Aktivitäten.

Ich kann's

🔁 Je comprends des informations sur le fonctionnement d'une école sportive.

🔁 Je comprends des avis et je sais parler de ma pratique du sport.

🔁 Je sais raconter une expérience vécue.

Gesund und fit mit G8?

1 **Lies folgende Auszüge aus dem Roman *Die Schule und ich*.**

a. Auszug 1: Wie reagieren die Schüler auf die Schließung der alten Kantine / die Eröffnung einer Bio-Kantine?

b. Auszug 2: Hast du Ideen, wie man seinen Tagesablauf gut organisieren kann? Finde ein paar Tipps.

> „Schule nervt!", findet Sina. Franzvokabeln lernen, öde Schullektüre, Referate halten. Das ist doch der Horror hoch zehn! Als sich dann noch ein Lehrer unfair verhält und es in der Schulmensa nur noch probiotisches Essen gibt, hat Sina die Nase voll. Sie ergreift die Initiative und kämpft mutig für Gerechtigkeit und Pommes. Denn eins ist ja wohl klar: „Das Beste an der Schule, das sind wir!"

Auszug 1

Seit die Kantinenfrau nach einer angeblichen Salmonellenvergiftung die Schule verlassen musste, gibt es in der Schule keine Kantine mehr. In der Pause ist es das Thema Nummer eins.

„**B**löd, jetzt gibt es erst mal kein warmes Essen", meckert Milli, bei denen zu Hause mittags nie gekocht wird. (...)

„Ich fand das Angebot immer ganz lecker", sage ich, „vor allem das Salatbuffet, wer weiß, was jetzt hier reinkommt." Kann ja sein, dass Mama eines Tages doch wieder arbeiten geht wie andere Mütter auch und ich in der Schule essen muss. (...)

„Kann ich dir sagen." Kleo grinst mich an. „Der neue Vorstand vom Förderverein[1] hat jemanden von einem Bio-Catering[2] organisiert, das wird garantiert hundertprozentig vollwertig und gesund. Keine Geschmacksverstärker mehr, keine künstlichen Aromen ..."

„... keinen Spaß", ergänzt Milli genervt.

„Außerdem wollen die sich mehr für die Gesundheitserziehung an unserer Schule einsetzen, das finde ich wiederum, ehrlich gesagt, ganz okay", schließt Kleo ihren Bericht ab.

1. der Vorstand vom Förderverein *le comité directeur de l'association de soutien* 2. das Catering *le traiteur*

● Gesundheitsförderliche Ernährung wird aktuell an Schulen ganz groß geschrieben, weil leider viel zu viele Jugendliche viel zu dick sind, unter Bewegungsmangel leiden und schlechte Essgewohnheiten haben. Schoko und Chips in Ehren, aber nur ein gesunder und vitaler Körper kann gut lernen und sich konzentrieren!

● Für die Pause gilt: belegtes Vollkornbrot, Obst oder Gemüse nach Jahreszeit, Joghurt oder Milch. Wenn du zwischendurch noch Hunger hast, knabbere Nüsse oder Rosinen.

Auszug 2

Mit der Einführung des G8 ist Kleo die ganze Zeit am Lernen und verfügt nur noch über wenig Freizeit. Jolina will aber nicht auf einen Weihnachtsmarktbesuch verzichten.

„**H**ey, Leute, wir haben den geilsten Weihnachtsmarkt vor der Nase und ihr geht nicht hin, weil ihr lieber gemütlich im Warmen zu Hause sitzt und euch Formeln statt Glühwein reinpfeift[1]!" (...)

„Von wegen lieber! (...) Ich habe seit den Sommerferien voll den Stress zu Hause: Mathe-Nachhilfe zweimal die Woche, jeden Tag eine Stunde Vokabel-training, Geschichtszahlen büffeln. Frag mich mal, was ich lieber täte!" (...)

„Jeden Tag checkt meine Mutter meine Hausaufgaben", macht Kleo weiter. „Jeden Tag will sie wissen, was ich alles gelernt habe. (...) Ich habe schon ständig Kopfweh deswegen!"

Mein Lieblingspausenbrot:
Frischkäse-Vollkornbrot

> ● Kopfweh, Bauchschmerzen, verspannte Schultern, schlechter Schlaf – wenn du Stress hast, (...) reagiert dein Körper und signalisiert: Achtung, pass auf mich auf, tu was! Probier mal Folgendes:
>
> – Bewegung hilft, Stress abzubauen. Ob Radfahren oder Basketball, Walken oder Inlineskaten: Tue es regelmäßig, am besten immer zu einer festen Uhrzeit oder nach einer Lerneinheit.
> – Achte auf eine gesunde, regelmäßige und ausgewogene Ernährung. Frisches Obst, Gemüse, Kräutertee …
> – Setze dir realistische Ziele, organisiere deinen Tagesablauf gut.

„Ach, das legt sich", winkt Julia lässig ab. „Das hat meine Mutter auch immer gesagt (...). Inzwischen ist sie schon froh, wenn ich keine Fünf nach Hause bringe. (...) Komm, Jolina hat recht: Heute Nachmittag treffen wir uns auf dem Weihnachtsmarkt, das wird bestimmt lustig."

Aus: Ilona Einwohlt, *Die Schule und ich*
© Arena Verlag GmbH, Würzburg, 2009

1. sich etwas reinpfeifen *s'avaler*

② Und was meint ihr?

- **Ganztagsschulen sind in Frankreich die Regel.
Wie findet ihr das?**

   Schüler A: Ich finde, dass …
   Schüler B: Ja, das stimmt!
   Schüler C: Ich bin nicht mit dir einverstanden, weil …

➔ Video p. 26 (G8 – oder ein neuer Schulrhythmus)

Kulturtipp

Schulreform kurz gefasst

● **G8**
In vielen Bundesländern dauert die Schulzeit bis zum Abitur nun 12 statt 13 Jahre. Im G8 (achtjährigen Gymnasium) müssen die Schüler den gleichen Stoff in kürzerer Zeit lernen und haben oft nachmittags Unterricht.

● **Ganztagsschule**
Seit ein paar Jahren sind immer mehr Schulen an drei bis vier Tagen in der Woche bis etwa 16 Uhr geöffnet. Die Schüler haben normalen Unterricht, aber auch Zeit für individuelles Lernen und Freizeitaktivitäten. Außerdem bekommen sie Hilfe bei den Hausaufgaben.

Sprache aktiv

→ Cahier d'activités p. 12
→ Mémento grammatical pp. 154-155

1 La proposition subordonnée introduite par *wenn*

• La proposition subordonnée introduite par *wenn* peut avoir un sens temporel et exprime alors une habitude (= quand).

• Placée en début d'énoncé, elle est suivie du verbe de la principale.

Wenn ich von der Schule **zurückkomme**, **esse** ich immer ein Brot mit Nutella.

2 La proposition subordonnée infinitive

• Certains verbes et expressions sont suivis d'une proposition subordonnée infinitive avec *zu*.

Ich schlage vor, Bioprodukte **zu** kaufen.

• Le verbe à l'infinitif occupe la dernière place et est précédé de *zu*.

• La proposition subordonnée infinitive peut également être introduite par une préposition :

– *Um ... zu* exprime alors un but, une finalité.

Ich treibe viel Sport, **um** gesund **zu** bleiben.

– *Anstatt ... zu* signifie « au lieu de ».

Meine Mutter sagt, ich soll für die Schule lernen, **anstatt** fern**zu**sehen.

• Dans tous les cas, la proposition subordonnée infinitive est séparée de la principale par une virgule.

• Avec un verbe à préverbe séparable, *zu* se place devant le radical du verbe.

1 Relie les énoncés suivants pour exprimer des habitudes en commençant par une proposition subordonnée introduite par *wenn*.

Ich bin im Stress. Ich esse Schokolade.
→ *Wenn ich im Stress bin, esse ich Schokolade.*

a. Ich komme von der Schule zurück. Ich mache meine Hausaufgaben.

b. Ich treibe Sport. Ich habe immer eine Flasche Wasser dabei.

c. Ich habe Ferien. Ich schlafe oft bis 10 Uhr!

d. Meine Mutter arbeitet manchmal am Montag. Ich esse in der Mensa.

2 Complète les énoncés suivants par une proposition infinitive avec *zu* en t'aidant des éléments entre parenthèses.

Ich rate dir, ... (fünfmal am Tag – essen – Obst und Gemüse)
→ *Ich rate dir, fünfmal am Tag Obst und Gemüse zu essen.*

a. Viele Schüler haben keine Lust, ... (mittags in der Schule – essen)

b. Ich schlage vor, ... (*mit*machen – beim Projekt „Küchen für Deutschlands Schulen" – dieses Jahr)

c. Ich finde es wichtig, ... (aktiv – sein – körperlich)

d. Ziel der Aktion ist es, ... (sensibilisieren – Kinder – für eine gesunde Ernährung)

e. Es macht Spaß, ... (an einem Kochkurs – *teil*nehmen)

f. Es ist ungesund, ... (essen – im Imbiss – jeden Tag)

g. Gefällt es dir, ...? (am Computer – stundenlang – sitzen)

h. Es ist doch schön, ... (keinen Unterricht – haben – nachmittags)

i. Ich finde es praktisch, ... (am Automaten – kaufen – Snacks)

3 Complète les énoncés avec la proposition infinitive qui convient.

Mir gefällt es, ... (sonntags mit der ganzen Familie am Tisch sitzen)
→ *Mir gefällt es, sonntags mit der ganzen Familie am Tisch zu sitzen.*

a. Nimm doch ein belegtes Brot mit, ... (Süßigkeiten am Kiosk kaufen)

b. Iss doch in der Kantine, ... (einen Döner kaufen)

c. Du solltest mit dem Fahrrad in die Schule fahren, ... (den Bus nehmen)

d. Du solltest jeden Tag 10 Minuten laufen, ... (dich stärken)

e. Ich finde es wichtig, ... (sich gesund ernähren)

f. Mach doch deine Hausaufgaben, ... (am Computer spielen)

g. Iss 5 Portionen Obst und Gemüse am Tag, ... (fit bleiben)

h. Mein Bruder und ich haben oft keine Zeit, ... (morgens frühstücken)

Station 2

➜ Cahier d'activités p. 15
➜ Mémento grammatical pp. 154-155

1 L'expression du but

• On ne peut utiliser la proposition infinitive introduite par *um* que lorsque le sujet de la proposition principale et celui de la proposition infinitive sont identiques.

Die Jugendlichen kommen in die Sportschule, um Schule und Sport kombinieren zu können.

• Ici, *die Jugendlichen* est à la fois le sujet de la principale et le sujet sous-entendu de l'infinitive.

• Lorsque les sujets sont différents, on utilise une proposition subordonnée introduite par *damit* (pour que, afin que) :

Unsere Schule macht alles, damit **die Jugendlichen** sich hier wohl fühlen.

• Comme toute subordonnée conjonctive, elle est séparée de la principale par une virgule et le verbe conjugué est en dernière position.

4 Dans quel but ? Relie les énoncés suivants en utilisant *um ... zu* ou *damit*.

Man braucht Zeit. Man muss dreimal am Tag trainieren.
➜ *Man braucht Zeit, um dreimal am Tag zu trainieren.*

Ich gehe zum Trainer. Er gibt mir Tipps.
➜ *Ich gehe zum Trainer, damit er mir Tipps gibt.*

a. Anna ruft die Schule an. Sie will sich informieren.

b. Die Schule wurde 2004 komplett renoviert. Die Schüler haben mehr Komfort.

c. Jedes Zimmer verfügt über einen Internetanschluss. Die jungen Sportler können die E-Learning-Plattform benutzen.

d. Anna wird mit ihren Eltern am Tag der offenen Tür kommen. Sie will mit anderen Sportlern sprechen.

e. Frau Stüber ist da. Sie beantwortet alle Fragen der Bewerber.

f. Wir machen alles. Ihr fühlt euch wohl.

Vokabeln Kurz und gut

➜ Cahier d'activités p. 16

❶ Wann?
• am Morgen /Nachmittag / Abend
• zu Mittag
• am Wochenende

❷ Wie oft?
• jeden Tag / täglich
• einmal in der Woche
• nie ≠ immer / die ganze Zeit
• selten ≠ oft / meistens
• manchmal

❸ Mahlzeiten & Lebensmittel
• das Frühstück → frühstücken
• das Pausenbrot(e)
• das Mittagessen → zu Mittag essen
• das Abendessen → zu Abend essen
• das Fleisch, das Gemüse, Nudeln, der Reis

❹ Sport und Schule
• der Unterricht
• die Unterrichtsstunde(n)
• die Pause(n)
• der Leistungssport → der Leistungssportler(-) / die Leistungssportlerin(nen)
• das Training → trainieren → der Trainer(-)
• der Sportarzt(-e)
• die Sportart(en)
• der Mannschaftssport
• der Ausdauersport
• gesund → die Gesundheit

Sprechtraining
Pistes 8-9

■ L'intonation de la phrase (interrogative et déclarative)

■ Voyelles longues ou voyelles brèves ?

➜ Cahier d'activités p. 12 et p. 15

Mein Alltag in Deutschland

Porta Nigra, Trier

Ich heiße Elodie, komme aus Dijon und bin mit dem Heine-Programm für sechs Wochen in Trier. Hier seht ihr die berühmte Porta Nigra, Triers Wahrzeichen. Ich bin hier, um meine Deutschkenntnisse zu vertiefen, aber auch, um wie eine Deutsche zu leben.

Ich entdecke die deutsche Küche

Mittags habe ich in der Kantine gegessen. Für mich war das ganz banal, aber für meine Partnerin ist es etwas ganz Neues. Das Essen war ... na ja, wie bei uns. Abends ist es aber in Deutschland ganz anders. Das erste Mal hab' ich gedacht: Geht denn meine Uhr nach? Es war halb sieben! Außerdem gibt's auf dem Tisch oft nur Käse, Wurst, verschiedene Salate und Brotsorten, Eier – ein bisschen wie das Frühstück. Ich habe ziemlich lange Zeit gebraucht, um mich daran zu gewöhnen. Jetzt finde ich das super, ich verfüge über einen richtig langen Abend.
Apropos Wurst: Ja, das stimmt, die Deutschen essen ziemlich viel Wurst. Sie essen auch viel Eis und viel Kuchen. Sie essen aber auch gerne gesund und kaufen viel in Bioläden ein. In meiner Gastfamilie habe ich die deutsche Gastronomie entdeckt. Hier ist mein Lieblingsrezept:

 Rinderrouladen mit Apfelrotkohl und Kartoffeln

Rinderrouladen

Zutaten: 4 dünne Scheiben Rindfleisch – Salz – Pfeffer – Senf – 4 Essiggurken – 2 Zwiebeln – 50g Räucherspeck – Fleischbrühe – etwas Mehl

Fleisch salzen, pfeffern und dünn mit Senf bestreichen. Mit gehackten Zwiebeln, dünnen Speckstreifen und Streifchen von Gurken belegen, dann zusammenrollen und zusammenhalten. Die Rouladen mit Mehl bestäuben und in heißem Fett von allen Seiten bräunen, Brühe angießen und die Rouladen zugedeckt gar kochen.

Als ich einmal krank war ...

Kurz nach meiner Ankunft habe ich mich erkältet und musste mich bei der Schule krank melden. Ich hatte Hals- und Bauchschmerzen. Mir tat auch der Kopf weh. Anstatt Tabletten und allerlei Medikamente zu nehmen, bevorzugen die Deutschen eine sanfte Medizin: Kräutertees, Homöopathie und Naturheiltherapie sind sehr populär. Im Garten hat meine Gastfamilie ein eigenes Kneippbecken! Mir war aber das Wasser wirklich zu kalt.

Kneippbecken

Und am Nachmittag ... Zeit für Sport!

Auf der Mosel

Das Humboldt-Gymnasium Trier kooperiert mit einem Ruderverein. So habe ich in diesen sechs Wochen auch eine neue Sportart entdeckt. Zweimal in der Woche haben wir nachmittags kleine Wanderfahrten auf der Mosel gemacht. Ich habe viele Fotos von den Weinbergterrassen gemacht.
Viele glauben, in Deutschland trinkt man nur Bier: Das Moselland ist die bekannteste Weinregion Deutschlands, und ich habe natürlich eine Flasche Moselweißwein für meine Eltern gekauft.

Alles klar?

1. Nenne das Wahrzeichen der Stadt Trier.
2. Woraus besteht das traditionelle deutsche Abendessen?
3. Was versteht man unter „sanfter Medizin"?

WEBQUEST   ▸ Chercher et sélectionner l'information demandée

Sucht euch eine Stadt aus und sammelt Informationen: Lage? Sportmöglichkeiten? Kochspezialitäten / Gastronomie?
Bastelt eine kleine Broschüre, um andere Schüler zum Mitmachen beim Heine-Programm zu überzeugen.

WEBSITES FÜR INFOS
http://www.gapa.de/
http://www.st.peter-ording-nordsee.de
http://www.erfurt-tourismus.de

Workshops

G8 – oder ein neuer Schulrhythmus

Schau dir die Reportage an.

a. Was erfährst du über die zwei Schüler?

b. Was bedeutet G8?

c. Wie sieht ein normaler Tag / eine Unterrichtsstunde im G8 aus?

d. Nenne die Vor- und Nachteile dieser Reform.

e. Gib Kai ein paar Tipps, wie er seine Schwierigkeiten überwinden kann.

▶ *G8 – schneller lernen fürs Turboabitur*
Reportage, neuneinhalb, 2008

2 IT

Eine Diashow mit Audiokommentaren erstellen

Erstelle eine Diashow, um dein Lieblingsrezept zu präsentieren.

a. Mach Fotos von jeder Etappe.

b. Schreib zu jeder Etappe einen kurzen Text.

c. Nimm ihn mit einem Handy, Audacity oder Vocaroo auf.

d. Öffne das Programm Windows Live Movie Maker.

e. Importiere deine Bilder und Audiokommentare.

f. Speichere deinen Film (auf „Film speichern" klicken + Ordner auswählen / Namen eingeben).

Vokabeln

▶ = *ab*spielen

● = *auf*nehmen

❚❚ = Pause

■ = Stop

B2i

C4
- S'approprier un environnement informatique de travail → *Je sais utiliser les espaces de stockage / logiciels à disposition.*
- Créer, produire, traiter, exploiter des données → *Je sais traiter une image, un son ou une vidéo.*
- Adopter une attitude responsable → *Je sais sécuriser mes données.*

3 **Kunst**

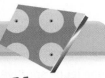

Alltag ist Kunst

Das Thema Essen hat in der Kunst eine lange Tradition. Aber seit den 6oer Jahren ist Essen mehr als nur Thema der Kunst, es wird auch zum Material.

a. Lies den Text und schau dir das Bild an. Was ist das Ziel des Künstlers? Was erfährst du über die Essgewohnheiten seiner Gäste?

b. Kennst du andere Kunstwerke, wo das Thema „Essen" im Mittelpunkt steht?

Daniel SPOERRI

Der Schweizer Künstler Daniel Spoerri ist ein guter Koch und der Erfinder der „Eat Art". In Düsseldorf eröffnet er 1968 ein Restaurant und fixiert die Tassen, Teller und Essensreste seiner Gäste originalgetreu auf den Tischplatten. Dann hängt er diese wie ein Stillleben an die Wand.

Er interessiert sich nämlich für die Rituale des Alltags, um die Menschen zu verstehen. Seine Bilder symbolisieren die boomende Konsumgesellschaft der 6oer Jahre.

Vokabeln

- das Stillleben *la nature morte*
- die Landschaft *le paysage*
- das Porträt
- etwas *dar*stellen *représenter qqch.*

Daniel Spoerri, *Fallenbild*; Sevilla Serie 11, 1991

Spiel den Künstler!

Zeig deine Kreativität. Such dir Fotos von Lebensmitteln aus und mach eine Collage, um eine Landschaft oder eine Person darzustellen. Kommentiere sie vor der Klasse.

Jetzt kannst du's !

➜ Cahier d'activités p. 17

1 Reportage über eine Nachwuchs-Sportlerin

OBJECTIF : Comprendre un reportage sur une jeune sportive.

OUTILS : Le lexique des sports, les sentiments, les adverbes de fréquence, la proposition subordonnée infinitive, les prépositions suivies du datif (*seit*).

Écoute le reportage.

Es-tu capable :

A2
1. de donner un maximum d'informations sur l'identité de la personne interviewée (prénom, âge, lieu d'habitation, sport pratiqué, loisirs) ?
2. d'indiquer la motivation de la jeune fille ?

A2+
3. d'indiquer la fréquence à laquelle elle pratique ses activités sportives ou de loisirs ?
4. d'indiquer son avis / ses sentiments ?

➜ Cahier d'activités p. 17

2 Gespräch mit dem Fitness-Coach

OBJECTIF : Décrire ses habitudes alimentaires et sa pratique d'un sport, donner des conseils.

OUTILS : Le lexique des aliments, les adverbes de la fréquence, la proposition subordonnée infinitive.

Essen & Trinken

Frühstück   Mittagessen   Abendessen

Zwischendurch

10 Uhr: Nachmittags:

Sport   Freizeitaktivitäten

★★☆☆   ★☆☆☆   ★★★☆

+ In der Schule: Mi. / Fr.

Dans le cadre d'une semaine de sensibilisation pour une vie saine organisée à l'école, un spécialiste (élève A) conseille les élèves (élève B).

Tu es l'élève B. Peux-tu :

A2+
1. décrire à partir de la fiche illustrée tes habitudes alimentaires ?
2. parler de tes activités sportives en précisant la fréquence ?

Tu es l'élève A. Peux-tu :

A2+
1. donner ton avis ?
2. donner des conseils ?

➔ Cahier d'activités p. 18

3 Infos für Eltern

OBJECTIF : Comprendre des actions menées dans une école, comprendre un conseil et l'objectif visé.
OUTILS : Le lexique de l'alimentation et de la santé, les indications temporelles, l'expression du conseil et du but.

Lis la lettre.

Es-tu capable de repérer :

A1
1. l'auteur et le destinataire du message ?

A2
2. l'objet du courrier ?
3. les différentes actions menées ?
4. les indications temporelles ?

A2+
5. les conseils et les objectifs visés ?

Liebe Eltern,

unsere Schule engagiert sich für die Gesundheit Ihres Kindes. Hier finden Sie ein paar Aktionen zum Thema „gesunde Schule", die in allen Klassenstufen stattfinden:
- Kennen lernen der Ernährungspyramide (Klasse 1)
- Monatlich ein gemeinsames Frühstück
- Jeden Mittwoch Obst- und Gemüsetag
- Teilnahme an Wettbewerben
- Bewegungspausen im Unterricht
- Zusammenarbeit mit Sportvereinen
- Leichtathletik-Woche (im März)
- Erste-Hilfe-Führerschein

Als Eltern spielen Sie auch eine wichtige Rolle. Damit Ihr Kind gut lernen kann, sollte es zu Hause ein gesundes Frühstück zu sich nehmen. Außerdem braucht es ein frisches, vitaminreiches Pausenbrot, um nach ein paar Stunden Unterricht seine Energiereserven aufzufüllen.

Mit freundlichen Grüßen
Ihre B. Reinicke
Schulleiterin

➔ Cahier d'activités p. 18

4 So ein Stress!

OBJECTIF : Parler de son mode de vie, donner des conseils.
OUTILS : L'expression du conseil et du but, la proposition subordonnée infinitive.

facebook

Jan Müller
Hallo Leute! Ich habe echt die Nase voll von G8! Bin total k.o., seit wir oft nachmittags Schule haben. Und zu Hause gibt's jeden Abend Streit, weil ich meistens in meinem Zimmer hocke und Computerspiele spiele. Bah, so ein Stress!

Gefällt mir • Kommentieren • vor einer Stunde

👍 **15 Personen** gefällt das.

Schreibe einen Kommentar …

Rédige un commentaire au message posté par Jan.

Es-tu capable de :

A2+
1. donner ton avis ?
2. donner des conseils et de les justifier ?
3. faire part de ton expérience personnelle / parler de tes habitudes ?

Unser Projekt

Einen Psychotest erstellen

Du bist Journalist bei *Fit und gesund*. Erstelle einen Psychotest zum Thema „Wie fit bist du?", um die Gewohnheiten der anderen Schüler kennen zu lernen.

→ Cahier d'activités p. 19

Outils

↪**Objectifs de communication :** donner des conseils.

↪**Grammaire :** la proposition subordonnée infinitive, les questions partielles.

↪**Lexique :** le lexique des habitudes alimentaires et sportives.

Etappe 1 Finde mindestens sechs Fragen mit jeweils drei möglichen Antworten.

Der Test soll drei Profile ergeben:
A. der Gesundheitsfanatiker
B. der Normalo
C. der Gesundheitsmuffel

Etappe 2 Schreib zu jedem Profil einen kurzen Text mit ein paar Tipps.

Welches Bild spricht dich am meisten an?

A. ⭘   **B.** ⭘   **C.** ⭘

Mon bilan de compétences

→ Cahier d'activités p. 19

Tâche finale	Socle commun A2	Vers B1
Créer un test sur les habitudes alimentaires et l'activité physique.	**C2** **Rendre compte de faits, d'événements :** relater des expériences, écrire sur ses habitudes alimentaires et sportives, décrire une personne.	Exposer un problème. Rédiger un message informatif en soulignant les points importants.

Kapitel 2

Musik ist mein Leben

Je vais apprendre à...

 A2 / A2+

 Écouter
- Comprendre des témoignages et des avis sur un spectacle.
- Comprendre les étapes d'une carrière d'artiste.

 Lire
- Comprendre des informations sur des musiciens connus.
- Comprendre des informations sur des initiatives originales en musique.

 Parler en continu
- Expliquer mes choix musicaux.
- Raconter au passé la vie d'un musicien connu.

 Parler avec quelqu'un
- Interviewer un musicien célèbre.
- Échanger des informations sur un groupe musical.

Écrire
- Rédiger la biographie d'un artiste.

Unser Projekt

 Interviewer un compositeur germanophone.

Das höre ich gern!

① Musikforum

a. Lies folgende Kommentare. Welche Musik hören die Jugendlichen? Warum? Und wann?

b. Und du? Welche Musik gefällt dir? Warum?

BEISPIEL: Am liebsten höre ich ... Mir gefällt besonders / vor allem ...

→ Cahier d'activités p. 20

von Phoenix >> 3.5. 17:34
Hallo alle zusammen! Kleine Umfrage für unsere Schülerzeitung: Was für Musik hört ihr und warum gefällt euch gerade diese Musik?

Phoenix

von thomas1212 >> 7.5. 12:03
Ich stehe auf Soul und HipHop, und diese Musik höre ich den ganzen Tag. Ich mag diesen Stil, weil die Texte meist super sind und einen tieferen Sinn haben, sie drücken einfach Emotionen aus.

thomas1212

von Dudiezz >> 14.5. 16:24
Musik ist für mich total wichtig! Ich mach zwar selbst keine, weil ich ziemlich unmusikalisch bin, aber ich hör sie gern ... Vom Stil her hör ich eigentlich alles, sogar manchmal klassische Musik, z.B. wenn ich wütend oder traurig bin!!

Dudiezz

von Kathrin15421 >> 2.6. 18:30
Ganz klar: Hardrock! Einfach die beste Musik der Welt, deswegen war ich auch schon auf zwei Hardrock-Konzerten, tolle Stimmung, man lernt dort neue Leute kennen ...

Kathrin15421

von Piloty >> 27.6. 17:05
Morgens beim Aufstehen, auf dem Weg zur Schule und am Abend, für mich gibt's nur eins: Metal. Es ist einfach ein schönes Gefühl, sich mit seiner Lieblingsmusik abzureagieren.

Piloty

② Live dabei!

a. Sieh dir das Plakat an. Was erfährst du über das Event?

b. Hör dir an, was ein paar Jugendliche nach dem Konzert dem Reporter von „Radio Leer" antworten. Notiere ihre Meinungen und Argumente. Wieso durften sie zu diesem Konzert?

→ Cahier d'activités p. 20

AH!Entertainment presents
LUXUSLÄRM
11.11.2011
Zollhaus Leer
Tickets: www.extratix.de, www.ADticket.de

3 Und welcher Stil passt zu dir?

a. Bildet 3 Gruppen. Jede Gruppe liest eine Präsentation und informiert die anderen über den Künstler / die Band (Name? Musikstil? Outfit? ...).

b. Welcher Musiker / welche Band spricht dich am meisten an? Begründe deine Wahl.

BEISPIEL: Ich stehe auf ... Deswegen finde ich ...

➲ Cahier d'activités p. 21

EQUILIBRIUM

Die Gruppe: **fünf Musiker aus Bayern**
Ihre Anfänge: **2001**
Ihr Stil: **Epic Metal**
Ihre Instrumente: **Gitarre, Keyboard, E-Gitarre, Bass, Schlagzeug**
Ihr Outfit: **schwarzumrandete Augen, enge Hosen (Glam-Rock-Hosen), Ketten, Armbänder und Tattoos**

Prinz Pi

Der gebürtige Berliner hat sich einen Namen in der deutschen Rapszene gemacht. Mit 18 Jahren veröffentlichte er bereits sein erstes Rapalbum. In seinen Songs spricht er oft sozialkritische Themen an.

DAVID GARRETT

Bach und Mozart liebt er, aber Garrett hat auch kein Problem damit, langsame Songs der Heavy-Metal-Band Metallica auf der Geige zu spielen. Die Musik des Deutsch-Amerikaners aus Aachen liegt zwischen Klassik, Rock und Techno. Der coole Wundergeiger mit dem lässigen Style erhielt bereits viele Musikpreise.

Zwischenstation

■ **Sein Lieblingslied vorstellen**

1. Such dir ein Musikstück aus und charakterisiere es. Sag, warum es dir gefällt.

2. Hört euch ein paar Musikausschnitte an und findet heraus, wer welchen Song mitgebracht hat.

Ich kann's

☞ Je comprends les goûts musicaux des jeunes Allemands.
☞ Je sais justifier mes choix musicaux.
☞ Je sais parler d'un groupe musical.

Station 2

Musik von klein auf

① Eine einzigartige Welt

a. Sieh dir das Filmplakat an und formuliere Hypothesen über die Personen und ihr Leben.

b. Lies jetzt den Text und überprüfe deine Hypothesen. Was erfährst du noch über die Thomaner?

➔ Cahier d'activités p. 23

EIN JAHR MIT DEM THOMANERCHOR LEIPZIG

DIE THOMANER
HERZ UND MUND UND TAT UND LEBEN

EIN FILM VON PAUL SMACZNY UND GÜNTER ATTELN

www.THOMANER-derfilm.de

Die Stadt Leipzig ist stolz auf ihren 800 Jahre alten Thomanerchor.

Als der Chor 1212 entstand, waren es 12 Jungen, die gegen Unterricht, Kost und Logis in der Leipziger Kirche sangen. Über viele Jahrhunderte leiteten bekannte Musiker und Komponisten diesen Chor, unter ihnen Johann Sebastian Bach. Der berühmte Kappellmeister führte in der Zeit von 1723 bis 1750 mit den Chorknaben viele seiner bekannten Werke auf.

Heute besteht der weltberühmte Chor aus etwa 100 Jungen im Alter von 9 bis 18 Jahren. Sie wohnen im Internat, gehen in die Thomasschule und singen dreimal pro Woche in ihren blau-weißen „Kieler Blusen" in der Thomaskirche in Leipzig, dazu kommen große Konzertreisen durch Deutschland und die Welt.

② Ein berühmter Thomaner

a. Hör dir das Interview mit Sebastian Krumbiegel an. Was erfährst du über seine Familie und seine Zeit bei den Thomanern? Wie sieht er diese Zeit bei den Thomanern heute?

Piste 11

b. Schreibe eine kurze Biografie zu Sebastian Krumbiegel.

➔ Cahier d'activités p. 23

Sebastian Krumbiegel

5. Juni 1966: in Leipzig geboren
1976-1985: Schüler der Thomasschule in Leipzig und Sänger im Thomanerchor
1981: Gründung der Rockband „Phoenix"
1985: Abitur
1987: Schlagzeug- und Gesangstudium → Sänger im Trio „Herzbuben"
1991: Gründung der Popgruppe „Die Prinzen"
Seit 1998: auch als Solokünstler aktiv

3 Musik und Schule?

a. Lies folgenden Zeitungsbericht. Finde mindestens 3 Fragen zu Julias Leben und Karriere.

b. Spielt zu zweit ein Interview.

→ Cahier d'activités p. 24

Star-Geigerin Julia Fischer

Julia Fischer besuchte in Gauting bei München das Gymnasium. In dieser Zeit spielte sie die erste Geige im Schulorchester und machte bei Schulkonzerten mit. Als Julia mit 13 Jahren den Internationalen Yehudi-Menuhin-Wettbewerb gewann, war für sie klar: „Mein Lebensziel ist es, Musikerin zu werden."

Julia spielte oft 50 Konzerte pro Jahr und kam manchmal direkt aus dem Flugzeug in die Schule. Aber ihr Gymnasium hatte für Julias Karriere viel Verständnis: Von ihrem Mathelehrer bekam sie die Hausaufgaben per E-Mail über den Atlantik, Freunde faxten den Unterrichtsstoff ins Hotel und manchmal machten die Lehrer die Termine für die Klassenarbeiten von Julias Konzertdaten abhängig.

Heute ist Musik für Julia Fischer ihr Leben, denn sie ist eine der bekanntesten deutschen Violonistinnen, die Konzerte in der ganzen Welt gibt.

Zwischenstation

■ Rate, wer ich bin!

1. Such dir einen bekannten Musiker aus und schreibe eine kurze Biografie.

2. Stelle der Klasse diesen Musiker vor, ohne seinen Namen zu nennen.

3. Deine Klassenkameraden sollen raten, wer es ist.

Ich kann's

☞ Je comprends des informations sur des musiciens connus.

☞ Je comprends et je sais décrire une carrière d'artiste.

Opern entdecken und erleben

1 Ich wuchs im Opernhaus auf

a. Lies den Artikel. Was erfährst du über Katharina Wagner und ihr Leben? Wie half der Vater Katharina, die Welt der Opern kennen zu lernen?

b. Suche Informationen über Katharinas Urgroßvater.

„Haus auf dem Hügel": Das Festspielhaus der Wagners besteht außen aus roten Ziegelsteinen und innen aus Holz. Das erzeugt eine einzigartige Akustik.

Katharina Wagner, 33, hat berühmte Vorfahren: Ihr Urgroßvater ist der deutsche Komponist Richard Wagner. Hier erzählt sie, ob sie als Kind auch Popmusik hören durfte und was an Opern Spaß macht.

Mein Urgroßvater ist Richard Wagner, einer der größten deutschen Komponisten. Er hat ein Festspielhaus in Bayreuth gebaut – und das leite ich heute gemeinsam mit meiner Halbschwester Eva. Das Festspielhaus steht auf einem grünen Hügel, dort bin ich aufgewachsen. (...)

Im Haus konnten wir viel unternehmen: laut Musik hören zum Beispiel, von Hardrock bis Techno. Ich durfte alles hören. Aber meinem Vater war es wichtig, dass ich die Opern meiner Vorfahren kennen lerne. Bis ich 18 Jahre alt war, spielte ich täglich Klavier, mindestens eine halbe Stunde am Tag. Und ab und zu begleitete ich meinen Vater zu Orchesterproben. Wagner-Opern können ziemlich lang sein (die Aufführung „Der Ring des Nibelungen" dauert etwa 16 Stunden). Mein Vater hat mich aber nie gezwungen[1], bis zum Schluss zu bleiben. Ich war nur stückchenweise dabei, mal für einen Akt oder für einen halben, eben genau so lange, wie ich Lust darauf hatte. Außerdem hat mir mein Vater vorher genau erklärt, worum es in dem Stück geht. Bei Werken von Richard Wagner handelt es sich oft um dramatische Geschichten aus der germanischen Sagenwelt, mit Helden[2], Geisterschiffen und Drachen[3]. Deshalb fand ich Probenbesuche nie nervig, sondern immer spannend.

Protokoll: Anne-Katrin Schade
© *Dein Spiegel*, 16.09.2011

1. jdn zwingen *forcer qqn*
2. der Held *le héros*
3. der Drache *le dragon*

2 Opernfan werden – geht das?

a. Lies folgende Artikel und notiere Informationen zu den zwei Projekten (Was? Für wen? Aktivitäten? ...).

b. Bei welchem Projekt würdest du eventuell gerne mitmachen? Begründe deine Wahl.

Für junge Opernfans und solche, die es werden wollen

Möchtest du erleben, wie aufregend[1] Oper sein kann?

Bei den Operncamps in Salzburg während der Sommerferien ist das möglich! Eine Woche lang dreht sich hier alles um ein Opernwerk. Du hörst es mit den Wiener Philharmonikern im Rahmen der Salzburger Festspiele und wirst auch hinter die Kulissen blicken!

Die Musik, die Handlung, die Figuren und ihre Gefühle entdeckst du am besten, wenn du selber musizierst, singst, dich bewegst und auch das Bühnenbild[2] gestaltest.

Gemeinsam mit Profis entwickelst du eine eigene Oper – dann gehört die Bühne dir! Mitglieder der Wiener Philharmoniker coachen das Ensemble und wirken bei der gemeinsamen Abschlussaufführung mit!

Alter der Teilnehmer: zwischen 9 und 17 Jahren. Ort: Schloss Arenberg.

© Wiener Philharmoniker

1. aufregend *passionant*
2. das Bühnenbild *le décor*

JUGENDLICHE PROBEN HIPHOP-OPER AM THEATER FREIBURG

Am Theater Freiburg entsteht derzeit nach der Vorlage von Wagners „Ring des Nibelungen" eine HipHop-Oper mit Jugendlichen. Der „Rap des Nibelungen" ist eine experimentelle Produktion.

Dieses außergewöhnliche Projekt bringt zusammen, was doch eigentlich so gar nicht zusammen gehört: die Musik Richard Wagners mit Rap und HipHop. Jugendliche aus Gymnasien, Real- oder Hauptschulen bilden einen Chor aus Rappern, Sängern und Breakdancern. Begleitet werden sie von einem Orchester, das sich aus Schülern, Studenten und einem DJ zusammensetzt. Ein drittes Schülerteam bildet die Bühnencrew für Graffiti, Video und Bühnenbild. Die Hauptrollen in dem Stück spielen und singen Profis – sowohl klassische Opernsänger als auch HipHopper und Rapper.

© Badische Zeitung, 2012

Sprache aktiv

→ Cahier d'activités p. 22
→ Mémento grammatical p. 154

1 L'expression de la cause

• On peut exprimer la cause à l'aide d'une proposition subordonnée :

> Ich höre meistens Rap, **weil** die Texte für mich wichtig **sind**.

> **Da** die Gruppe „Luxuslärm" zum Festival
1
kommt, **werde** ich mir morgen Karten kaufen.
2

La proposition subordonnée introduite par *da* se place généralement en début d'énoncé et compte ainsi comme premier élément de la phrase. Elle est immédiatement suivie du verbe de la principale. Ces subordonnées répondent aux questions *Warum? Weshalb? Wieso?*

• Les adverbes *deshalb*, *darum* et *deswegen* renvoient à une cause déjà exprimée :

Texte sind für mich wichtig.
Deshalb höre ich meistens Rap.
2

• La préposition *wegen*, suivie du génitif, introduit un complément prépositionnel de cause :

Wegen des Konzertes bin ich heute Abend nach Leer gekommen.

1 Réponds aux questions des journalistes en utilisant la conjonction de subordination *weil*.

Warum magst du diese Musik? (die Texte sind besonders schön)
→ *Weil die Texte besonders schön sind.*

a. Warum hörst du am liebsten Jazz? (die Musik inspiriert mich)
b. Wieso hörst du fast den ganzen Tag Musik? (ohne Musik kann ich nicht leben)
c. Weshalb hörst du deine Lieblingsmusik immer so laut? (ich will meine Sorgen vergessen)
d. Warum hörst du nach der Schule klassische Musik? (ich kann mich so am besten entspannen)
e. Wieso haben deine Eltern dir erlaubt zum Konzert zu gehen? (mein großer Bruder ist mitgekommen)

2 Transforme la première phrase de chaque item en une subordonnée introduite par *da*.

Das Konzert ist nicht sehr teuer. Die Jugendlichen können sich Karten kaufen.
→ *Da das Konzert nicht sehr teuer ist, können die Jugendlichen sich Karten kaufen.*

a. Es gibt viele hunderte Konzertbesucher. Die Eltern machen sich Sorgen.
b. Jonas' großer Bruder geht auch ins Konzert. Die Eltern erlauben den Konzertbesuch.
c. Das Konzert endet schon um 22 Uhr. Die Eltern sind mit dem Konzertbesuch einverstanden.
d. Ich bin unmusikalisch. Ich kann kein Instrument spielen.
e. David Garrett kann besonders schnell auf der Geige spielen. Er hat einen Eintrag ins Guinnessbuch der Rekorde geschafft.

3 Exprime la relation de cause qui existe entre ces phrases, en variant les formulations et en utilisant *weil, da, deshalb, deswegen* ou *darum*.

Das Konzert war schon ausverkauft. Ich konnte keine Karten bekommen.
→ *Ich konnte keine Karten bekommen, weil das Konzert schon ausverkauft war.*
→ *Das Konzert war schon ausverkauft. Deshalb konnte ich keine Karten bekommen.*

a. Ich brauche Partystimmung. Ich habe mir eine CD von Luxuslärm gekauft.
b. Ich bin ein Fan von Luxuslärm. Ich will zu ihrem nächsten Konzert gehen.
c. Luxuslärm ist meine Lieblingsgruppe. Ich habe mir Fanartikel gekauft.
d. Das Konzert von Luxuslärm war ausverkauft. Ich war sehr enttäuscht.
e. Ich möchte gern in unserer Schulband spielen. Ich habe mit Gitarrenunterricht angefangen.
f. Ich mag David Garretts außergewöhnlichen Stil. Ich möchte ihn unbedingt live sehen.

Station 2

→ Cahier d'activités p. 25
→ Mémento grammatical pp. 154, 162

1 Le prétérit

• Le prétérit sert à décrire un fait situé dans le passé.

• Le prétérit des verbes faibles se forme en ajoutant la marque **-te** au radical : hören → er hör**te**

⚠ Les verbes qui se terminent par -t ou -d prennent un **e** intercalaire : arbeiten → er arbeit**ete**

• Pour les verbes forts, la voyelle du radical change : singen → er **sang**

⚠ sein → er war / haben → er hatte / werden → er wurde / können → er konnte / müssen → er musste / dürfen → er durfte / wollen → er wollte / wissen → er wusste

• À ces formes de base, on ajoute les terminaisons de personnes, qui sont les mêmes que celles des verbes de modalité au présent : Ø, -st, Ø, -(e)n, -t, -(e)n.

2 La proposition subordonnée introduite par *als*

• *Als* renvoie à un moment précis ou à une période bien définie du passé.

Als J.S. Bach nach Leipzig kam, **wurde** er Kantor des Thomanerchors.
     1   2

4 Complète le reportage sur le groupe Peilsender en conjuguant les verbes entre parenthèses au prétérit.

Die Rockband Peilsender aus Bayern (*reisen*) als Botschafter für die deutsche Sprache quer durch Frankreich. Vor hunderten von Schülern (*geben*) die deutschen Musiker ihre Konzerte. Mädchen (*schreiben*) „Wir lieben Euch" auf ihre T-Shirts. Die Teenager, die vor dem Konzert lange warten (*müssen*), (*schreien*) vor der Bühne. Dabei (*sein*) die Gruppe das allererste Mal in Frankreich und sie (*singen*) ihre Lieder auf Deutsch.

5 Relie les énoncés en utilisant *als*.

Ich las im Internet, dass die Prinzen in unsere Stadt kommen sollten. Ich wollte sofort Karten kaufen.
→ *Als ich im Internet las, dass die Prinzen in unsere Stadt kommen sollten, wollte ich sofort Karten kaufen.*

a. Ich kam am Abend des Konzerts in die Halle. Die Stimmung war schon unglaublich.
b. Die Gruppe kam auf die Bühne. Die Fans schrien vor Begeisterung.
c. Die Gruppe sang meinen Lieblingssong. Ich hatte Tränen in den Augen.
d. Die Begeisterung wollte nicht aufhören. Sie spielten noch eine Zugabe.

Vokabeln Kurz und gut

→ Cahier d'activités p. 26

❶ Welt der Musik

• das Musikstück(e)
• das Werk(e)
• das Konzert(e) → der Konzertsaal / die Konzerthalle
• die Oper(n) → das Opernhaus
• der Komponist(en, en) → komponieren

• der Sänger(-) /die Sängerin(nen) → singen
• die Band(s)
• der Chor(¨e)
• das Orchester(-)
• der Dirigent(en, en)
• das Musikinstrument(e)
• berühmt, bekannt

❷ Musikgeschmack

• Diese Musik ist der Hammer!
• Ich stehe voll auf Rap.
• Diese Musik spricht mich an.
• Ich finde das Stück schrecklich!
• Die Musik finde ich melancholisch ≠ fröhlich.
• Die Stimme drückt Emotionen aus.
• Der Text hat einen tieferen Sinn.

❸ Machst du mit?

• In der Konzerthalle haben alle *mit*gesungen.
• Wir gehen ins Konzert. Kommst du mit?
• Bring doch deine Gitarre mit.
• Soll ich die Partitur *mit*nehmen?

Sprechtraining

■ L'accent de mot
■ Le son [s], [z] ou [ts]?
→ Cahier d'activités p. 22 et p. 25

Talente fördern

Nicht nur Musik hören, sondern selbst musizieren, komponieren, texten oder singen, das ist der Wunsch vieler Jugendlicher. Hier einige Beispiele für den Beginn einer Karriere.

Das Ronsdorfer Rockprojekt

Das Ronsdorfer Rockprojekt ist ein Schülerrockfestival, auf dem jedes Jahr junge, kreative Sänger und Musiker ihre Stücke vorstellen, die sie in den Musik-AGs ihrer Schulen erarbeitet haben.

Auf der großen Bühne der Unihalle Wuppertal spielen Schülerbands aus allen Bundesländern vor tausenden Zuschauern.

Martina Flüs war gerade 10 Jahre alt, als sie mit ihrer Schülerband „Pünktchen Pünktchen" hier ihre musikalische Laufbahn startete. Später sang sie mit der Rock-Pop-Schülerband „Pilos Puntos" bei mehr als 1500 Konzerten in Deutschland und im Ausland.

Die Wiener Sängerknaben

Als „Botschafter" Österreichs und seiner Musikkultur sind die Wiener Sängerknaben in aller Welt bekannt. Heute gibt es rund 100 aktive Wiener Sängerknaben. Sie leben im Internat und verbringen 9 bis 11 Wochen des Schuljahres auf Tournee. Ihr Repertoire reicht von sakraler und klassischer Musik über Volkslieder bis zu zeitgenössischer Musik.

Zu den bekanntesten ehemaligen Wiener Sängerknaben gehört zweifellos der Komponist Franz Schubert, der wegen seiner schönen Stimme im Oktober 1808 dem Chor beitreten durfte.

Rap die News

Eine Gruppe Jugendlicher aus Berlin-Neukölln macht im Internet ihre eigene Nachrichtensendung. In diversen Workshops der Stadt Berlin beschäftigt sich die Gruppe mit aktuellen Themen und erklärt dann politische Ereignisse mit Raptexten zu HipHop-Beats. Da die Jugendlichen die Texte selbst schreiben, sind sie auch für andere Gleichaltrige verständlich.

Jedem Kind ein Instrument

Jedes Grundschulkind in Nordrhein-Westfalen soll die Möglichkeit haben, ein Musikinstrument zu erlernen. Im ersten Schuljahr suchen die Schüler deshalb ihr Instrument selbst aus, und die Schule stellt es kostenlos zur Verfügung.
Im Mittelpunkt dieses Projekts steht das gemeinsame Musizieren in Kleingruppen oder im Schulorchester.

Alles klar?

1. Wer kann bei diesen Veranstaltungen mitmachen?
2. Mit welchen verschiedenen Musikstilen kann man sein Talent zeigen?
3. Welche bekannten Musiker haben auf diese Weise ihre Karriere begonnen?

WEBQUEST

> Identifier, trier et évaluer des ressources.

Sucht andere Beispiele für Talentförderung und Karrierestart im Bereich Musik und stellt sie der Klasse vor.

WEBSITES FÜR INFOS
http://www.jugend-musiziert.org/
http://www.hymnus-chor.de/

Kunst

Bach: Musik und mehr

1. Johann Sebastian Bach

Lies die Biografie und erstelle dann einen kurzen tabellarischen Lebenslauf.

Johann Sebastian BACH

Johann Sebastian Bach, geboren 1685 in Eisenach, stammte aus einer sehr erfolgreichen Musikerfamilie. Sein Vater war Stadt- und Hofmusikant in Eisenach.

Mit 18 Jahren übernahm er das Amt des **Orgelspielers** in Arnstadt. Später leitete er das Orchester am Hof des Fürsten in Köthen und komponierte dort die sechs Brandenburgischen Konzerte und viele Werke für Soloinstrumente und Orchester. Ab 1723 war er **Kantor der Thomaskirche in Leipzig**.

Er starb am 28. Juli 1750 in Leipzig. Vier Söhne von Johann Sebastian Bach wurden ebenfalls bekannte Musiker und Komponisten.

2. Bachs Musik inspiriert

Viele Maler versuchten, die Musik von J.S. Bach visuell darzustellen. Welche der folgenden Aussagen treffen auf das Bild von Klee oder auf das von Hartung zu? Welche auf beide Bilder?

• **Ruhige Flächen auf dem Bild stellen Pausen in der Musik dar.**

• **Die Komposition der Bildelemente repräsentiert den Rhythmus der Musik.**

• **Unterschiedliche Anordnungen der Formen bedeuten musikalische Variationen.**

• **Helle und dunkle Farben entsprechen leisen und lauten Tönen.**

• **Mehrere Linien repräsentieren die Polyphonie (viele Stimmen).**

• **Runde Formen sind Noten.**

• **Mit warmen Farben markiert der Maler die Harmonie der Komposition.**

Hans Hartung, *Hommage à Jean Sebastien Bach*, 1974

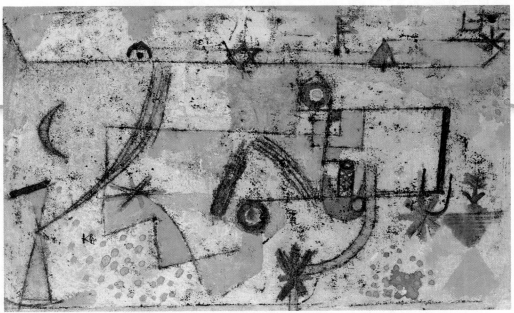

Paul Klee, *Im Bachschen Stil*, 1919

In seinem Tagebuch schreibt Paul Klee 1905:
„Immer mehr drängen sich mir die Parallelen
zwischen Musik und bildender Kunst auf."

3. Flying Bach

a. Schau dir das Foto an. Zu welcher Musik wird vielleicht getanzt?

b. Sieh dir jetzt das Video an. Hattest du richtig geraten?

c. Präsentiere das Projekt auf deinem Blog und gib auch deine Meinung dazu.

▶ *Flying Bach*
DASDING.tv, 2008

Spiel den Künstler!

Such dir ein Musikstück aus und male ein Bild oder mache eine Collage dazu.

Stelle es dann deiner Klasse vor.

Jetzt kannst du's !

→ Cahier d'activités p. 27

1 Interview mit Adrian

OBJECTIF : Comprendre une interview avec un musicien.
OUTILS : Le lexique de la musique, des sentiments, les adverbes de fréquence, les mots interrogatifs, le prétérit, la subordonnée introduite par *als*.

Écoute l'interview.

Es-tu capable de repérer :

A2	**1.** ce qui a éveillé le goût d'Adrian pour la musique ?
A2+	**2.** les différentes étapes de sa formation de musicien ? **3.** ce qui a motivé ses voyages ? **4.** les raisons de son succès ?

→ Cahier d'activités p. 27

2 Erfolg beim Festival

OBJECTIF : Comprendre le récit d'un événement.
OUTILS : Le lexique de la musique, le prétérit.

„POPCORN" BEI SCHULBANDFESTIVAL AUF PLATZ EINS

Ein außergewöhnliches Schulprojekt an der Realschule „Am Ring": Schüler der Klasse 9c organisierten zusammen mit ihrer Lehrerin ein Schulbandfestival.

5 Schülerbands der beiden städtischen Realschulen und des Goethe-Gymnasiums folgten der Einladung zum Festival in die Aula der Realschule „Am Ring". Klassenlehrerin Britta Walz freute sich über das gelungene Projekt ihrer Klasse, ihre Schüler hatten sogar Sponsoren gesucht. „Wir haben alles organisiert, sogar Essen und Getränke gab's für unsere Festivalgäste", erklärte der Neuntklässler Fabio.

Alle Bands boten dem Publikum bestes Programm, von Rock bis Heavy Metal. Auf Stimmzetteln konnten die Gäste dann für ihre Lieblingsgruppe stimmen. Sieger war am Ende die Band „Popcorn". Sängerin Lisa mit ihrer warmen Stimme und Jens mit seinen Künsten am Schlagzeug haben den Fans am besten gefallen.

Lis l'article.

Es-tu capable de repérer :

A1	**1.** qui sont les organisateurs du projet ? **2.** les styles de musique présentés ? **3.** le nom du groupe gagnant ?
A2	**4.** deux actions qui ont contribué à la réussite du projet ?
A2+	**5.** les qualités musicales des gagnants ?

➜ Cahier d'activités p. 28

3 Wie war das Konzert?

OBJECTIF : Parler d'un groupe et donner son avis.
OUTILS : Le lexique de la musique, le prétérit, la proposition subordonnée introduite par *als*.

Vous avez assisté à un concert d'un groupe de musique. Vous réalisez une interview qui sera publiée sur le site web de votre école partenaire.

Tu es l'élève A. Es-tu capable :

A2	**1.** de décrire ce groupe et de parler de leur musique ?
	2. d'évoquer l'ambiance lors du concert ?
A2+	**3.** d'expliquer ce qui t'a plu ?

Tu es l'élève B. Es-tu capable de poser des questions pour obtenir :

A2	**1.** des informations sur le groupe ?
	2. des informations sur le concert ?
A2+	**3.** un avis sur l'événement ?

➜ Cahier d'activités p. 28

4 Ein bekannter Komponist

OBJECTIF : Rédiger une courte biographie.
OUTILS : Le lexique de la musique, l'indication de la date, le prétérit.

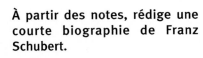

Franz Schubert

* 31. Januar 1797 in Wien

ab 1802 Musikunterricht (Geige) bei seinem Vater

1804 Orgelunterricht

Oktober 1808 Wiener Sängerknabe

ab 1810 erste Komposition: „Klavierfantasie"

Juli – November 1818 Sing– und Klaviermeister des Grafen Johann Carl Esterházy in Ungarn

1822 Symphonie „Die Unvollendete"

† 19. November 1828

À partir des notes, rédige une courte biographie de Franz Schubert.

Es-tu capable :

A2	**1.** de dire quand a vécu Schubert ?
	2. d'indiquer quelques événements marquants de sa vie ?
A2+	**3.** d'évoquer quelques œuvres ?
	4. d'utiliser correctement les formes du passé ?

Einen deutschsprachigen Komponisten interviewen

 Ihr trefft einen bekannten deutschsprachigen Komponisten und stellt ihm Fragen zu seiner Karriere. Spielt das fiktive Interview.

➔ Cahier d'activités p. 29

Outils

➲ **Objectifs de communication :** demander et donner des informations.

➲ **Grammaire :** le prétérit, la proposition subordonnée introduite par *als*, les mots interrogatifs, l'expression de la cause.

➲ **Lexique :** le lexique de la musique.

Etappe 1 Bildet Gruppen und entscheidet euch für einen deutschsprachigen Komponisten. Sucht Informationen über ihn und macht euch Notizen zu seiner Biografie.

Etappe 2 Überlegt euch die Fragen, die ihr dem Komponisten stellen wollt.

Etappe 3 Verteilt die Rollen und spielt das Interview vor der Klasse.

Johannes Brahms (1833-1897)

Mon bilan de compétences   ➔ Cahier d'activités p. 29

Tâche finale	Socle commun A2	Vers B1
Interviewer un compositeur germanophone.	**C2** **Établir un contact social, dialoguer sur un sujet familier :** demander et donner des informations concernant un parcours de musicien, réagir à des questions.	Interviewer et être interviewé. Conduire un entretien préparé. Exprimer un point de vue. Réagir à des sentiments.

Reiselust

Je vais apprendre à...

 Écouter

- Comprendre des informations sur les vacances des Allemands.
- Comprendre des récits de voyage.
- Comprendre des arguments pour ou contre un projet de voyage.

 Lire

- Comprendre des informations sur un voyage (destination, hébergement, programme...).

 Parler en continu

- Caractériser des personnes, des lieux, un programme d'activités.
- Exprimer des souhaits et justifier des choix.
- Raconter une expérience de voyage.

 Parler avec quelqu'un

- Présenter un projet de voyage à quelqu'un.
- Argumenter pour convaincre.

 Écrire

- Rédiger un court article informatif sur les vacances des Allemands.
- Écrire une lettre pour présenter un projet de voyage.
- Écrire un poème.

Unser Projekt

 Sous la forme d'une saynète radiophonique, imaginer une anecdote de voyage.

★A2/A2+★

Wenn einer eine Reise tut ...

1 Traumferien

a. Schau dir das Cover an. Welche Art von Informationen findest du wohl in dieser Ausgabe?

b. Hör dir den 1. Teil der Reportage an. Wohin fahren die Deutschen?

c. Hör dir nun die Interviews an. Wo waren die Leute in den Ferien? Warum? Wozu?

➔ Cahier d'activités p. 30

Vokabeln

- 50% (Prozent) = die Hälfte
- ein Drittel / jeder Dritte
- wenige – viele – die meisten

Unterwegs

April 2013

SÜDTIROL/ITALIEN

EXTRA!
10-seitiges Heft zum Mitnehmen

TOURISMUS-MESSE 2013
2012 wieder ein neuer Reiserekord

DIE BELIEBTESTEN REISEZIELE DER DEUTSCHEN
Mehr auf Seite 12

2 So ein Erlebnis!

Lies Kirstens Beitrag. Wo war sie in den Ferien? Was hat ihr gefallen? Was ist passiert?

Kirsten M.
Leckere Küche und nette Leute :-))
Südtirol ist auch der ideale Ort für Naturfreunde! Leider haben wir mit dem Campingbus, den wir gemietet hatten, einen Unfall gehabt, weil plötzlich ein BÄR (!!!) vor uns auf der Straße stand! Zum Glück ist nichts Schlimmes passiert, aber ich hab' so einen Schreck bekommen! Diese Ferien werde ich nie vergessen!

Gefällt mir • Kommentieren • vor einer Stunde

👍 **6 Personen** gefällt das.

Schreibe einen Kommentar …

Piste 16

3 Anekdoten

Herr Jansen in Venedig

a. Hör zu. Was erfährst du über die Ferien der interviewten Personen? Was ist passiert?

b. Schau dir die Fotos an. Wie kannst du jede Person charakterisieren?

> BEISPIEL: ... ist der Junge, der/den ...
>
> ➔ Cahier d'activités p. 31

Sarah in Bayern

Frau Hedling in Österreich

Anton in Zürich

Frau Werner auf Rügen

Zwischenstation

■ **Eine Anekdote erzählen**

Erzähle eine peinliche Geschichte, die du in den Ferien erlebt hast. Deine Mitschüler sollen herausfinden, ob die Anekdote wahr ist oder nicht.

Ich kann's

> ❥ Je comprends des récits de voyage.
> ❥ Je sais rendre compte d'expériences / de faits.
> ❥ Je sais exposer un problème.
> ❥ Je sais caractériser des personnes.

Auf geht's zur Klassenfahrt!

1 Reiseziel Deutschland

a. Schau dir die Fotos an und formuliere Hypothesen über das Programm der zwei Klassenfahrten.

b. Bildet zwei Gruppen. Jede Gruppe informiert die andere über ihre Klassenfahrt (Reiseziel, Unterkunft, Programm).

c. Wohin möchtest du lieber fahren? Warum?

➜ Cahier d'activités p. 33

HAMBURG & NORDSEE

Unser maritimes Reiseziel bietet die perfekte Kombination aus Kultur und Natur. Besichtigen Sie die zahlreichen Museen der Hansestadt, entspannen Sie am Strand und machen Sie einen gesunden Spaziergang im Wattenmeer.
Unterkunft: Sie übernachten in einer modernen Jugendherberge mit einem schönen Blick über den Hamburger Hafen nicht weit von Clubs und Theatern.

Programmvorschlag:
1. Tag: Stadtrundfahrt + Besichtigung der Kunsthalle (Abend) Besuch des Musicals „Rocky"
2. Tag: Schnupperkurs Kitesurfen
3. Tag: Schifffahrt zu den Seehundbänken
4. Tag: Haus des Malers Emil Nolde + Mal-Workshop

Adventure Camp im Sauerland

Lust auf Nervenkitzel? Erleben Sie spannende Abenteuer auf dem Land!

Sie werden sich im Wald mit Karte und Kompass orientieren, einen beeindruckenden Canyon mit Hilfe einer Seilbrücke überqueren und einen malerischen Kratersee entdecken. Ein besonderes Highlight ist auch die Schatzsuche mit GPS-Geräten, bei der Sie Naturschätze entdecken und Zusammenarbeit im Team trainieren werden.
Unterkunft: modernes Jugendhotel in der Nähe von Winterberg mit einem großen Raum für Freizeitaktivitäten (Tischfußball, Tischtennis …).
Weitere Aktivitäten: kleines Volleyballturnier, Kletterparcours, Kanufahrt, Mountainbiketour.

2 Wohin fahren wir?

a. Hör dir die Diskussion in der Klasse an. Welche Argumente nennen die Schüler für / gegen die zwei Klassenfahrten? Für welche entscheiden sie sich am Ende?

b. Hör dir das Gespräch noch einmal an und sammle Informationen zur Klassenfahrt (Wann? Programm? Preis? ...). Was müssen die Schüler noch machen? Wie können sie die Reise finanzieren?

➔ Cahier d'activités p. 34

Das geht nicht! Ich habe Höhenangst!

Keine Panik! Dein Marco wird dir die Hand halten!

3 Infos für die Eltern

Die Schüler schreiben einen Brief, um die Eltern über das Projekt zu informieren. Schreibt den Brief.

Nicht vergessen!

- Reiseziel
- Zeit
- Transportmittel
- Preis
- Unterkunft
- Programm

Dresden, den 6. Oktober

Liebe Eltern,

mit diesem Schreiben informieren wir Euch über die geplante Klassenfahrt.

Wir haben uns entschieden, ... zu fahren.

Zwischenstation

■ Mit den Eltern über ein Reiseprojekt diskutieren

Schüler 1 will in den Ferien eine Reise mit einem Freund / einer Freundin unternehmen. Er präsentiert seinen Eltern das Projekt (Wohin? Mit wem? Wann? Programm? ...) und findet gute Argumente.

Schüler 2 spielt die Rolle der Mutter / des Vaters und ist nicht sofort damit einverstanden.

➥ Je sais caractériser un lieu, un programme d'activités.

➥ Je sais présenter un projet.

➥ Je sais argumenter pour convaincre.

➥ Je sais émettre une condition.

Sehnsucht nach Italien

(1) Mignons Lied

a. Hör dir das Gedicht an. Welches Gefühl kommt zum Ausdruck?

b. Lies das Gedicht und schau dir das Bild an. Was assoziieren Goethe und der Maler mit Italien?

c. Lies das Gedicht vor und achte auf den Rhythmus.

d. Mach eine Collage, um ein beliebiges Land zu charakterisieren. Kommentiere sie vor der Klasse.

Mignon, ein junges Mädchen aus Italien, ist eine Figur aus Goethes Roman *Wilhelm Meisters Lehrjahre* (1796). Dieses berühmte Lied ist zum Symbol für Heimweh und Sehnsucht nach Italien geworden.

Mignons Lied

Kennst du das Land, wo die Zitronen blühn,
Im dunkeln Laub[1] die Gold-Orangen glühn[2],
Ein sanfter Wind vom blauen Himmel weht,
Die Myrte still und hoch der Lorbeer[3] steht?
Kennst du es wohl? Dahin! Dahin
Möcht' ich mit dir, o mein Geliebter, ziehn!

Johann Wolfgang von Goethe

1. das Laub *le feuillage*
2. glühen *rougeoyer*
3. der Lorbeer *le laurier*

J.H.W. Tischbein,
Goethe in der Campagna, 1787

2 Der Spaziergang von Rostock nach Syrakus

a. Lies den Text. Wann spielt die Geschichte? Was erfährst du über die Hauptfigur (Name, Herkunft, Beruf)? Was weißt du über ihr Heimatland?

b. Wohin will der Mann reisen?

c. Bei seiner Rückkehr erzählt er von seiner Reise. Erfinde einen kurzen Bericht.

In der Mitte seines Lebens, im Sommer 1981, beschließt der Kellner Paul Gompitz aus Rostock, nach Syrakus auf der Insel Sizilien zu reisen. Der Weg nach Italien ist versperrt[1] durch die höchste und ärgerlichste Grenze der Welt, und Gompitz ahnt noch keine List[2], sie zu durchbrechen. Er weiß nur, dass er Mauern und Drähte zweimal überwinden muss, denn er will, wenn das Abenteuer gelingen sollte, auf jeden Fall nach Rostock zurückkehren.

An einem wolkenarmen Augustabend (…) fällt der Entschluss, dem Fernweh endlich nachzugeben. Gompitz ist müde, er hat den ganzen Tag die Urlauber zwischen Rügen und Usedom bedient mit Kaffee, Bier, Bockwurst, Käsekuchen. Die Abrechnung ist fertig, die Tische sind gewischt, er schaut auf das Wasser, Feierabend. (…) Drei Jahre vielleicht, dann bist du in Syrakus! (…)

Mit so viel guter Laune ist Gompitz noch nie über das Holperpflaster[3] von Demmin gefahren. (…) Und gegen das Motorengeräusch des Zweitakters[4] brüllt er die Namen der Städte (…), schmeckt sie ab und wiederholt sie immer wieder: „Triest! Venedig! Ancona! Terni! Rom! Neapel! Palermo! Syrakus!"

Aus: F.C. Delius, *Der Spaziergang von Rostock nach Syrakus*

Rostock, vor dem Fall der Mauer

Syrakus

Friedrich Christian DELIUS

Friedrich Christian Delius, geboren 1943 in Rom, lebt seit 2001 in Rom und Berlin. 2011 hat er den „Georg-Büchner-Preis", den wichtigsten deutschen Literaturpreis, bekommen.

1. versperrt *barré*
2. Er ahnt noch keine List. *Il ne sait pas comment s'y prendre.*
3. das Holperpflaster *la route pavée*
4. der Zweitakter *le moteur à deux temps*

Sprache aktiv

Station 1

→ Cahier d'activités p. 32
→ Mémento grammatical p. 158

1 La proposition subordonnée relative (1)

• Pour définir précisément quelqu'un ou quelque chose, on peut utiliser une proposition subordonnée relative :

Barbara ist bestimmt <u>die junge Frau</u>, **die** die
                antécédent   pronom
                               relatif
Ferien in Italien verbracht hat.

Le pronom relatif *die* remplace l'antécédent *die junge Frau*, dont il prend le genre et le nombre (féminin singulier). Il est au nominatif, car il est le sujet du verbe de la subordonnée relative.

• Le pronom relatif au nominatif a la même forme que le déterminant défini : *der, das, die*.

• Lorsqu'il est complément d'objet du verbe de la subordonnée relative, le pronom relatif se met à l'accusatif. Il a la même forme que le déterminant défini à l'accusatif : *den, das, die*.

Die Leute in Südtirol sprechen <u>einen Dialekt</u>,
                                        antécédent
den wir nicht so gut verstehen konnten.
pronom
relatif

1 Forme avec la phrase entre parenthèses une subordonnée relative qui précise l'élément souligné.

Bring mir bitte <u>den Fotoapparat</u>. (Er liegt im grünen Koffer.) → *Bring mir bitte den Fotoapparat, der im grünen Koffer liegt.*

a. Wir wohnten in <u>einem Luxushotel</u>. (Es steht direkt am Meer.)
b. Wie heißt <u>dieses Mädchen</u>? (Du hast es immer wieder fotografiert.)
c. Ich suche <u>die Postkarten</u>. (Ich habe sie gestern am Kiosk gekauft.)
d. <u>Der Freund</u> wohnt in einem kleinen Dorf in Südtirol. (Wir wollten ihn besuchen.)
e. <u>Meine Schwester</u> wollte lieber ins Museum. (Sie liegt nicht gern in der Sonne.)
f. <u>Dieser Strand</u> war wunderschön. (Wir haben ihn leider erst am letzten Tag entdeckt.)
g. <u>Mein Sohn</u> hat sofort die Notrufnummer gewählt. (Er hatte sein Handy dabei.)

2 Complète les phrases par un pronom relatif au nominatif ou à l'accusatif.

a. Ich zeige dir gleich die Fotos, … ich in Venedig gemacht habe.
b. Der Fotoapparat, … ich in Italien verloren habe, war ein Weihnachtsgeschenk.
c. Unser Hotel, … allen Komfort bietet, hat eine optimale Lage am Rande der Altstadt.
d. Ich brauche den kleinen Kofferschlüssel, … auf der Kommode liegt.
e. Gib mir bitte den Stadtplan, … ich gestern gekauft habe.
f. Wo ist denn das Souvenir, … ich für Mama mitgebracht habe?
g. Erinnerst du dich an diese Verkäuferin in Südtirol, … wir nicht verstehen konnten?
h. Wir haben große Schwierigkeiten mit dem Dialekt gehabt, … die Leute dort sprechen.

Station 2

→ Cahier d'activités p. 35
→ Mémento grammatical p. 158

1 L'adjectif substantivé

• Certains adjectifs sont utilisés comme des noms. Ils prennent une majuscule et continuent à se décliner comme des adjectifs épithètes.

> In Spanien waren sehr viele **Deutsche**.
> Ich habe einen **Angestellten** gefragt.
> Möchten Sie etwas **Frisches** trinken?

3 Complète les énoncés suivants avec les marques qui conviennent.

a. In Hamburg haben wir unsere Bekannt… besucht.
b. In Italien waren viele Touristen: Deutsch…, Schweizer und auch Franzosen.
c. In den Ferien versuchen wir immer, etwas Neu… zu entdecken.

2 La déclinaison de l'adjectif épithète

• L'adjectif se place toujours devant le nom qu'il détermine et prend une terminaison.

• Lorsque le déterminant porte la marque de genre, de nombre et de cas, la terminaison de l'adjectif est **-e** ou **-en** au nominatif et à l'accusatif et toujours **-en** au datif. Si le déterminant ne porte pas de marque ou s'il n'y a pas de déterminant, la marque se reporte sur l'adjectif.

	nominatif	accusatif
masculin	de**r** schön**e** Ausflug	de**n** schön**en** Ausflug
	ein**Ø** schön**er** Ausflug	eine**n** schön**en** Ausflug
neutre	da**s** interessant**e** Projekt	
	ein**Ø** interessant**es** Projekt	
féminin	di**e** } kulturell**e** Reise	
	ein**e**	
pluriel	di**e** sportlich**en** Aktivitäten	
	Ø sportlich**e** Aktivitäten	

4 Complète les énoncés suivants avec les marques qui conviennent. Vérifie le genre des mots dans le lexique.

a. Letzt... Jahr haben wir einen schön... Ausflug nach Lübeck gemacht.
b. An der Nordsee haben wir nett... Leute kennen gelernt.
c. Wir haben in einem modern... Hotel übernachtet.
d. Wir sind mit der ganz... Klasse ans Meer gefahren.
e. Der expressionistisch... Maler Emil Nolde hat in Norddeutschland gelebt.
f. Hamburg ist ein interessant... Reiseziel für Schülergruppen.
g. Die zahlreich... Aktivitäten haben mir sehr gefallen.
h. Wir haben die ganz... Woche schön... Wetter gehabt.
i. Am letzt... Abend haben wir in einem nett... Lokal gegessen.

Vokabeln Kurz und gut

→ Cahier d'activités p. 36 Piste 18

❶ Urlaub machen

• ins Ausland
• nach Österreich
• in die Schweiz
• in die Berge } fahren
• ans Mittelmeer
• an die Küste
• an den Strand

❷ Ferienprogramm

• *an*kommen → die Ankunft → die Ankunftszeit(en)
• besichtigen → die Besichtigung(en) → die Stadtbesichtigung(en)
• besuchen → der Besuch(e) → der Museumsbesuch(e)
• fahren → die Fahrt(en) → die Schifffahrt(en)
• reisen → die Reise(n) → das Reiseziel(e)

❸ Länder und Menschen

• Deutschland → deutsch → der Deutsche(n) / die Deutsche(n) / ein Deutscher
• Italien → italienisch → der Italiener(-) / die Italienerin(nen)
• Frankreich → französisch → der Franzose(n, n) / die Französin(nen)

❹ Beschreiben

• angenehm
• anstrengend
• beeindruckend, faszinierend
• malerisch
• unvergesslich
• spannend

Sprechtraining

Pistes 19-20

■ L'accent de groupe
■ Les diphtongues
→ Cahier d'activités p. 32 et p. 35

Kulturclub

Im deutschsprachigen Raum unterwegs

Viele deutsche Schüler fahren jedes Jahr auf Klassenfahrt.
So entdecken sie andere Landschaften, treffen andere Menschen und
Kulturen, lernen aber auch einander besser kennen und entwickeln
Teamgeist. Unsere Reporterin Julia hat ein paar Schüler getroffen,
die mit der Schule in deutschsprachige Länder gereist sind.

Bern, Altstadt

Grüezi!
Letztes Jahr haben
wir im Unterricht an einem
Mathe-Kunstprojekt gearbeitet.
So fuhren wir nach Bern und
besichtigten das Paul Klee Zentrum.
Mir gefiel aber am besten die Stadtrallye
mit dem „Trottinet" durch die malerische
Altstadt. Das war sehr witzig! Einige von uns
waren noch nie in der Schweiz gewesen und
waren beeindruckt von der Lebensqualität.
Die Leute sind nicht so hektisch und lassen
sich Zeit! Und das Schweizer Essen
schmeckt auch hervorragend!!

Classe

Kulturtipp

0,5% Rätoromanisch
9,5% Italienisch
23,3% Französisch
66,7% Deutsch

Sprachen in der Schweiz

Die deutschsprachigen Schweizer sprechen Schweizerdeutsch, das aus verschiedenen Dialekten besteht. Hochdeutsch ist für viele die erste Fremdsprache, die sie in der Schule lernen!

Kulturtipp

Die Aussprache und das Vokabular sind im österreichischen Deutsch anders. So sagt man in Österreich Obers statt Sahne, Erdäpfel statt Kartoffeln ...

Großglockner—Massiv, Almhütte

Classe

Servus!
Vor zwei Jahren bin ich mit meiner Klasse nach Österreich gefahren. Wir waren nicht weit von Lienz im größten Schutzgebiet der Alpen. Natürlich haben wir eine Bergtour gemacht, und ich habe in einer gemütlichen Almhütte eine Spezialität probiert, die berühmten Marillenknödel. Nicht schlecht, aber leider habe ich nicht gewusst, dass Marillen Aprikosen sind, und die mag ich überhaupt nicht!

Classe

Hoila!
In der neunten Klasse habe ich eine Klassenfahrt nach Südtirol gemacht, das Thema war Biodiversität und Umweltschutz. Wir waren auf einem Bauernhof und haben eine Woche lang die Natur unter die Lupe genommen. Am letzten Abend haben wir eine Nachtwanderung im Wald gemacht. Plötzlich sprang ein großes, schwarzes Monster auf uns zu! Das war aber nur unser Lehrer, der sich als Ötzi verkleidet hatte ...

Autonome Provinz Bozen - Südtirol
Provincia Autonoma di Bolzano - Alto Adige

RADFAHRVERBOT
VIETATO CIRC.IN BICI
D.L.H. vom 22.12.81. Nr.103
D.P.G.P. del 22.12.81.n.103

Kulturtipp

Südtirol (Alto Adige auf Italienisch) ist die nördlichste Provinz Italiens: 70% der Bevölkerung spricht Deutsch, nur ein Viertel Italienisch. Beide Sprachen sind offizielle Sprachen und die Schilder sind natürlich zweisprachig.

Alles klar?

1. Wo spricht man auch Deutsch?
2. Wie begrüßt man sich im deutschsprachigen Raum?
3. Nenne ein paar Merkmale von jedem Land.

WEBQUEST   ▸ Chercher et selectionner l'information demandée

Sucht Informationen über ein deutschsprachiges Land und denkt euch ein kurzes Programm für eine Klassenfahrt aus. Erstellt ein kleines Reise-Lexikon mit ein paar Wörtern im Dialekt.

WEBSITES FÜR INFOS
http://www.myswitzerland.com/de/
http://www.austria.info/at/
http://www.suedtirol.info/de/

http://www.dialektwoerter.ch/
http://www.ostarrichi.org/
http://oschpele.ritten.org/

Workshops

Die Wenn-Dann-Falle!

Schau dir die Szene an.

a. Worüber diskutieren die Kinder mit ihren Eltern?
b. Sammle Informationen zum Projekt und beschreibe die Reaktion der Eltern.
c. Was meinst du? Welche Bedingung müssen die Kinder erfüllen? Formuliere Hypothesen.
d. Bildet Gruppen. Erfindet und spielt die nächste Szene.

Wie erziehe ich meine Eltern?
Fernsehserie mdr, Folge 25, 2004

2 **IT**

Ein Hörspiel mit Soundeffekten erstellen

Erfinde eine Geschichte und erstelle ein Hörspiel mit Soundeffekten.

a. Nimm deine Geschichte mit dem Programm Audacity auf.
b. Such Geräusche in einer Soundbank (z.B. www.soundarchiv.com) und downloade sie auf deinen PC.
c. Importiere die Sounds in Audacity (klicke auf „Datei" und „Importieren" / „Audio") und ziehe die Tonspur an die gewünschte Stelle. Du kannst auch Effekte erstellen.

Vokabeln

↔	ziehen
I	markieren
✂	schneiden
▥	kopieren
▤	einfügen

B2i

C4 • S'approprier un environnement informatique de travail → *Je sais utiliser les espaces de stockage /logiciels à disposition.*
• Créer, produire, traiter, exploiter des données → *Je sais traiter un son.*
• Adopter une attitude responsable → *Je sais sécuriser mes données.*

3 **Kunst**

Künstler auf Reisen

a. Schau dir das Bild an. Welche Adjektive charakterisieren am besten die Atmosphäre? Begründe deine Wahl.

b. Bereite eine kurze Präsentation des Bildes für den Audioguide des Museums vor.

Emil NOLDE

Der expressionistische Maler Emil Nolde (Hans Emil Hansen) wurde am 7. August 1867 in Nolde geboren und starb 1956 in Seebüll. Er reiste in seinem Leben viel. Er hielt sich oft in der Schweiz auf, reiste aber auch nach Paris, Spanien und besuchte immer wieder Dänemark.

Vom Herbst 1913 bis Ende August 1914 unternahm er mit seiner Frau Ada eine Expedition in die Südsee (Neuguinea). Die Natur, die er sah, und die Menschen, die er traf, faszinierten ihn und inspirierten ihn zu zahlreichen Bildern.

Vokabeln

- friedlich *paisible*
- fröhlich *joyeux*
- gemütlich *chaleureux*
- lebendig
- ruhig
- unheimlich *inquiétant*

im Hintergrund

links — rechts

im Vordergrund — in der Mitte

Emil Nolde, *Mondnacht*, 1914

See

Ruhige See in der Nacht

Ruhige See in der Nacht und spiegelnder Mond

Mondnacht

(Niklas G., Klasse 9b)

Spiel den Künstler!

Schreib dein eigenes Gedicht zu einem beliebigen Bild.

Jetzt kannst du's !

→ Cahier d'activités p. 37

1 Wie war die Reise?

Objectif : Comprendre un récit de voyage.
Outils : Le lexique des activités, les adjectifs de description, la déclinaison de l'adjectif épithète, la subordonnée relative.

Écoute le dialogue.

Es-tu capable :

A2
1. de repérer la destination et le type d'hébergement ?
2. de comprendre les activités citées ?

A2+
3. de comprendre la description des lieux ?
4. de comprendre deux anecdotes / incidents ?
5. d'identifier les personnages évoqués ?
6. de comprendre un argument avancé pour convaincre ?

→ Cahier d'activités p. 37

2 Urlaubsziele

Objectif : Comprendre des informations sur les vacances.
Outils : Le lexique des vacances, la déclinaison de l'adjectif épithète, la subordonnée relative.

Inland gegen Ausland

Italien (16%) und Kroatien (10%) sind die beliebtesten Reiseziele der Österreicher, die mit dem Auto in den Urlaub fahren. Nicht alle fahren aber ins Ausland, nicht alle träumen von Strand und Meer: Etwa ein Drittel der österreichischen Urlauber wählen für ihre Ferien den blauen Himmel und die imposante Bergkulisse der Heimat. Österreich ist ein facettenreiches Land, das für Familien ein attraktives Angebot bietet – vom malerischen Tirol bis hin zum Wienerwald. Dazu kommt noch die österreichische Gastfreundschaft, die international bekannt ist. Und da die Reisewege viel kürzer sind als bei Auslandsaufenthalten, kann man Benzin sparen und so auch noch die Umwelt schonen.

Lis l'article.

Es-tu capable :

A1
1. de repérer deux pays étrangers où les Autrichiens passent le plus volontiers leurs vacances ?

A2+
2. de dire où un tiers des Autrichiens passent leurs vacances ?
3. de citer 4 éléments d'ordre touristique qui justifient ce choix ?
4. de citer un élément d'ordre écologique qui justifie ce choix ?

➔ Cahier d'activités p. 38

3

Mein Reise-Podcast

OBJECTIF : Raconter un voyage de classe.
OUTILS : Le directif, le parfait / le prétérit, la déclinaison de l'adjectif épithète, la subordonnée relative, la subordonnée temporelle avec *als*.

Tu as effectué un voyage de classe à Vienne. À ton retour, tu fais part de ton expérience dans un podcast.

Es-tu capable :

A2

1. d'indiquer la destination et les dates de ton voyage ?
2. d'indiquer le moyen de transport et le type d'hébergement ?
3. de faire un récit au passé ?

A2+

4. de caractériser les lieux et activités ?
5. de raconter une anecdote ?
6. d'utiliser des repères temporels et chronologiques ?

Kaiserliche Sommerresidenz der Habsburger

Stadtrundfahrt mit Pferdekutsche

Im Prater

Programm – Wien (30.5. – 3.6.)

Übernachtung in der Jugendherberge Meininger

Do. 30.5.	➔ Ankunft in Wien (Hbf) *mit 2 Stunden Verspätung!!!* ➔ (Nachmittag) Kaffeehaus Sacher *Hmm! Lecker!*
Fr. 31.5.	➔ Stadtrundfahrt mit Pferdekutsche + Leopold Museum ➔ (Abend) Musical *Elisabeth*
Sa. 1.6.	➔ Schloss Schönbrunn *wow!* ➔ (Abend) Konzert im Stephansdom
So. 2.6.	➔ Kanufahrt auf der Donau ➔ Picknick im Prater ➔ Abschiedsparty *!! nette Leute und coole Stimmung!*
Mo. 3.6.	➔ Abfahrt (ICE 27 / 10.04 Uhr)

Unser Projekt

Ein Hörspiel erstellen

Erfindet eine spannende Geschichte zu einer Klassenfahrt.

➔ Cahier d'activités p. 39

Etappe 1 Bildet Gruppen und macht euch Notizen zu folgenden Punkten: Reiseziel – Zeitangaben – Personen – spannendes Ereignis – Reaktionen – Ausgang.

Etappe 2 Schreibt die Geschichte (im Präteritum) und denkt euch zu jeder Szene kurze Dialoge aus.

Etappe 3 Verteilt die Rollen und nehmt die Geschichte auf. Denkt euch dabei passende Geräusche aus.

➔ 📖 IT p. 58

Brauchst du Ideen? Folgende Bilder aus der Fernsehserie Schloss Einstein helfen dir bestimmt.

Outils

➲ **Objectifs de communication :** raconter une histoire / un incident, réagir à une situation inattendue.

➲ **Grammaire :** le prétérit, la déclinaison de l'adjectif épithète, la subordonnée relative, la subordonnée temporelle avec *als*.

➲ **Lexique :** adjectifs de description, repères temporels et chronologiques.

Vokabeln

- ein Notlager *auf*schlagen
- Hilfe rufen

Mon bilan de compétences

➔ Cahier d'activités p. 39

Tâche finale	Socle commun A2	Vers B1
Sous la forme d'une saynète radiophonique, imaginer une anecdote de voyage.	**C2** **Écrire un court récit :** raconter une aventure de voyage.	Structurer un récit. Utiliser les temps du passé. Mettre en voix un texte.

Kapitel 4

Deutsch-französische Wechselspiele

Je vais apprendre à...

★ A2+/B1 ★

 Écouter
- Comprendre des indications chronologiques.
- Comprendre des opinions divergentes sur les modes de vie.

 Lire
- Comprendre une expérience interculturelle.
- Comprendre les motivations de quelqu'un pour vivre à l'étranger.

 Parler en continu
- Rendre compte d'une expérience à l'étranger.
- Exprimer mes avis et mes motivations.
- Commenter une statistique.

 Parler avec quelqu'un
- Échanger sur des préjugés culturels.
- Échanger sur des expériences franco-allemandes.

 Écrire
- Rendre compte de statistiques.
- Raconter un jumelage franco-allemand.

Unser Projekt

 Réaliser une émission pour célébrer l'amitié franco-allemande.

Mehr als nur Nachbarn

1   Es lebe die deutsch-französische Freundschaft!

Hör dir die Reportage eines Jugendradios an.

a. Nenne 3 Etappen der deutsch-französischen Beziehungen und assoziiere mit jedem Ereignis ein Maximum an Informationen (Zeitangaben, Namen ...).

b. Notiere die wichtigsten Punkte des Élysée-Vertrags.

c. Such weitere Etappen (z.B. im Internet) und erstelle eine kleine Zeittafel der deutsch-französischen Beziehungen.

➔ **Cahier d'activités p. 40**

Paris, Élysée-Palast

Köln, 1945

DFJW-OFAJ-Rudertreffen

2   Ausbildung ohne Grenzen

Hör dir das Interview an.

a. Was erfährst du über den Jungen und über das Projekt?

b. Welche Vorteile erwähnt er?

3 Erfahrungen

Bildet Gruppen. Jede Gruppe liest eine Aussage und informiert die andere.

a. Welche Erfahrung haben die Jugendlichen gemacht?

b. Was bedeutet für sie die deutsch-französische Freundschaft? Warum?

c. Was wünschen sie sich für die Zukunft?

➔ Cahier d'activités p. 41

Vor 2 Jahren habe ich am deutsch-französischen Hip-Hop-Festival in Berlin teilgenommen und dabei junge Künstler aus Clichy-sous-Bois kennen gelernt. Durch unsere gemeinsamen Interessen haben wir enge Kontakte geknüpft.

Solche Begegnungen sind meiner Meinung nach wichtig, um Toleranz und Offenheit zu schaffen. Dabei spielt Kultur eine wichtige Rolle, denn sie weckt das Interesse am Fremden.

Ich freue mich, dass es einen deutsch-französischen Fernsehsender gibt, wünsche mir aber mehr Kooperation im Kulturbereich. Ich hoffe, dass wir durch die Medien mehr Infos über Musik, Filme usw. im Nachbarland bekommen, um die Stereotypen zu brechen.
(Leonie, Kl. 9)

Ich freue mich, dass ich ein Praktikum im Nachbarland absolvieren konnte. Frankreich ist Deutschlands wichtigster Wirtschaftspartner, und deswegen ist es wichtig, die Sprache und die interkulturellen Unterschiede zu lernen, um sich besser zu verstehen. Frankreich und Deutschland sind und sollen weiter ein Motor für die Entwicklung Europas sein. Ich finde, wir sollten in Zukunft mehr multinationale Begegnungen fördern, z.B. mit Jugendlichen aus den Ländern in Mittel- und Osteuropa.
(Igor, Kl. 10)

Ich lebe in Berlin und bin im Kinder-Jugendrat aktiv, denn ich finde es sehr wichtig, dass sich junge Leute für ihre Stadt engagieren.

Wir organisieren verschiedene Projekte zum Thema Sport, Musik, Diskriminierung, Umwelt, und letztes Jahr haben wir uns mit jungen Franzosen getroffen, um zu sehen, wie andere Jugendräte funktionieren und was wir verbessern können. Es war schön, unsere Ideen austauschen zu können. Ich habe echt Freunde gewonnen und viel über die französische Kultur gelernt.

Für die Zukunft wünsche ich mir mehr Solidarität, und dass beide Länder gemeinsam für soziale Gerechtigkeit kämpfen, denn zusammen ist man stärker. (Vera, Kl. 9)

Zwischenstation

■ **Etwas zum Jubiläum der Städtepartnerschaft beitragen**

1. Sucht Informationen über eine Städtepartnerstadt in eurer Region (Seit wann? Aktionen? ...) und schreibt einen kurzen Artikel für die Schülerzeitung.

2. Bastelt einen Wunschbaum, um die deutsch-französische Freundschaft zu fördern.

Ich kann's

❂ Je comprends des indications chronologiques.

❂ Je sais rendre compte de faits ou d'événements.

❂ Je sais exprimer un avis et argumenter.

❂ Je comprends et je sais formuler des souhaits.

Station 2

Das Bild vom anderen

① Eine Umfrage

Schau dir die Statistik an und kommentiere sie. Nimm zu den Ergebnissen Stellung.

BEISPIEL: Viele / Nur wenige Franzosen assoziieren Deutschland mit ..., obwohl ...

➔ Cahier d'activités p. 43

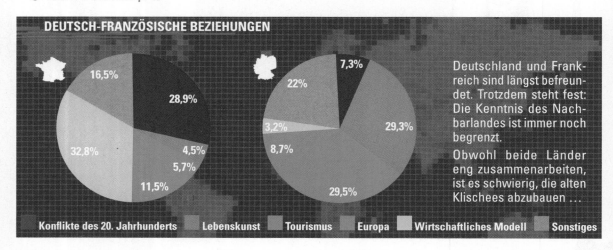

DEUTSCH-FRANZÖSISCHE BEZIEHUNGEN

16,5%
28,9%
32,8%
4,5%
5,7%
11,5%

7,3%
22%
3,2%
8,7%
29,3%
29,5%

Deutschland und Frankreich sind längst befreundet. Trotzdem steht fest: Die Kenntnis des Nachbarlandes ist immer noch begrenzt.

Obwohl beide Länder eng zusammenarbeiten, ist es schwierig, die alten Klischees abzubauen ...

Konflikte des 20. Jahrhunderts ▪ Lebenskunst ▪ Tourismus ▪ Europa ▪ Wirtschaftliches Modell ▪ Sonstiges

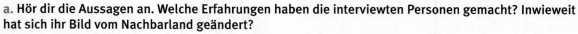

② Typisch französisch? Typisch deutsch?

a. Hör dir die Aussagen an. Welche Erfahrungen haben die interviewten Personen gemacht? Inwieweit hat sich ihr Bild vom Nachbarland geändert?

b. Schreib mit Hilfe der gesammelten Informationen einen kurzen Artikel über die deutsch-französischen Beziehungen.

➔ Cahier d'activités p. 43

Karneval in Köln

Podcast.de

🐦 Twittern ⟨0⟩

Salut Cologne!
Deutsch-französischer Stammtisch in Köln

Tina S., Journalistin, hat Deutsche und Franzosen bei einem deutsch-französischen Stammtisch in Köln getroffen und interviewt.

🔊 Audio

③ Deutsche Schüler in Frankreich

Lies folgende Aussagen deutscher Schüler, die beim Voltaire-Programm mitgemacht haben.

Was sagen sie über die Franzosen? Und über sich selbst?

➔ Cahier d'activités p. 44

A „Ja, also in der Familie, ich finde, die halten hier mehr zusammen, die Familie ist wie eine Insel, sie hat eine größere Bedeutung als bei uns. In meiner Gastfamilie wird am Wochenende viel mehr gemeinsam gemacht, also das Essen ist ganz wichtig und dauert drei bis vier Stunden. Der Opa ist immer dabei, dann kommen auch andere Verwandte oder man besucht sie, es ist immer was los."

C „Der Unterricht ist vollgestopft mit Informationen und somit sehr effektiv. Auch wenn es teilweise sehr anstrengend war, habe ich eine Menge gelernt. Mir gefällt es in der französischen Schule besser. Das ist irgendwie systematischer, da lernt man mehr. Bei uns ist es eine ganz schöne Schwatzbude. Die Schüler sind hier disziplinierter."

B „Manchmal habe ich das Gefühl, dass ich mich verteidigen muss als Deutsche. Die Franzosen haben es einfacher, die sind stolz auf ihre Geschichte, das kann man eben als Deutsche nicht sein, sicher, auf die letzten 50 Jahre jetzt allerdings schon."

D „Das war eine Reise in eine andere Welt. Ich habe dadurch erfahren, dass man die Dinge nicht in falsch und richtig einteilen kann, sondern in das, was man kennt und das, was man nicht kennt. Das ist auch etwas, das mir hilft, andere Kulturen besser zu verstehen."

Aus *Voltaire in der Tasche*, OFAJ/DFJW, Paris, Berlin, 2012

Zwischenstation

■ **Deutschlandbilder**

Welches Deutschlandbild haben deine Mitschüler, deine Verwandten oder Freunde?

1. Mach eine Umfrage und erstelle eine Statistik.
2. Kommentiere danach die Ergebnisse dieser Umfrage.

Ich kann's

❯ Je sais commenter une statistique.
❯ Je comprends des points de vue opposés.

Alles nur Klischees?

① ### Tour de Franz

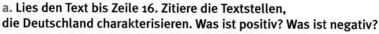

a. Lies den Text bis Zeile 16. Zitiere die Textstellen, die Deutschland charakterisieren. Was ist positiv? Was ist negativ?

b. Lies das Ende des Auszugs. Welche Passagen bestätigen, bzw. relativieren die genannten Klischees?

c. Was hältst du von Cécile Callas Meinung über die Franzosen?

Cécile Calla, eine französische Journalistin, zog des Jobs und der Liebe wegen nach Berlin.

Das Beste an Deutschland sind die Eiscafés. So dachte ich jedenfalls im Alter von zehn Jahren, als ich meine Sommerferien bei meiner deutschen Verwandtschaft im Rheinland verbrachte.

Für mich war das ein paradiesischer Ort, so etwas gab es nicht in Frankreich, und ich freute mich schon Wochen zuvor darauf. Ich nahm immer dasselbe: Spaghetti-Eis Vanille
5 mit heißer Himbeersauce.

Gleich nach den Eiscafés kam das Wellenbad. Eine außergewöhnliche Erfindung in meinen Augen. (...) So wurde ich schon in jungen Jahren ein Fan der deutschen Technik. Und des deutschen Essens. Diese riesigen Schnitzel, die den ganzen Teller bedeckten, man könnte sie wie Frisbees über den Tisch fliegen lassen! Für mich war Deutschland ein kleines Wunderland.

10 Das änderte sich erst, als ich Teenager wurde. Ich ließ mich von den üblichen Klischees anstecken: Die Deutschen sind zwanghaft diszipliniert, pünktlich – und nicht lustig. (...) Deutschland war definitiv uncool.

Es erstaunte mich also nicht, dass meine Freunde ihr Gesicht verzogen, als ich ankündigte, nach Deutschland zu ziehen. „Mais pourquoi?", fragten sie alle mit großen Augen. (...) Sie
15 stellten sich Deutschland als graues Land vor: ständig kalt, mit distanzierten Leuten, die nie lachen und dauernd Würste essen. (...)

Nach den ersten Tagen in Berlin war ich drauf und dran, ihnen zuzustimmen. Es war wirklich kalt – ich kam im November –, kein Mensch sprach mich an (noch nicht einmal, als ich drei Stunden allein am Tresen einer Bar stand!). Nur Würstchen gab es kaum. Eher Pasta.

20 Ich habe mich an die Deutschen gewöhnt.

Und ich verhalte mich fast wie eine.

Meine französischen Freunde lachen mich aus, weil ich mich nicht mehr traue, in der Pariser Metro schwarzzufahren (...).

In Momenten, wo wir Franzosen hetzen, sind die Deutschen gemütlicher. Wie beim Grillen
25 im Sommer. Sie sind spontan, wenn meine Landsleute sich das Leben mit Förmlichkeit verkomplizieren. Duzen ist fast unmöglich bei Unbekannten in Frankreich. Und doch fehlt es den Deutschen an Leichtigkeit. Selbst das Witzemachen wird hier mit Ernst betrieben. (...)

Immerhin, an Neugier fehlt es ihnen nicht.

Meine deutschen Freunde wollten ständig wissen: „Und, du als Französin, wie siehst du das?"
30 Sie sorgten sich auch oft, ob ich mich wenigstens ein bisschen zu Hause fühle. (...) Ein solches Verhalten ist unvorstellbar in Frankreich. (...) Aber das ist nur ein Unterschied von vielen.

Aus: Cécile Calla, *Tour de Franz – Mein Rendez-vous mit den Deutschen*
© 2009 Ullstein Buchverlage GmbH, Berlin

② Typisch Deutsch?

Lies folgende Studie.

a. Was erfährst du über die Gewohnheiten der Deutschen?

b. Bildet Gruppen. Sucht euch eine Situation aus und erfindet einen Sketch dazu.

Deutschland - eine pflichtbewusste, humorlose und biertrinkende Nation. So jedenfalls lauten die gängigen Klischees. Doch sind sie wirklich so vorhersehbar?

Vorurteil Nummer eins: Die Deutschen sind pflichtbewusst und diszipliniert.

Stimmt! Zumindest halten sich 86 Prozent der Befragten dafür. (...)

Leistung und Erfolg spielen für die Deutschen eine große Rolle: Bei der Frage nach den wichtigsten Werten im Leben räumt der Faktor „Leistung" 81 Prozent ab und „Erfolg im Beruf" 80 Prozent. Freizeit und Nichtstun kommen erst an dritter und vierter Stelle.

Vorurteil Nummer zwei: Die Deutschen sind reserviert und verschlossen.

Stimmt nicht! Spätestens seit der Fußball-WM im eigenen Land weiß die Welt, wie aufgeschlossen die Deutschen sind. 84 Prozent halten sich laut Umfrage für kontaktfreudig.

Das soziale Leben spielt sich bei den Deutschen zum größten Teil in der Familie und in der Partnerschaft ab (93 Prozent). (...) Bei den Freizeitinteressen der Deutschen liegt der Freundeskreis mit 91 Prozent ganz vorne, gefolgt vom Partyfeiern.

Vorurteil Nummer drei: Deutschland - das Land der Dichter und Denker.

Stimmt! Kulturelles Leben ist wichtig: 54 Prozent stimmen dieser Behauptung zu, die anderen 46 Prozent outen sich als Kulturbanausen. Innerhalb der kulturellen Freizeitbeschäftigungen stehen Theater, Konzerte und Musicals auf Platz eins, gefolgt von Besuchen in Museen und Ausstellungen.

Die Deutschen lesen gern – allerdings nur jeder Zweite von ihnen in einem Buch. 72 Prozent der Deutschen lesen gerne Tageszeitungen, beliebter sind hierzulande jedoch die Zeitschriften (75 Prozent).

Vorurteil Nummer vier: Die Deutschen sind humorlos.

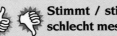

Stimmt / stimmt nicht! Humor lässt sich schlecht messen.

Nach dem Fernsehverhalten zu urteilen, scheint der durchschnittliche Bundesbürger aber eher seriöse oder zumindest ernste Sparten zu bevorzugen: Die Deutschen sehen am liebsten Nachrichten (78 Prozent). Der Krimi kommt auf 62 Prozent, die Komödie immerhin auf 60 Prozent. Comedy-Sendungen und Kabarett liegen weit abgeschlagen hinter Informations- und Magazinsendungen.

© Sueddeutsche.de (15.9.2010)

Sprache aktiv

→ Cahier d'activités p. 42
→ Mémento grammatical p. 159

1 Les prépositions

• Une préposition introduit le plus souvent un groupe nominal ou un pronom. Ceux-ci se mettent au cas exigé par la préposition.

• Prépositions toujours suivies de l'accusatif : *durch* (à travers, par), *gegen* (contre), *für* (pour), *ohne* (sans), *um* (autour de).

• Prépositions toujours suivies du datif : *aus* (en provenance de), *bei* (locatif : chez), *mit* (avec), *nach* (après), *seit* (depuis), *von* (de), *zu* (directif : chez).

• Certaines sont suivies du **génitif** : *wegen* (à cause de), *dank* (grâce à), *trotz* (malgré) et *während* (pendant).

> **Während des Krieges** hatten wir keinen Kontakt mehr mit unseren Verwandten.

> **Trotz der politischen Differenzen** sind Frankreich und Deutschland Freunde geworden.

1 Lis le compte-rendu d'un élève Sauzay et complète par une des prépositions suivantes : *mit, nach, seit, dank, trotz, während, wegen*

a. Ich lerne ... 4 Jahren Französisch und habe letztes Jahr beim Sauzay-Programm mitgemacht.
b. ... meines Aufenthalts habe ich viel über die französische Kultur gelernt.
c. Ich habe mich ... einiger Kommunikationsprobleme von Anfang an wohl gefühlt.
d. ... einem Monat in Lyon hatte ich mich richtig gut eingelebt.
e. Ich habe ... dieses Austauschprogramms viele Fortschritte in Französisch gemacht.
f. Ich habe mich ... meinem Partner gut verstanden.
g. Nur einmal haben wir uns ... eines Mädchens gestritten.
h. ... meiner Rückkehr telefoniere ich oft mit meiner Gastfamilie.

2 Mets le groupe entre parenthèses au cas exigé par la préposition. Vérifie les marques de cas.
Während (der Zweite Weltkrieg) waren Frankreich und Deutschland Feinde. → *Während des Zweiten Weltkriegs waren Frankreich und Deutschland Feinde.*

a. Trotz (die Unterschiede) sind beide Länder seit (der Élysée-Vertrag) Freunde.
b. Die Sportvereine zählen zu (die Pioniere) des deutsch-französischen Austauschs.
c. Dank (die Unterstützung) des DFJW finden jährlich tausende Schülertreffen statt.
d. Jugendliche aus (beide Länder) machen jedes Jahr bei (ein Schüleraustausch) mit.
e. Dank (das Sauzay-Programm) kann man während (die Schulzeit) ein paar Monate im Nachbarland verbringen.
f. Während (ein Praktikum) im Nachbarland können Schüler Arbeitsluft schnuppern und ihre Sprachkenntnisse verbessern.
g. In Zukunft sollten beide Länder gemeinsam gegen (die Arbeitslosigkeit) kämpfen.

3 Intègre un complément de temps dans les phrases suivantes.

Nach dem Krieg – Nach der Wiedervereinigung – Vor dem Mauerfall – Seit 1963 – Vor 3 Jahren – Am 22. Januar – Während des Studiums

Deutschland wurde in 4 Zonen geteilt. → *Nach dem Krieg wurde Deutschland in 4 Zonen geteilt.*

a. Ich bin oft nach Deutschland gefahren.
b. Deutsche und Franzosen feiern die deutsch-französische Freundschaft.
c. Deutsche und französische Politiker treffen sich regelmäßig.
d. Ich habe die Winterferien im Schwarzwald verbracht.
e. Die Ostberliner durften nicht nach Westberlin reisen.
f. Berlin ist wieder Hauptstadt geworden.

Station 2

➜ Cahier d'activités p. 45
➜ Mémento grammatical p. 154

1 Exprimer la contradiction ou l'opposition

La contradiction peut s'exprimer de différentes manières.

- Avec une subordonnée introduite par la conjonction *obwohl* (bien que) :
  Obwohl Deutschland und Frankreich zusammenarbeiten, gibt es immer noch Klischees.

- Avec l'adverbe *trotzdem* (malgré tout) :
  Die Deutschen sind diszipliniert, **trotzdem** feiern sie gerne.

- Avec l'adverbe *zwar* suivi de *aber* :
  Die deutschen Eltern sind **zwar** streng, **aber** die französischen Eltern sind noch strenger.

- Avec un groupe prépositionnel introduit par *trotz* (suivi du génitif) :
  Trotz der Wirtschaftskrise konnte die junge Französin eine Arbeitsstelle in Frankfurt finden.

4 Exprime la contradiction en utilisant *obwohl*.

Der letzte Krieg fand vor 75 Jahren statt. / Die Erinnerung daran ist noch sehr präsent.

➜ *Obwohl der letzte Krieg vor 75 Jahren stattfand, ist die Erinnerung daran noch sehr präsent.*

a. Frankreich arbeitet in enger Kooperation mit Deutschland. / Nur wenige Schüler lernen Deutsch.
b. Die Deutschen sind umweltbewusster als die Franzosen. / Franzosen und Deutsche produzieren fast dieselbe Menge Müll.
c. Die Deutschen sind sehr stolz auf ihre Autos. / Nur 49% der Deutschen kaufen deutsche Modelle.
d. In den französischen Schulen wird immer noch viel diktiert und mitgeschrieben. / Es gibt immer mehr Gruppenarbeit und praktische Übungen.
e. Deutsche Landschaften sind schön und romantisch. / Nur wenige Franzosen machen in Deutschland Urlaub.

5 Reformule ces mêmes phrases en utilisant *trotzdem* ou *zwar ... aber*.

Obwohl der letzte Krieg vor 75 Jahren stattfand, ist die Erinnerung daran noch sehr präsent

➜ *Der letzte Krieg fand vor 75 Jahren statt. Trotzdem ist die Erinnerung daran noch sehr präsent.*

➜ *Der letzte Krieg fand zwar vor 75 Jahren statt, aber die Erinnerung daran ist noch sehr präsent.*

Vokabeln Kurz und gut

➜ Cahier d'activités p. 46

Piste 24

❶ Zeitangaben

- früher
- vor dem Krieg ≠ nach dem Krieg
- während des 2. Weltkriegs
- seit 40 Jahren
- im Jahre 1963
- vor 75 Jahren
- 6 Monate später
- heute
- in Zukunft

Sprechtraining

Pistes 25-26

- ■ [pʰ], [tʰ], [kʰ] en début de mot
- ■ Les phrases complexes

➜ Cahier d'activités p. 42 et p. 45

❷ Meinungen und Wünsche

- Ich finde es wichtig, dass ...
- Meiner Meinung nach ...
- Ich wünsche mir, dass ...
- Ich hoffe, dass ...

❸ Klischees und Vorurteile

- der Unterschied(e)
- das Klischee(s)
- das Vorurteil(e) → Vorurteile *ab*bauen
- Mir ist aufgefallen, dass ...
- über etwas staunen
- sich *ein*leben / sich an seine neue Umgebung gewöhnen

Wechselseitige Spuren

In der Geschichte beider Länder gab es öfters Menschen, die ihre Heimat verließen und sich im Nachbarland niederließen. In einigen Fällen hat es einen besonders positiven Einfluss gehabt, der bis heute Spuren hinterlassen hat.

Hugenotten

Als es 1685 nach der Aufhebung des Edikts von Nantes in Frankreich zu immer mehr Repressalien gegen die Protestanten kam, verließen 20 000 Hugenotten ihre Heimat und fanden Asyl in Deutschland. Damals profitierte die deutsche Wirtschaft von dem Know-how fleißiger Handwerker, die innovative Techniken aus Frankreich mitbrachten. Bauern bauten Pflanzen an, die bis dahin unbekannt waren, wie zum Beispiel Spargel oder Artischocken. Um 1700 waren fast ein Viertel der Berliner Franzosen. Sie haben viele Spuren hinterlassen, vom Französischen Dom am Gendarmenmarkt bis hin zu Straßennamen oder den vielen Gallizismen im Berlinerischen (z.B. Muckefuck, der von „moka faux" kommt).

Kurfürst Friedrich Wilhelm I. von Brandenburg empfängt französische Auswanderer in Berlin (1685)

Ganz schön spritzig!

Die Franzosen sind stolz auf ihren Champagner, der zu den edelsten Getränken der Welt zählt. Wusstet ihr aber, dass die Deutschen in seiner Geschichte eine wichtige Rolle gespielt haben?
Die Namen auf den Etiketten großer Champagnerhäuser erinnern daran: Heidsieck, Krug, Mumm, Bollinger, usw. sind die Namen junger deutscher Kaufleute, die Ende des 18. Jahrhunderts in die Champagne auswanderten, um dort Karriere zu machen. Dank ihres Geschäftssinns und ihrer Fremdsprachenkenntnisse gelang es ihnen, den Mächtigen der Welt das Luxusgetränk zu verkaufen. Als Georg Christian Kessler schließlich nach Deutschland zurückkehrte, gründete er 1826 die erste Sektkellerei Deutschlands.

Die Franzosen bringen Ordnung ins Durcheinander!

Köln, Glockengasse 4711. Ein französischer Soldat nummeriert das Haus der Familie Mülhens (1796)

Zu Beginn des 19. Jahrhunderts herrschte Kaiser Napoleon in Kontinentaleuropa. 1797 wurde das Rheinland von Frankreich annektiert. Obwohl Napoleon als Eroberer kam, profitierten die Menschen von den liberalen Ideen der französischen Revolution „Freiheit, Gleichheit und Brüderlichkeit". Wusstet ihr übrigens, dass hinter dem Namen des weltberühmten Kölnisch Wassers 4711 eine Hausnummer steckt, die aus der Franzosenzeit stammt?
Die Soldaten hatten nämlich damals immense Schwierigkeiten, sich in der Stadt zu orientieren und nummerierten jedes Haus. Noch heute erinnert ein Glockenspiel auf der Fassade des Hauses daran: Zur vollen Stunde erklingt die Melodie der Marseillaise!

4711 – Kölnisch Wasser

Alles klar?

1. Worauf beziehen sich folgende Zahlen? 1685 – 1797 – 1826 – 4711 – 20 000
2. Welche Eigenschaften erklären den Erfolg der Migranten im Nachbarland?
3. Inwiefern ist Napoleon eine umstrittene Figur in Deutschland?

WEBQUEST   Identifier, trier et évaluer des ressources

Bereite eine kleine Ausstellung vor, um die deutsche Sprache in deiner Schule zu fördern.
1. Geh auf die Suche nach deutschen Produkten in Frankreich und mach eine Collage.
2. Such ein französisches / deutsches Wort deutscher / französischer Herkunft. Schreib es auf ein DIN-A4-Blatt und illustriere es.
3. Such Informationen über Promis, die zwischen beiden Kulturen leben (z.B. Franck Ribéry, Diane Krüger, Karl Lagerfeld ...) und schreib ihren Steckbrief.

WEBSITES FÜR INFOS

http://www.marken-des-jahrhunderts.de/marken
http://www.larousse.fr/index/dictionnaires/francais
http://www.dw.de/wörter-französischen-ursprungs/a-1116125
http://www.franck-ribery.org/

Workshops

1 Video

Französisch für Anfänger

Schau dir die Filmszene an.

a. Beschreibe die Szene und bereite Audiokommentare für blinde Zuschauer vor.
b. Welches Bild Frankreichs wird hier gezeigt? Achte auf alle Details (Wohnform, Verhalten der Menschen, Essgewohnheiten ...).
c. Bist du mit diesem Bild einverstanden?
d. Wie könnte wohl die Szene in einer deutschen Gastfamilie aussehen? Formuliere Hypothesen.

▶ *Französisch für Anfänger*
Film, 2006

2 IT

Mit Framapad an einem kollaborativen Projekt arbeiten

a. Klicke auf den Button „Neues Pad erstellen" unter der URL http://framapad.org.
b. Gib oben rechts einen Benutzernamen ein und wähle eine Farbe aus.
c. Schicke deinen Mitschülern / der Partnerklasse die URL deines Pads.
d. Ihr könnt nun in Echtzeit gemeinsam das Dokument bearbeiten.
e. Speichere die Änderungen und exportiere eventuell das Dokument in ein anderes Datei-Format.

Vokabeln

👤 2	Benutzernamen eingeben und Farbe auswählen
Chat 💬 0	mit Mitbenutzern chatten
☆	Änderungen speichern
⇄	importieren / exportieren

B2i

C4 • Créer, produire, traiter, exploiter des données → *Je sais saisir et mettre en page un texte.*
• Adopter une attitude responsable → *Je fais preuve d'esprit critique face à l'information et à son traitement. Je participe à des travaux collaboratifs en connaissant les enjeux et en respectant les règles.*

3 Kunst

Kunst ohne Grenzen

a. Lies den Text und sammle Informationen über die Aktion.
b. Erfinde ein Interview mit den Künstlern.
c. Kennst du andere Beispiele für engagierte Kunst?

„Wir müssen uns besser kennen lernen, damit wir uns besser verstehen, mehr vertrauen und besser zusammenleben."
(Eva Herlitz)

Die 2 Weltkriege in der ersten Hälfte des 20. Jahrhunderts haben in der Kunst Spuren hinterlassen. Seit dieser düsteren Zeit spielt das soziale und politische Engagement eine wichtige Rolle. Im Jahre 2002 haben nach einer Idee von Klaus und Eva Herlitz Künstler aus 140 Nationen Bärenskulpturen gestaltet, die ihr Heimatland repräsentieren. Die „United Buddy Bears" sind ein Symbol für Toleranz und Völkerverständigung.

Nach einer Welttournee standen sie vom 12. Oktober bis zum 18. November 2012 anlässlich des Jubiläums „50 Jahre Élysée-Vertrag" Hand in Hand am Eiffelturm in Paris.
An der Spitze stand das deutsch-französische Bärenpaar, das die guten Beziehungen zwischen beiden Ländern symbolisiert.
Die Versteigerung von 46 Buddy-Bären hat kürzlich 190 200 Euro erbracht. Der Erlös geht an UNICEF und andere Kinderhilfsorganisationen.

Spiel den Künstler!

Gestaltet eine Briefmarke zum Tag der deutsch-französischen Freundschaft.
a. Entwerft ein Logo oder macht ein Foto, das die deutsch-französische Freundschaft symbolisiert.
b. Präsentiert euer Projekt vor der Klasse. Wählt dann das Beste aus.
c. Importiert die Briefmarke auf die Website der Post und druckt sie aus.

➔ Cahier d'activités p. 47

1 Willkommen beim Entdeckungstag!

OBJECTIF : Comprendre un article sur la journée franco-allemande.
OUTILS : Le lexique du monde du travail, la proposition subordonnée relative, l'opposition, les prépositions suivies du génitif.

Lis l'article.

Es-tu capable :

A2
1. d'indiquer qui est concerné par cette journée de découverte ?
2. de préciser où et quand elle se déroule ?

A2+
3. de décrire son déroulement ?

B1
4. d'indiquer 3 objectifs principaux ?
5. d'expliquer les conséquences de cette journée pour les 3 jeunes interviewés ?

Lycée Paul Éluard (Saint-Denis) bei Robert Bosch

Jedes Jahr am 22. Januar öffnen deutsche und französische Unternehmen zahlreichen Schülern/innen ihre Tür. Sie laden ein, das Nachbarland im Berufsalltag zu entdecken. Schüler/innen ab der 7. Klasse in Deutschland und ab der 6e in Frankreich können ein Unternehmen in ihrer Region besuchen, das eng mit dem Partnerland zusammenarbeitet.

Fachleute präsentieren Schülern beider Länder ihre Unternehmen und ihren Berufsalltag. Sie sprechen über berufliche Perspektiven in einem deutsch-französischen Kontext und beantworten die Fragen, die sich Jugendliche über ihre berufliche Zukunft stellen. Dank dieses Tages haben Schülerinnen und Schüler die Möglichkeit, Werkstätten, Labore, Tonstudios usw. zu besichtigen, die in der Regel der Öffentlichkeit nicht zugänglich sind.

Wegen der geringen Anzahl der Schüler/innen, die Deutsch, bzw. Französisch lernen, hat der „Entdeckungstag" auch zum Ziel, Jugendliche zum Erlernen der Sprache des Partnerlandes zu motivieren. Die Sprachkenntnisse sind ein Vorteil für ihre berufliche Mobilität und vermitteln erste interkulturelle Kompetenzen.

„Dank des Entdeckungstages ist uns jetzt klar, dass im späteren Berufsleben nicht nur die technischen und wirtschaftlichen Kenntnisse wichtig sind, sondern dass auch Französisch ein Schlüssel zum Erfolg sein kann", berichten Christina und Caroline aus Berlin. „Der Entdeckungstag hat mich in meiner Idee bestärkt, mein Studium im Ausland zu absolvieren und weiterhin Deutsch zu sprechen", meint auch Ludovic aus Amiens.

Bis nächstes Jahr, à l'année prochaine !

→ Cahier d'activités p. 48

2 Mit dem Voltaire-Programm in Frankreich

Objectif : Comprendre le récit d'une expérience.
Outils : Les indications temporelles, la subordonnée introduite par *obwohl*, les prépositions suivies du génitif.

Écoute l'interview.

Es-tu capable de :

A2
1. dire combien de temps Milena est restée en France ?
2. dire ce qui l'a motivée ?
3. dire en quoi, selon elle, les jeunes Français sont différents des Allemands ?

A2+
4. repérer ce que dit Milena à propos des clichés ?

B1
5. dire ce que ce séjour lui a apporté ?

→ Cahier d'activités p. 48

3 Vorurteile?

Objectif : Corriger des idées reçues.
Outils : Le lexique des sentiments, la proposition subordonnée relative, l'opposition, les prépositions suivies du datif et du génitif.

📄 gesendet am 15/06 um 17:34

Meine Tochter hat vor, 6 Monate in Lyon als Au-pair-Mädchen zu verbringen. Mir gefällt diese Idee gar nicht. Das Leben dort ist ganz anders als bei uns. Alle Franzosen essen viel zu viel und trinken jeden Tag Wein dazu, das ist ungesund. Und dass sie sich alle jeden Tag mehrmals küssen, das gefällt mir auch nicht. Hat jemand Erfahrung mit Frankreich gemacht? Wer kann mir ein bisschen was erzählen?

Warte auf eure Antworten – Yoli

Lis le message et réponds à Yoli.

Es-tu capable de :

A2+
1. réagir aux inquiétudes de Yoli ?
2. rectifier ses préjugés ?

B1
3. la rassurer ?

Eine Sendung aufnehmen

 Nehmt eine Sendung zur deutsch-französischen Freundschaft auf.
➔ Cahier d'activités p. 49

Etappe 1 Denkt euch Rubriken aus.

Was die französische **Freundschaft**
10 Gründe, für mich bedeutet
warum man die Sprache Was mir an
des Nachbarn **Deutschland**
lernen sollte **Historischer** gefällt
Kontext Was ich mir für
Mein die **Zukunft**
Lieblingswort wünsche

Outils

➔ **Objectifs de communication :** rendre compte d'événements, donner son avis, argumenter, exprimer des souhaits.

➔ **Grammaire :** les temps du passé, les prépositions suivies du génitif.

➔ **Lexique :** le lexique du quotidien, les indications temporelles.

Etappe 2 Bildet Gruppen. Jede Gruppe befasst sich mit einer Rubrik. Überlegt euch Aussagen und sucht passende Bilder.

Etappe 3 Nehmt die Sendung mit einer Videokamera oder mit einem Audiorekorder auf.

ÉLYSÉE-VERTRAG
TRAITÉ DE L'ÉLYSÉE
50
Franzosen und Deutsche:
Einmal Freunde – immer Freunde!
Partenaires un jour, partenaires toujours !
APPRENDRE L'ALLEMAND
Édition 2013. Tous droits de reproduction réservés.

Mon bilan de compétences
➔ Cahier d'activités p. 49

Tâche finale	Socle commun A2	Vers B1
Réaliser une émission pour célébrer l'amitié franco-allemande.	**C2 Présenter / raconter :** parler de l'amitié franco-allemande hier et aujourd'hui – exprimer des souhaits pour l'avenir.	Utiliser les temps du passé. Argumenter pour convaincre.

Kapitel 5

Kreativ seit eh und je

A2+/B1

Je vais apprendre à...

 Écouter

- Comprendre des témoignages de jeunes talents.
- Comprendre des informations sur la vie d'une entreprise.

 Lire

- Comprendre des annonces pour un concours.
- Comprendre la présentation d'une invention.
- Comprendre des informations sur une entreprise.

 Parler en continu

- Décrire le profil idéal d'un jeune talent.
- Parler d'une invention allemande connue.
- Proposer des inventions pour améliorer le quotidien.

 Parler avec quelqu'un

- Exprimer ma préférence.
- Faire deviner à la classe une invention connue.

Écrire

- Décrire une entreprise.

Unser Projekt

 Organiser un concours pour rendre son école plus innovante.

Junge Talente

1 Jung und begabt

a. Lies folgende Anzeigen. Welches Profil wird gesucht?

b. Bei welchem Wettbewerb würdest du gerne mitmachen? Warum?

> BEISPIEL: ... finde ich besser / interessanter, weil ... Es würde mir nämlich Spaß machen, ... zu ...
>
> → Cahier d'activités p. 50

TEXTSTROM, DER POETRY SLAM!

Seit 2004 bietet das rhiz in Wien eine Bühne, auf der Poetry Slam-Profis und -Anfänger jeden Monat auftreten.

Wenn du gerne Texte schreibst, wenn du sie gerne mit Anderen teilst, dann bist du im rhiz richtig! Komm zu uns!

Es gibt jedoch ein paar Regeln:
- Bringe nur Texte, die du selber geschrieben und noch nie vorgetragen hast.
- Biete nur Slam-Einlagen, die nicht länger als 5 Minuten dauern.
- Respektiere deine Mitbewerber.

DAS SUPERTALENT

Das Supertalent geht in eine neue Runde!

Stars, die in Deutschland jeder kennt, sitzen in der Jury und bewerten die Leistungen der Kandidaten.

Wenn du einen singenden Papagei besitzt, wenn du eine tolle Tanzeinlage zeigen kannst, kurz, wenn du ein Talent besitzt, über das man staunen kann, dann zeig es uns.

Bewirb dich für das Casting!

Infos unter: RTL.supertalent.de

2 Wir waren dabei!

Hör dir die Interviews an. An welchem Wettbewerb haben die Jugendlichen teilgenommen? Was haben sie gemacht?

> → Cahier d'activités p. 51

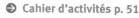

3 Praktisch und logisch

a. Lies folgende Artikel und notiere die Hauptinformationen (Was? Wie? Warum?).

b. Vergleiche die zwei Erfindungen. Welche gefällt dir besser?

c. Stell dir geniale Erfindungen vor, die deinen Alltag verbessern könnten.

> BEISPIEL: Ich wünsche mir ein Auto, mit dem man fliegt. ...

➔ Cahier d'activités p. 51

Der 2. Preis in der Kategorie „Arbeitswelt" beim Jugend forscht Wettbewerb 2012 geht an drei Jugendliche aus Nordrhein-Westfalen!

Miriam Löcke (14), ihr Bruder David (16) und ihr Kumpel Lars (14) können es kaum fassen. Sie haben den 2. Preis bei Jugend forscht in der Kategorie „Arbeitswelt" gewonnen! Ihr DressCoder soll Sehbehinderten helfen, sich passend zu kleiden.

„Wir haben auf verschiedene Kleidungsstücke einen RFID-Code (Radio Frequency Identification) aufgebügelt, der Kleidungsstücke identifizieren kann", erklärt David Löcke. „Dann haben wir eine Software programmiert, die den Personen Informationen – zum Beispiel über ihr Smartphone – über die Farbe und den Typ der Kleidung gibt."
Die Erfindung wurde von Blinden getestet und sehr positiv bewertet.

„Das ist eine Lebenshilfe, nach der ich mich mein Leben lang gesehnt habe!", schwärmt Udo, der seit seinem dritten Lebensjahr blind ist.

Werfen Sie ihren Biomüll nicht mehr weg, er kann ihre elektrischen Geräte mit Strom versorgen!

Biogas liefert hochwertige Energie in Form von Strom, Wärme und Antriebsenergie für Motoren. Es ist also eine Alternative, die für die Zukunft wichtig ist.
Patricia Vogel (15) und Niklas Haerting (16) haben sich überlegt, wie man Biogas anders produzieren kann als mit Mais oder Raps, dessen massiver Anbau schlecht für die Umwelt ist.
Die jungen Forscher aus Bremerhaven haben ihre Lösung im Biomüll gefunden. 3000 Haushalte könnten mit Strom versorgt werden. Spezielle Anlagen müssten die Bioabfälle in Biogas verwandeln.
Beim Jugend forscht Wettbewerb haben Patricia und Niklas in der Kategorie „Biologie" den ersten Preis gewonnen.

Zwischenstation

■ Eine deutsche Erfindung präsentieren

1. Geh zu folgender Website:
http://www.goethe.de/wis/fut/prj/dst/deindex.htm

2. Such dir eine bekannte deutsche Erfindung aus.

3. Beschreibe sie und lass deine Mitschüler raten.

Ich kann's

❥ Je comprends et je sais comparer les initiatives de jeunes talents.

❥ Je comprends et je sais décrire des inventions modernes.

Erfolgsgeschichten

1 Deutsche Qualität

Lies folgendes Schülerreferat über ein Unternehmen. Nenne die verschiedenen Etappen seiner Entwicklung.

➔ Cahier d'activités p. 53

IN EISENACH WIRD AUTOMOBILGESCHICHTE GESCHRIEBEN

AUTOMOBILWERK EISENACH, VON 1896 BIS HEUTE

Der Wartburg 312 Kombi
(1965-1966)

D er Industrielle Heinrich Ehrhardt gründet 1896 die Fahrzeugfabrik Eisenach (FFE), die anfänglich Fahrräder herstellt. Schon 1898 werden die ersten Wartburg Motorwagen produziert.

1928 wird die Fabrik von der Firma BMW (Bayrische Motoren Werke AG) übernommen.

Nach dem Zweiten Weltkrieg wird BMW enteignet[1] und das Werk wird 1952 von der DDR als Eisenacher Motorenwerk verstaatlicht[2].

Ein Jahr später erhält das Werk den endgültigen Namen VEB (Volkseigener Betrieb) Automobilwerk Eisenach und produziert ab 1955 den berühmten Wartburg.

Nach der Wiedervereinigung wird die Situation für das Automobilwerk Eisenach sehr schwierig.

Am 10. April 1991 wird das Werk geschlossen.

Am 23. September 1992 eröffnet Opel ein ganz modernes Autowerk in Eisenach, das die Tradition der Autoindustrie in der Stadt fortsetzt. Hier werden der Opel Astra, Corsa und seit 2012 der Opel Adam gebaut.

Philipp Kätzler, 9. Klasse,
Martin-Luther-Gymnasium Eisenach

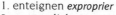

Opel Adam

1. enteignen *exproprier*
2. verstaatlichen *nationaliser*

2 Unsere Firma lässt grüßen

Schau dir den Flyer an. Was erfährst du über die Aktivitäten des Unternehmens Born?

Senf-Laden und Museum

Tauchen Sie ein in die Welt des Senfs!

Mitten in der Altstadt Erfurts steht unser Laden mit seinem kleinen Museum.
Hier können Sie alles über die Geschichte unserer Marke erfahren.
Hier können Sie unsere Spezialsorten probieren und auch Geschenke für Jung und Alt finden.
Wir freuen uns über jeden Besuch!

3 Eine Besichtigung

Eine Schulklasse hat an einer Führung der Firma Born teilgenommen. Hör dir die Aufnahmen an.

Piste 28

a. Was erfährst du über die Firma (Geschichte, Aktivitäten)?

b. Lies die Notizen eines Schülers. Bring die Etappen der Herstellung in die richtige Reihenfolge und ergänze die Informationen.

  BEISPIEL: Zuerst wird / werden …

c. Sammle nun alle Informationen und halte ein kurzes Referat über das Unternehmen (Gründung, Aktivitäten …).

➜ Cahier d'activités p. 54

> Etappen der Herstellung:
> - Maische mit Essig und Gewürzen mischen
> - Qualität prüfen
> - Senfkörner mahlen
> - Senf abfüllen

Ich kann's

Zwischenstation

■ **Mein (Traum)praktikum**

Beschreibe die Firma, in welcher du dein Praktikum gemacht hast oder machen möchtest.

❧ Je comprends et je sais donner des informations sur le fonctionnement d'une entreprise.

❧ Je sais raconter les grandes étapes de l'histoire d'une entreprise.

Erfindungen: top oder flop?

1 Der Erfinder

Lies folgenden Auszug aus der Erzählung *Der Erfinder* von Peter Bichsel.

a. Was erfahren wir über das Leben dieses Mannes?

b. Wie reagiert der Mann, als er zum ersten Mal wieder in die Stadt kommt? Warum?

c. Wie reagieren die Leute in der Stadt, als der Mann von seiner Erfindung erzählt?

d. Lies noch einmal den letzten Satz. Schreib dann die Erzählung zu Ende.

Der Erfinder

Erfinder ist ein Beruf, den man nicht lernen kann; deshalb ist er selten; heute gibt es ihn überhaupt nicht mehr. Heute werden die Dinge nicht mehr von Erfindern erfunden, sondern von Ingenieuren und Technikern (…). 1890
5 wurde zwar noch einer geboren, und der lebt noch. Niemand kennt ihn (…). Er wohnte weit weg von der Stadt, verließ sein Haus nie und hatte selten Besuch. Er berechnete und zeichnete den ganzen Tag. (…) Er ging früh zu Bett, stand früh auf und arbeitete den
10 ganzen Tag. Er bekam keine Post, las keine Zeitungen und wusste nichts davon, dass es Radios gibt.

Und nach all den Jahren kam der Abend, an dem er nicht schlecht gelaunt war, denn er hatte seine Erfindung erfunden (…). Dann (…) ging er nach Jahren zum ersten
15 Mal in die Stadt. Sie hatte sich völlig verändert. (…)

Der Erfinder staunte. Aber weil er ein Erfinder war, begriff er alles sehr schnell. (…) Er sah ein Telefon und sagte: „Aha." Und als er rote und grüne Lichter sah, begriff er, dass man bei Rot warten muss und bei Grün gehen darf. (…)

20 Er staunte, und fast hätte er dabei seine eigene Erfindung vergessen. Als sie ihm wieder einfiel, ging er auf einen Mann zu, der eben bei Rot wartete, und sagte: „Entschuldigen Sie, mein Herr, ich habe eine Erfindung gemacht." Und der Herr war freundlich und sagte: „Und jetzt, was wollen Sie?" Und der Erfinder wusste es nicht. (…) aber da schaltete die Ampel auf Grün, und sie mussten gehen. (…)

25 Und er sprang auf in der Straßenbahn, breitete seine Pläne zwischen den Beinen der Leute auf dem Boden aus und rief: „Hier schaut mal, ich habe einen Apparat erfunden, in dem man sehen kann, was weit weg geschieht."

Die Leute taten so, als wäre nichts geschehen, sie stiegen ein und aus, und der Erfinder rief: „Schaut doch, ich habe etwas erfunden. Sie können damit sehen, was weit weg geschieht."

30 „Der hat das Fernsehen erfunden", rief jemand, und alle lachten.

„Warum lachen Sie?" fragte der Mann, aber niemand antwortete.

Aus: Peter Bichsel, *Kindergeschichten*,
© Suhrkamp Verlag Frankfurt am Main 1997

Peter BICHSEL

Peter Bichsel, 1935 in Luzern in der Schweiz geboren, arbeitete bis 1968 als Grundschullehrer und wurde ab 1964 durch seine Erzählungen bekannt. Für seine *Kindergeschichten* erhielt er 1970 den Deutschen Jugendbuchpreis.

 2 **Innovative Modernität?**

a. Schau dir die Bilder an und beschreibe sie. Welches Stadtbild wird da gezeigt?

b. Wie stellst du dir die Stadt der Zukunft vor? Was wird vielleicht noch erfunden?

BEISPIEL: Heute wird in der Stadt Auto gefahren. In der Zukunft wird vielleicht in der Stadt geflogen.

Fritz LANG

Der Filmregisseur Fritz Lang, 1890 in Wien geboren, wurde zuerst durch seine Stummfilme berühmt: *Dr. Mabuse* (1922), *Die Nibelungen* (1924) und *Metropolis*, den er 1926 nach einer Reise nach New York drehte. 1931 entstand sein erster Tonfilm, *M. Eine Stadt sucht den Mörder*. 1933 emigrierte er nach Paris und dann in die USA. Er starb 1976 in Hollywood.

Kulturtipp

Metropolis ist ein expressionistischer Film von Fritz Lang (1927).
Ein Roboter manipuliert die Menschen der Stadt Metropolis. Die Stadt wird dadurch in große Gefahr gebracht, aber später von einer jungen Frau, Maria, gerettet.

Station 1

→ *Cahier d'activités p. 52*
→ *Mémento grammatical p. 158*

1 La proposition subordonnée relative (2)

• Le pronom relatif peut être précédé d'une préposition. Il se met alors au cas exigé par la préposition :

> Das ist das junge Talent, **von dem** wir gesprochen haben.

> Dieses junge Talent, **über das** alle staunen, ist sehr erfinderisch.

> Die Website, **auf der** ich Informationen über deutsche Erfindungen suche, ist sehr interessant.

⚠ Le pronom relatif a la même forme que le déterminant défini, sauf au datif pluriel où il porte la double marque *-n -n* comme le pronom personnel *ihnen* :

Die Jugendlichen, **mit denen** wir eben gesprochen haben, haben den ersten Preis gewonnen.

1 Transforme la seconde phrase en subordonnée relative qui complète le groupe nominal souligné.

Der Wettbewerb heißt „Jugend forscht". Wir haben uns bei diesem Wettbewerb beworben.
→ *Der Wettbewerb, bei dem wir uns beworben haben, heißt „Jugend forscht".*

a. Aspirin ist eine wichtige deutsche Erfindung. Mit dieser Erfindung verschwinden Kopfschmerzen.
b. Dieser Künstler besitzt ein Talent. Alle staunen über dieses Talent.
c. Das war ein Tag. An diesen Tag werde ich mich lange erinnern.
d. Der Wettbewerb wurde in Düsseldorf ausgetragen. An diesem Wettbewerb habe ich teilgenommen.
e. Nina und Iris haben ein Gerät erfunden. Mit diesem Gerät weiß man, wann ein Ei weich gekocht ist.
f. Meine Freunde fanden diese ganz toll. Mit ihnen habe ich meine Texte eingeübt.

2 Complète les phrases par le pronom relatif qui convient.

a. Nordrhein-Westfalen ist das Land, aus ... die drei Kandidaten kommen.

b. Der Dress-Coder ist die Erfindung, durch ... der blinde Udo glücklich wurde.
c. Das ist der Wettbewerb, auf ... wir alle gewartet haben.
d. Das ist der Lehrer, mit ... wir die Reise nach Thüringen gemacht haben.
e. Christina Schürz ist die Teilnehmerin, gegen ... Susanne Schmidt antritt.
f. Umweltschutz ist das Thema, für ... wir uns engagieren.
g. Das sind die Freundinnen, von ... ich dir schon erzählt habe.

3 Transforme les phrases suivantes en propositions indépendantes.

Katja, die beim Designwettbewerb mitgemacht hat, ist erst 16 Jahre alt.
→ *Katja ist erst 16 Jahre alt. Sie hat beim Designwettbewerb mitgemacht.*

a. Das ist Johannes, der aus Jena kommt.
b. Ich habe Texte geschrieben, die ich dann auf der Bühne vorgetragen habe.
c. Der Junge hat beim Wettbewerb einen Computer gewonnen, den er seinem kleinen Bruder geschenkt hat.
d. Iris, mit der ich mich für den Wettbewerb beworben habe, geht auch ins Gutenberg-Gymnasium.
e. Johannes, über den alle staunen, kann auf einem Seil Einrad fahren.
f. David und Lars, mit denen Miriam am Wettbewerb teilgenommen hat, wohnen auch in Düsseldorf.

...kurz bevor der Weihnachtsmann Bekanntschaft mit dem Rentier macht

Station 2

→ Cahier d'activités p. 55
→ Mémento grammatical p. 163

1 Le passif (1)

• L'action exprimée par un verbe suivi d'un complément d'objet à l'accusatif (verbe transitif) peut donner lieu à différents types d'énoncés :

– à l'actif :

1820 gründen die zwei Brüder eine Firma.
<u>sujet</u>   <u>compl. accusatif</u>

– au passif :

1820 **wird** die Firma **gegründet**.
        <u>sujet</u>

• Le passif se forme avec l'auxiliaire *werden* et le participe II du verbe.

• On peut indiquer qui est l'auteur de l'action en introduisant le complément d'agent par la préposition *von* suivie du datif :

1820 wird die Firma von den zwei Brüdern
                                  <u>compl. d'agent</u>
gegründet.

• Le passif peut également s'employer sans sujet :
In dieser Fabrik wird viel gearbeitet.

Cette tournure correspond à l'emploi de « on » en français.

4 Forme des phrases au passif en utilisant les éléments donnés.

mit Born Senf / die Bratwürste essen
→ *Die Bratwürste werden mit Born Senf gegessen.*

a. 1896 / die Firma gründen
b. ab Dezember / neue Fahrräder produzieren
c. wegen des Krieges / 1941 / die Produktion einstellen
d. ab 1955 / den berühmten Wartburg herstellen
e. 2005 / in Eisenach / ein Museum eröffnen
f. mit Basilikum / den Senf aromatisieren

5 Mets les phrases suivantes à l'actif.

Senf, Mayonnaise und Ketchup werden von der Firma Born produziert. → *Die Firma Born produziert Senf, Mayonnaise und Ketchup.*

a. Die Besichtigung wird von unserem Deutschlehrer organisiert.
b. Der Preis wird von einem Schweizer Designer gewonnen.
c. Die Fabrik wird von einem deutschen Industriellen in Eisenach gegründet.
d. Im neuen Werk werden Flugzeugmotoren produziert.
e. 1991 wird das Werk geschlossen.

Vokabeln Kurz und gut

→ Cahier d'activités p. 56

❶ Rund um das Verb „nehmen"

• ein Interview *auf*nehmen
• Freunde *mit*nehmen
• an einem Wettbewerb *teil*nehmen
• eine Firma übernehmen
• eine Reise unternehmen

❷ Kreativ sein

• die Erfindung(en) → der Erfinder(-) → erfinden
• das Talent(e) / die Begabung(en) / die Gabe(n) → ein Talent besitzen → talentiert / begabt sein
• die Leistung(en) → etwas leisten
• die Innovation(en) → innovativ sein

• der Wettbewerb(e) → sich für ein Casting / bei einem Wettbewerb bewerben → der Bewerber(-)
• das Casting(s)

❸ Das Unternehmen

• das Unternehmen(-) → der Unternehmer(-) → etwas unternehmen
• die Firma(-en) / der Betrieb(e) / die Fabrik(en) / das Werk(e)
• die Gründung(en) → gründen
• die Herstellung / die Produktion → hergestellt / produziert werden
• das Praktikum(-a) → ein Praktikum machen
• die Erfahrung(en) → eine gute / schlechte Erfahrung machen

Sprechtraining

■ Les préverbes séparables / inséparables
■ *-er, -e* et *-en* en fin de mot
→ Cahier d'activités p. 52 et p. 55

Thüringen – immer vorne

Thüringen ist ein Bundesland, das sich durch Kreativität und Innovation auszeichnet: zu jeder Zeit und in den verschiedensten Gebieten.

Oberhof, Biathlonhalle

Sport und Technik

Im Thüringer Wintersportzentrum Oberhof (TWZ) wird Sport getrieben! Dort trainieren Spitzen- und Nachwuchssportler in sieben olympischen Wintersportdisziplinen wie Biathlon, Skilanglauf, Bob ... Das TWZ ist auch ein großes Sportzentrum, in dem sich viele erfolgreiche Top-Athleten ausgezeichnet haben. Die Sportanlagen sind hochmodern und die Trainingsmethoden innovativ.

Kultur und Genie

Die UNESCO-Weltkulturerbestadt Weimar ist ein symbolischer Ort mit großer Vergangenheit. Die Stadt wird als echtes Geisteszentrum im späten 18. und frühen 19. Jahrhundert betrachtet, weil sie Literatur, Malerei und Geschichte miteinander verbindet. Zum kulturellen Erbe gehört neben der Weimarer Klassik mit Schriftstellern wie Wieland, Herder, Schiller und Goethe auch das avantgardistische Bauhaus.

Theobald Reinhold Freiherr von Oer, Weimars goldene Tage, 1860

Auf den Spuren der Innovation

Die Werkstätte für Feinmechanik und Optik wurde 1846 von Carl Zeiss in Jena gegründet. Das Optikunternehmen entwickelte sich und erlebte schon am Anfang eine Blütezeit. Heute ist Carl Zeiss ein weltweit führendes Unternehmen der Optik und Optoelektronik mit rund 24 000 Mitarbeitern. Seit mehr als 160 Jahren wird innovative, präzise und qualitative Arbeit geleistet, die sich international verbreitet und den Zukunftsmärkten öffnet. Berufliche Möglichkeiten für alle Fachrichtungen werden auch angeboten.

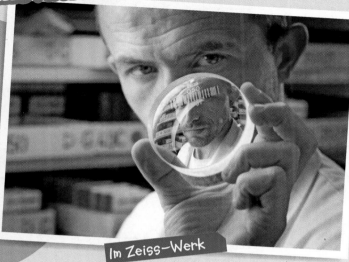

Im Zeiss-Werk

Otto Dix, Streichholzhändler, 1920

Kunst und Modernität

Otto Dix wird 1891 in Gera geboren. Er besucht die Kunstgewerbeschule in Dresden, in der er von 1910 bis 1914 studiert. Seine Kunst, die vom Nationalsozialismus als „entartet" bezeichnet und dann verboten wird, gilt als eine der besten Darstellungen der sogenannten „Neuen Sachlichkeit", bei der Realismus und Expressionismus in einer subversiven und oft grausamen Form in den Vordergrund treten. Der Maler stirbt im Jahre 1969.

Alles klar?

1. Zitiere typische Thüringer Sportarten.
2. Warum wird Weimar als Kulturstadt bezeichnet?
3. Inwiefern ist die Firma Zeiss modern?
4. Wie werden Otto Dix und seine Werke bezeichnet?

WEBQUEST C4 B2i ▸ Identifier, trier et évaluer des ressources

Sucht euch ein Bundesland oder eine Region Deutschlands aus und sammelt Informationen: Innovationen? Kreative Unternehmen? Berühmte Erfinder? Haltet ein kurzes Referat, um die Region zu präsentieren.

WEBSITES FÜR INFOS

http://www.germany.travel/de/index.html
http://www.deutschertourismusverband.de
http://deutschland.tourismus.de

Workshops

1 Video

Mal anders übernachten

Schau dir das Video an.

a. Wohin begibt sich hier der Journalist?

b. Was sind seine ersten Eindrücke?

c. Welche Innovationen werden gezeigt?

d. Was könnten wir noch erfinden?

▶ **Reportage**
WDR-Planet Wissen, 2011

2 IT

Ein Plakat mit Kommentaren und Bildern erstellen

Erstelle ein Plakat, um ein Projekt zu präsentieren.

a. Such dir im Internet einige Bilder aus, um deine Präsentation zu illustrieren.

b. Öffne ein Open-Office-Dokument und such dir einen Titel aus.

c. Füge eine Tabelle mit mehreren Spalten ein (je nach Anzahl der Bilder).

d. Füge die Bilder in die Tabelle ein.

e. Schreib Kommentare zu den Bildern.

f. Klicke auf „Rahmen ändern", um ihn zu entfernen.

g. Speichere dein Dokument.

Vokabeln

Tabelle einfügen

Zeile einfügen

Spalte einfügen

Rahmen ändern / entfernen

B2i

C4
- Créer, produire, traiter, exploiter des données → *Je sais saisir et mettre en page un texte.*
- S'informer et se documenter → *Je sais consulter des bases de données documentaires en mode simple (plein texte).*
- Adopter une attitude responsable → *Je fais preuve d'esprit critique face à l'information et à son traitement.*

3 Kunst

Das Bauhaus: Revolution des Designs

a. Schau dir die Fotos an. Was wird dargestellt?
b. Wann wurden die zwei Objekte hergestellt? Von wem?
c. Charakterisiere anhand der Bilder und des Textes das Bauhaus.

Walter GROPIUS

Das **Staatliche Bauhaus** wurde 1919 von **Walter Gropius** in Weimar als Kunstschule gegründet. Es hat die Architektur, die Kunst und das Design weltweit stark beeinflusst.
Kunst und Technik wurden im Bauhaus vereint, und das war für die moderne Industriekultur von Bedeutung. Die Gründer dieser modernen Kunstform wollten die Kunst von der deshumanisierten Industrialisierung befreien.
Der Akzent wurde auf das **Kunsthandwerk** gelegt. „Wir alle müssen zum Handwerk zurück! Der Künstler ist eine Steigerung des Handwerkers", schrieb Walter Gropius in seinem Bauhaus-Manifest.

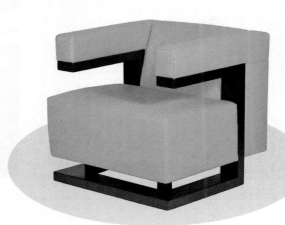

Gropius-Sessel (1920)

Wagenfeldleuchte (1924)

Vokabeln

- kreisförmig, rund ≠ eckig
- elegant
- altmodisch ≠ modern
- praktisch
- das Design, der Designer

Spiel den Künstler!

Such dir im Bereich „Design" Fotos aus und lass dich von ihnen inspirieren. Zeichne dann selbst einen Gegenstand, der für dich originell ist.

Präsentiere dein Designobjekt der Klasse.

Jetzt kannst du's !

➜ Cahier d'activités p. 57

1 Interview über eine moderne Erfindung

OBJECTIF : Comprendre une interview entre un journaliste et un jeune inventeur.
OUTILS : Le lexique de l'invention, de la qualité et des compétences, la proposition subordonnée relative complexe, le passif présent.

Écoute l'interview.

Es-tu capable :

A1 **1.** de repérer le concours auquel cette personne a participé ainsi que le domaine ?

A2 **2.** de donner des informations sur les motivations de la personne interviewée ?

A2+ **3.** de comprendre les qualités et compétences requises ?

B1 **4.** de dire en quoi consiste son invention ?

➜ Cahier d'activités p. 57

2 Schule kreativ

OBJECTIF : Comparer le profil de deux écoles.
OUTILS : Le lexique de l'école, la proposition subordonnée relative, le passif présent.

Albert-Schweizer-Gymnasium

– Praktikum im Ausland (10. Kl.)
„Sprache + Arbeitswelt"
– Sport-AG (Badminton und Volleyball)
→ Teilnahme an Wettbewerben
– Aktion für die Umwelt
→ Energiespar-Rallye
– Schulradio (Interviews und Reportagen)

Lis le profil de deux écoles proposant des projets créatifs.

Es-tu capable :

A2+ **1.** d'indiquer les projets de chaque école ?
2. de donner des précisions sur les activités proposées ?

B1 **3.** de comparer les projets des deux écoles et de donner ton avis ?

Leibniz-Realschule

– Viele AGs und Klassenfahrten
– Kantine (Schüler als Kochchefs)
– Teilnahme an einem Musikwettbewerb (im Mai)
– Projekt „Kreativ und kompetent"
→ Verkauf von Kunstwerken
→ Finanzierung von Schulen in Afrika

→ Cahier d'activités p. 58

3 Ein dynamisches Unternehmen

OBJECTIF : Comprendre le fonctionnement et l'activité d'une entreprise.
OUTILS : Le lexique des qualités et des compétences, le passif, le complément du nom au génitif, la proposition subordonnée relative.

Lis le flyer.

Es-tu capable :

A1	**1.** de donner le nom de l'entreprise ?
A1+	**2.** d'expliquer le secteur dans lequel cette entreprise est compétente ?
A2	**3.** d'expliquer les différentes activités de l'entreprise ?
B1	**4.** d'expliquer ce qui a poussé le producteur à créer son entreprise ?

Manner
mag man eben

Im Jahre 1890 war Schokolade ein Luxusartikel.
In Wien verkaufte Josef Manner Schokolade. Er fand ihre Qualität jedoch nicht gut genug. Daher beschloss er 1890, selbst Hersteller zu werden. „Schokolade für alle" war seine Devise.
Er verließ seinen Laden am Stephansplatz und wählte den Stephansdom zum Markenzeichen.

Heute gibt es einen Manner-Süßwarenladen, der fast an derselben Adresse zu finden ist wie Josefs erstes Geschäft.
In dem kleinen und exklusiven Laden werden die bekanntesten und beliebtesten Süßwaren aus dem Hause Manner (Manner-Schnitten, Austria Mozartkugeln und viele mehr) sowie Fan-Artikel angeboten.

→ Cahier d'activités p. 58

4 Haribo macht Kinder froh

OBJECTIF : Reconstituer l'histoire d'une entreprise familiale.
OUTILS : Le lexique de l'entreprise, les indicateurs de temps, le passif présent.

Raconte l'évolution de l'entreprise Haribo.

Es-tu capable :

A2+	**1.** de donner des indications chiffrées ?
B1	**2.** d'évoquer les grandes étapes de l'évolution de l'entreprise ? **3.** de structurer le récit en utilisant des adverbes de temps et des mots de liaison ?

Hans Riegel (1893-1945)

1920: Gründung der Bonbonfabrik Haribo (= **HA**ns **RI**egel in **BO**nn)

1922: Erfindung des Gummibärchens (Größe: 2,2 cm)

1935: Erfindung des Slogans „Haribo macht Kinder froh"

1945: Hans Riegels Tod

→ Leitung der Firma durch seine Frau und seine Söhne

Gummibärchen-Jahresproduktion: 70 Millionen Stück

Einen Wettbewerb organisieren

Ihr organisiert einen Wettbewerb zum Thema: „Die innovativste Schule". Wer von euch wird die besten Ideen haben, um seine Schule innovativer und moderner zu machen?

→ Cahier d'activités p. 59

Outils

⊃ **Objectifs de communication :** raconter et décrire.

⊃ **Grammaire :** le passif présent, la proposition subordonnée relative.

⊃ **Lexique :** le lexique des nouvelles technologies, de l'entreprise et de l'école.

Etappe 1 Bildet Gruppen. Findet drei Ideen, die eure Schule innovativ machen könnten. Beschreibt jede der drei Ideen mit einem kurzen Text.

Etappe 2 Präsentiert diese Ideen vor eurer Klasse.

Etappe 3 Jetzt wird gewählt! Welche Gruppe hat die besten Ideen gehabt? Natürlich darf eine Gruppe nicht für sich stimmen. Begründet dann eure Wahl.

Kaiserin-Augusta-Gymnasium, Köln

St.-Dominikus-Gymnasium, Karlsruhe

Mon bilan de compétences

→ Cahier d'activités p. 59

Tâche finale	Socle commun A2	Vers B1
Organiser un concours pour rendre son école plus innovante.	**C2** **Écrire un court récit, une description, puis présenter un projet et lire à haute voix :** décrire par écrit, puis devant la classe, un projet sur une école innovante en faisant des propositions concrètes.	Exprimer son point de vue, son intérêt, ses volontés, parler de ses préférences, porter un jugement.

Alle online

Je vais apprendre à...

A2+/B1

 Écouter

- Comprendre des arguments pour ou contre un achat.
- Comprendre les problèmes et les dangers d'Internet.

 Lire

- Comprendre des informations sur les nouvelles technologies.
- Comprendre une statistique.
- Comprendre les dangers d'Internet.

 Parler en continu

- Parler des loisirs des jeunes avec les nouvelles technologies.
- Interpréter des statistiques.
- Rendre compte des résultats d'un sondage.

 Parler avec quelqu'un

- Avertir d'un danger.
- Donner des conseils pour lutter contre la dépendance à Internet.

 Écrire

- Donner des arguments pour l'achat d'un appareil électronique.
- Commenter une statistique.

Unser Projekt

 Créer un roman-photo pour mettre en garde contre les dangers du net.

Laptop, Smartphone und wir

1 Tina und ihre Community

a. Hör dir den Dialog an. Was will das Mädchen? Achte auf ihre Argumente und auf die Reaktion ihrer Mutter.

b. Tina schreibt ihrer Freundin eine Mail, um ihr von dem Gespräch zu erzählen.

→ Cahier d'activités p. 60

2 Moderne Technologien, wozu eigentlich?

Lies folgenden Artikel und sieh dir die Statistiken an.
Wie und wozu gehen deutsche Jugendliche online? Was ist für sie am wichtigsten?

→ Cahier d'activités p. 60

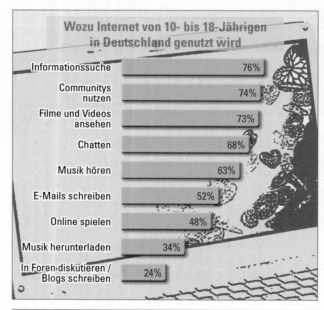

Wozu Internet von 10- bis 18-Jährigen in Deutschland genutzt wird

Informationssuche	76%
Communitys nutzen	74%
Filme und Videos ansehen	73%
Chatten	68%
Musik hören	63%
E-Mails schreiben	52%
Online spielen	48%
Musik herunterladen	34%
In Foren diskutieren / Blogs schreiben	24%

Jugendliche sind die am besten vernetzte Bevölkerungsgruppe in Deutschland. 98% sind online. Das Web gehört fest zum Leben. Doch wozu dient es genau? Bereits ab 13 Jahren ist das Surfen im Internet eine der drei liebsten Freizeitbeschäftigungen. Trotzdem sind Familie und Freunde den meisten wichtiger: 68% treffen in ihrer Freizeit am liebsten Freunde, 39% surfen lieber im Internet.

Das Internet wird von Jugendlichen sowohl zur Kommunikation (Chats, E-Mails, Messaging) genutzt als auch zur Information (für Referate oder Hausaufgaben) und zur Unterhaltung (Musik und Videos), doch vor allem ist es soziales Medium.

Jeder zweite der 10- bis 12-Jährigen nutzt Internet-Communitys, und fast alle älteren Jugendlichen. Die meisten haben in den Communitys weit über 50 Personen auf ihrer Kontaktliste, der Durchschnitt liegt bei 133 Kontakten.

Quelle: BITKOM Studie Jugend

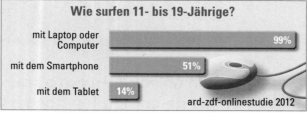

Wie surfen 11- bis 19-Jährige?

mit Laptop oder Computer	99%
mit dem Smartphone	51%
mit dem Tablet	14%

ard-zdf-onlinestudie 2012

Vokabeln

- zu etwas **dienen** *servir à*
- zu etwas **nutzen** *utiliser pour*
- **vernetzt sein** *être connecté*

3 Im Forum: meine Online-Freunde

a. Lies die Beiträge. Welches Problem hat Benny? Was denken die anderen über Freundschaft und Internet?

b. Was bedeutet Freundschaft für dich? Welche Rolle spielen für dich Online-Kontakte?

BEISPIEL: Meiner Meinung nach ist ein Freund jemand, der ...

c. Befrage auch deinen Nachbarn. Was hält er / sie davon? Berichte der Klasse.

d. Gib Benny ein paar Tipps.

BEISPIEL: Du solltest / könntest ...

➔ Cahier d'activités p. 61

Benny14

Hey, ich bin erst gerade nach Stuttgart gezogen und habe noch keine Freunde hier. Deshalb chatte ich die ganze Zeit mit meiner Community. So lerne ich eben auch niemanden in Stuttgart kennen. Wer hat Tipps?

Maxo

Das klingt, als ob die Leute aus der Community keine Freunde wären. Also, ich habe 130 Freunde im Internet. Mit denen chatte ich täglich. Wir tauschen Tipps aus, auch Musik oder interessante Videos. Mehr brauche ich nicht, hätte auch keine Zeit zu was anderem.

Selma_HH

Das wäre nichts für mich. Meine Freunde treffe ich alle im realen Leben. Die anderen kenne ich ja nur aus dem Internet. Da weiß man ja oft nicht mal, wie sie wirklich aussehen.

Hansi_bar

Mensch, Maxo schreibt doch Blödsinn. Also meiner Meinung nach kann niemand 130 Personen Freunde nennen. Es ist doch viel wichiger, was man zusammen unternimmt!

Maxo

Du bist aber altmodisch. Meine Community-Freunde sind viel cooler als meine Klassenkameraden. Die Community ist wie meine Familie.

Selma_HH

Mir ist meine beste Freundin wichtiger! Geheimnisse teile ich nur mit ihr, denn ich weiß, dass ich mich auf sie verlassen kann.

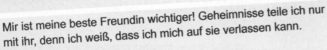

Benny14

Ok, danke für eure Kommentare! 😊

Zwischenstation

■ **Eine Statistik über Online-Verhalten erstellen**

1. Bildet Gruppen und notiert Fragen, die ihr stellen wollt.

2. Befragt die anderen Gruppen.

3. Erstellt eine Statistik und berichtet der Klasse über euer Ergebnis.

Ich kann's

➤ Je comprends et je sais donner des arguments pour ou contre l'achat d'un appareil électronique.

➤ Je comprends et je sais donner des informations sur les nouvelles technologies.

Station 2

Web und Computer: Vorsicht!

1 **Wenn Surfen und Spielen zur Sucht werden**

a. Lies folgenden Artikel. Welche Gefahren stecken hinter Internet und Computerspielen? Warum?

b. Check dich! Wie internetsüchtig bist du?

Web-Games, soziale Netzwerke, chatten: Über eine halbe Million Deutsche über 14 Jahren sind internetsüchtig, die Hälfte der Süchtigen ist unter 25. Aber auch Computerspiele können abhängig machen, vor allem Rollenspiele wie „World of Warcraft". Bei Computerspielen will man oft in eine virtuelle Welt flüchten, die scheinbar mehr Sicherheit und positive Gefühle gibt als die reale Welt. Wie lange darf man surfen, wie viele Fotos posten und wie lange am Computer spielen, ohne „krank" zu sein? Wenn man anfängt, die Schule zu schwänzen, um ins Netz zu gehen, und den Kontakt zu Freunden und Familie vernachlässigt, um lieber in der virtuellen Welt zu spielen, sich nicht mehr richtig ernährt, ist Alarmstufe 1! Wenn du jemanden kennst, der sich so verhält, sprich mit ihm. Sage ihm, dass du dir Sorgen um ihn machst. Vielleicht schaffst du es so, dass der Betroffene über sein Verhalten nachdenkt und Hilfe sucht.

© net & news

2 **Clever durchs Netz: Ruft uns an!**

a. Hör dir die Nachrichten auf dem Anrufbeantworter an. Warum rufen die Personen an?

b. Du arbeitest bei der telefonischen Beratung. Kannst du den Personen helfen? Gib ihnen Tipps, wie sie ihre Probleme lösen können.

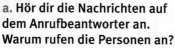 Cahier d'activités p. 63

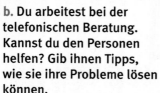

IST DIE NATUR NICHT WUNDERSCHÖN?

Vokabeln

- An deiner Stelle würde ich ...
- Du könntest ...
- Wie wäre es, wenn ...
- Mach lieber ...

 3 **Gefahren im Netz**

a. Lies folgende Aussagen. Was haben die Jugendlichen falsch gemacht? Was waren die Folgen?

b. Erstelle ein Plakat zum Thema „Internet-Gefahren" mit Ratschlägen und Verhaltensregeln.

➔ Cahier d'activités p. 64

> **Anke** – 2. September um 18:20
>
> Nachdem ich einmal auf einem Link mein Facebook-Passwort eingegeben hatte, hat jemand meinen Account gehackt. Letztlich hat eine Freundin aus der Parallelklasse mir nach lästigen Posts aus meinem Profil die Freundschaft aufgekündigt. Ich bin so sauer! Ich habe inzwischen ein neues Profil, ein neues Passwort ... Es ändert sich nichts.

> **Lise** – 5. September um 14:50
>
> Vor 2 Monaten habe ich eine Werbung für kostenlose Klingeltöne bekommen. Ich musste einfach meine Handynummer eingeben, um die Melodie von meinem Lieblingssong herunterzuladen. Als ich aber einige Tage später meine Prepaid-Karte aufgeladen habe, war sie kurz danach schon wieder leer, obwohl ich gar nicht telefoniert hatte. Ich habe ein Abo abgeschlossen, ohne es zu merken!

> **Thomas** – 5. September um 16:04
>
> Ich habe am eigenen Leibe erfahren, dass gelöschte Nachrichten trotzdem nicht verloren gehen: Einmal hatte ich mit meiner Freundin Streit. Ich war so sauer, dass ich ein peinliches Video von ihr mit einem fiesen Kommentar im Netz veröffentlichte. Dann dachte ich „Das ist doch blöd" und habe alles schnell gelöscht ... Puh! Aber irgendwann ist meine Freundin trotzdem drauf gestoßen. Sie war total beleidigt und hat mit mir Schluss gemacht!

weh weh weh TEUFEL.de

Ich kann's

Zwischenstation

■ **Einen Forumseintrag über Internet-Gefahren schreiben**

1. Schreib ein Problem auf, das du schon im Internet oder an deinem Computer hattest.

2. Tauscht die Zettel aus und gebt Ratschläge.

🗘 Je comprends et je sais avertir des dangers de la dépendance à Internet.

🗘 Je comprends des règles de conduite sur Internet et je sais donner des conseils pour les respecter.

Geschichten aus dem Internet

1 **Ein teures Geschenk**

a. Lies den Comic. Welches Problem hat der Mann?

b. Du bist der Mann. Schreib einen Pinnwand-Eintrag auf der Website von *Watch your web*.

EIN TEURES GESCHENK

HAPPY BIRTHDAY BABY

WAS IST? GEFÄLLT ER DIR NICHT? SELBER GEPFLÜCKT.

DOCH...ICH DACHTE NUR...DU SCHENKST MIR EINE TASCHE.

ICH HATTE JA EINE BESTELLT.

LOUIS VUITTON, IM INTERNET.

LEIDER WAR DIE TASCHE EINE FÄLSCHUNG, DESHALB HAT DER ZOLL SIE BESCHLAGNAHMT.

...UND ICH ERHIELT EINE SAFTIGE SCHADENERSATZFORDERUNG.

ALLE GEFÄLSCHTEN ARTIKEL DIESER MARKE SOLLEN NUN VERNICHTET WERDEN.

OH BABY! ZUM GLÜCK BIST DU KEINE FÄLSCHUNG!

COMIC: WWW.MATTIASLEUTWYLER.CH

TIPP: Verdächtige Angebote meiden

Jungs auf Skype

Lies den Romanauszug.

a. Was fällt dir an seiner Form auf? Und an seinem Stil?

b. Welches Problem hat Victor? Was würdest du ihm raten?

Victor: versuche gerade, dir die Hausaufgaben zu mailen. heute war totaler chaostag. hab wieder ärger gehabt mit der schulz. karl und ich haben uns im unterricht ein paar sms geschickt und sie hat es gemerkt. jetzt ist mein handy futsch! die schulz hat es einkassiert. also, falls du mich erreichen willst, meine mutter hat mir ihr iPhone geliehen, ich sims dir die nummer

Jens: sie hat dir ihr iPhone gegeben? hast du ihr gesagt, was mit deinem handy passiert ist??

Victor: natürlich nicht! bist du verrückt? ich hab ihr gesagt, ich hätte es dir bis morgen geliehen … bin ich nicht nett?

Jens: mir kommen die tränen. wann kriegst du das handy wieder?

Victor: ich hoffe morgen. mann, da sind alle meine persönlichen daten drauf. und ich trottel habe es noch nicht mal ausgemacht. sie hat es sich sofort geschnappt. wo bleibt da eigentlich der datenschutz[1]? was, wenn sie all meine mails an louisa liest?

Jens: mails an louisa? ich glaube, ich rufe die schulz heute nachmittag mal an

Victor: wehe, wenn die in mein handy schaut! ich zeig sie an! darf die das überhaupt? warte, ich google das mal … ah, pass auf:

Das Mitbringen eines Handys kann nicht verboten werden (Erreichbarkeit vor und nach der Schule, Schulweg …). Im Unterricht muss das Handy ausgeschaltet bleiben. (…) Die Wiederaushändigung[2] muss zeitnah an SchülerInnen oder Eltern erfolgen.

hey, was bedeutet denn bitte ZEITNAH? eine Stunde? ein tag? eine woche?

Jens: kA *achselzucken*

---

1. der Datenschutz *la protection des données*
2. die Wiederaushändigung *la remise*

Aus: Bärbel Körzdörfer, *Jungs auf Skype*
Baumhaus Verlag in the Bastei Lübbe GmbH & Co. KG
© 2010 by Bastei Lübbe GmbH & Co. KG, Köln

Station 1

→ *Cahier d'activités p. 62*
→ *Mémento grammatical*
pp. 153, 163

1 Le subjonctif II

• Le subjonctif II s'emploie pour indiquer que la réalisation des faits évoqués est incertaine ou irréelle. Il correspond au conditionnel français.

> Wenn ich ein Smartphone **hätte**, **wäre** ich nicht so isoliert.

> Ich **könnte** mit meinen Freunden in Kontakt bleiben.

• On le forme à partir du prétérit, en ajoutant lorsque c'est possible **-e** et l'inflexion (*Umlaut*), puis les terminaisons de personnes : **Ø, -st, Ø, -n, -t, -n**.

sein	→ er war	→ er **wäre**
haben	→ er hatte	→ er **hätte**
werden	→ er wurde	→ er **würde**
können	→ er konnte	→ er **könnte**
mögen	→ er mochte	→ er **möchte**

⚠ *sollen* ne prend pas l'inflexion : er **sollte**

⚠ Pour les verbes faibles, le subjonctif II est identique au prétérit.

2 Les interrogatifs en *wo(r)-*

• Pour poser une question sur un groupe prépositionnel, on utilise un interrogatif composé de **wo(r)*** et de la préposition :

Wofür interessierst du dich?

Worüber habt ihr gesprochen?

*On ne conserve le *-r* de *wor-* que lorsque la préposition commence par une voyelle.

• Lorsque la question porte sur une personne, on utilise la préposition suivie de l'interrogatif *wer*, qui se met au cas exigé par la préposition :

> **Worauf** wartest du?

mais : > Auf **wen** wartest du?

> Mit **wem** sprichst du?

1 Exprime l'irréel en mettant les verbes entre parenthèses au subjonctif II.

a. Ohne meine Freunde (müssen) ich alleine spielen.

b. Du (sollen) dich mehr um deine Hausaufgaben kümmern.

c. Ach, wenn wir uns doch öfter wirklich treffen (können)!

d. Wenn es nicht so spät (sein), (dürfen) ich noch chatten.

e. (haben) ihr lieber ein Smartphone oder ein Tablet?

2 La réalité n'est pas toujours comme tu veux. Tu fais des hypothèses.

ich / ein Tablet haben – im Bus einen Film ansehen können

→ *Wenn ich ein Tablet hätte, könnte ich im Bus einen Film ansehen.*

a. ich / ein Smartphone haben – besser informiert sein

b. du / ein Handy haben – überall telefonieren können

c. meine Mutter / cooler sein – ich / abends surfen dürfen

d. ich / einen Laptop haben – meine Fotos veröffentlichen können

e. Tinas Mutter / ein Smartphone haben – keine Landkarte mitnehmen müssen

f. du / keinen Computer haben – mehr Zeit zum Lesen haben

3 Pose la question pour obtenir l'information soulignée.

Ich verwende mein Handy <u>zum Telefonieren</u>. → *Wozu verwendest du dein Handy?*

a. Er wartet <u>auf eine neue App</u> für sein Smartphone.

b. Die Website warnt <u>vor Viren im Netz</u>.

c. Ich denke <u>an meine Freunde</u>.

d. Ich denke <u>an das nächste Wochenende</u>.

e. Ich surfe im Internet <u>mit meinem Smartphone</u>.

f. Ich interessiere mich <u>für die neuen Fotos auf Facebook</u>.

g. Wir denken im Unterricht <u>über Online-Sucht</u> nach.

Station 2

→ Cahier d'activités p. 65
→ Mémento grammatical p. 163

1 Le subjonctif II (suite)

- Les formes simples (voir p. 102) s'utilisent essentiellement pour les auxiliaires et verbes de modalité. Pour les autres verbes, on emploie habituellement la forme composée *würde* + infinitif :

Lisa **würde** gern ihr Smartphone in die Schule **mitnehmen**.

- Le subjonctif II permet également d'exprimer un conseil :

> Du solltest besser aufpassen.
> An deiner Stelle würde ich nicht so lange am Computer sitzen.
> Du könntest Freunde besuchen.

4 On te demande de l'aide. Donne un conseil en utilisant le subjonctif II.

Ich kaufe bei unbekannten Online-Firmen ein. → *An deiner Stelle würde ich nicht bei unbekannten Online-Firmen einkaufen.*

a. Ich stelle Fotos ins Internet.
b. Ich spiele täglich viele Stunden am Computer.
c. Ich höre beim Lernen Musik.
d. Ich lade unbekannte Dateien herunter.
e. Ich verwende im Chat keinen Fantasienamen.

5 Mets les verbes entre parenthèses au subjonctif II pour exprimer une situation irréelle.

a. Ohne Smartphone (langweilen) ich mich.
b. Wenn ich mehr Taschengeld (haben), (kaufen) ich mir ein neues Handy.
c. Wenn du bessere Noten in der Schule (schreiben), (dürfen) du länger im Internet surfen.
d. Du (können) für die Schule lernen, anstatt am Computer zu spielen.
e. Was (machen) ihr denn mit einem Tablet?
f. Wenn du heute Nachmittag frei (haben), (gehen) wir ins Kino.

Vokabeln Kurz und gut

→ Cahier d'activités p. 66

❶ Elektronische Geräte

- der Computer(-)
- der/das Laptop(s)
- das Tablet(s)
- der Bildschirm(e)
- die externe Festplatte(n)
- das Handy(s)

❷ Im Internet

- die Datei(en)
- die Homepage(s)
- die Webseite(n)
- die E-Mail(s)
- das soziale Netzwerk(e)
- die Community(s)
- eine E-Mail schreiben, schicken, öffnen, löschen
- Apps *herunter*laden
- Fotos ins Netz stellen

- etwas im Netz veröffentlichen
- Fotos / Texte posten
- Dateien speichern
- ein Foto bearbeiten
- im Internet surfen

❸ Gefahren

- abhängig / internetsüchtig werden → die Abhängigkeit, die Sucht
- die virtuelle ≠ die reale Welt
- sich um jemanden Sorgen machen
- vor etwas warnen
- legal ≠ illegal / verboten
- gefährlich sein → die Gefahr(en)
- die Raubkopie(n)
- auf etwas *auf*passen
- sich an eine Regel halten
- Verhaltensregeln beachten

Sprechtraining

■ Les sons [ç], [ʃ], [ʃp], [ʃt]
■ L'accentuation des mots étrangers
→ Cahier d'activités p. 62 et p. 65

HIGH TECH IN DEUTSCHLAND

Wollt ihr wissen, welche Videospiele erscheinen? Oder mehr über die Funktionen der neuesten Smartphones erfahren?

Oder wollt ihr selbst kreativ werden?

Hier ein paar interessante Events in ganz Deutschland.

gamescom in Köln

Die gamescom ist die größte Messe der Welt für interaktive Unterhaltungselektronik, vor allem für Video- und Computerspiele. Sie findet jährlich in Köln statt. Hier kann man die neuesten Spiele ausprobieren, auch neue Technologien werden gezeigt und erklärt. Während der Messe treten bekannte Musikbands beim gamescom Festival in der Innenstadt von Köln auf.

Internationale Funkausstellung (IFA) in Berlin

Die Funkausstellung ist eine der ältesten Industriemessen Deutschlands. Hier kann man alle elektronischen Neuheiten bewundern und Techniktrends entdecken. Die Hersteller zeigen ihre neuesten Tablets und Smartphones wie auch neue Fernsehbildschirme. Schulklassen können auf der IFA mehr über die Themen Zukunftstechnologie, Berufe und Green Technology erfahren.

LEARNTEC in Karlsruhe

Jedes Jahr findet hier eine internationale Messe und ein Kongress für Bildung, Lernen und IT statt. Die Messe informiert über klassische Lernmethoden, aber auch über E-Learning. Mehr als 200 Aussteller zeigen jährlich ihre Produkte. Die zentralen Themen sind Mobil lernen, Lernen mit sozialen Medien und Spielerisch lernen.

Jugendkunstbiennale NEUE MEDIEN Schwarzwald Baar Heuberg

Die Jugendkunstbiennale-SBH NEUE MEDIEN ist ein Wettbewerb für Jugendliche im Alter von 10-20 Jahren, die digitale Fotomontagen einschicken können. Wichtig sind Kreativität und technisches Wissen. Die Gewinner des Wettbewerbs erhalten attraktive Preise, wie zum Beispiel einen Computer, eine digitale Fotokamera oder einen Drucker.

Alles klar?

1. In welcher Stadt kann man die neuesten Videospiele entdecken?
2. Welche Highlights gibt es auf der Bildungsmesse?
3. Wo erfährt man mehr über umweltfreundliche Technologien?
4. Was ist bei der Jugendkunstbiennale gefragt?

WEBQUEST C4 B2i ▸ Chercher et sélectionner l'information demandée

Suche Infos über Wettbewerbe über digitale Kunst (Video, Fotomontagen …). Präsentiere den Wettbewerb, bei dem du selbst gerne mitmachen würdest.

WEBSITES FÜR INFOS
http://www.jugend-praesentiert.info
http://www.smartphonefilmfestival.de
http://www.jugendfotopreis.de

Workshops

1 Video

Laura und Mara – Cyber Mobbing

Schau dir das Video an.

a. Beschreibe Laura und Mara. Womit verbringen sie ihre Freizeit ?

b. Welche Schwierigkeiten hat Laura? Wie will ihr Mara helfen?

c. Bevor du das Ende ansiehst: Erstelle Hypothesen über das Ende des Videos. Klappt Maras Plan?

d. Sieh dir nun das Ende des Videos an. Wie geht die Geschichte aus?

e. Danach sagt Laura Mara, was sie darüber denkt. Spielt den Dialog.

Cyber Mobbing – Der Film
Landesmedienzentrum Baden-Württemberg, 2012

2 IT

Einen Fotoroman am Computer als Datei erstellen

Bearbeite Fotos in *Photofiltre*.

a. Einstellungsgröße ändern: Wähle z.B. ein Gesicht aus und drücke die Tasten Ctrl+Shift+H. Mit einer Großaufnahme kannst du Emotionen zeigen.

b. Objekte integrieren: Öffne 2 Fotos. Wähle ein Objekt im ersten Foto aus. Kopiere die Auswahl und füge sie ins zweite Foto ein.

c. Objekte entfernen: Klicke den Klone-Stempel an. Klicke auf die Fläche, die geklont werden soll und drücke die STRG-Taste (CTRL). Geh mit der Maus auf die Fläche, die du retuschieren willst.

d. Stelle jetzt die Fotos in *OpenOffice* zu einem Fotoroman zusammen, indem du ein Raster einfügst. Erstelle Sprechblasen und schreib Texte.

C4
• S'approprier un environnement informatique de travail → *Je sais utiliser les espaces de stockage /logiciels à disposition.*
• Créer, produire, traiter, exploiter des données → *Je sais traiter une image et un texte.*
• Adopter une attitude responsable → *Je sais sécuriser mes données.*

3 Kunst

Schönheit durch moderne Technologie

a. Schau dir das Kunstwerk an.
b. Welche Technologie wird hier verwendet? Wozu?

Pipilotti Rist (b. 1962), *Apple Tree Innocent On Diamond Hill (Apfelbaum unschuldig auf dem Diamantenhügel)*, 2003
Video installation
Installation view, Magasin 3 Stockholm Konsthall, 'Gravity, Be My Friend', Stockholm, Sweden (2008)

Pipilotti RIST

Pipilotti Rist, 1962 in Grabs geboren, ist eine Schweizer Videokünstlerin, die neben Videoinstallationen und Experimentalfilmen auch mit Computerkunst und digitalen Fotomontagen arbeitet.
Sie stellt alltägliche Objekte in neuem Licht dar, um ihre Schönheit zu zeigen. Sie ist nämlich der Meinung, dass die Menschen Schönheit brauchen. Rists Kunst soll auch Lebensfreude und Glücksgefühle ausdrücken. Die moderne Technologie ist dabei ein Mittel, diese Ziele zu erreichen.

Spiel den Künstler!

Spiele mit Licht. Beleuchte ein alltägliches Objekt und fotografiere es dann. Zeige der Klasse das Foto und erkläre, was es ausdrücken soll.

Jetzt kannst du's !

→ Cahier d'activités p. 67

1 Was ist denn los?

OBJECTIF : Comprendre les problèmes de jeunes avec les nouvelles technologies.
OUTILS : Le lexique des dangers du web, le subjonctif II, les interrogatifs en *wo-*.

Écoute le dialogue entre Mia et Lilly.

Es-tu capable :

A2	**1.** de comprendre ce que fait Mia sur le net ?
	2. de comprendre ce que fait Fred ?
A2+	**3.** de comprendre en quoi Mia a été imprudente ?
	4. de comprendre les conseils donnés par Lilly ?
B1	**5.** de comprendre en détail ce qui est arrivé à Mia ?

→ Cahier d'activités p. 67

2 Spaß oder Horror?

OBJECTIF : Comprendre des informations sur la dépendance aux nouvelles technologies.
OUTILS : Le lexique des nouvelles technologies.

SPASS ODER HORROR?

Sie sitzen viele Stunden vor dem Computer, surfen oder mailen, laden Musik oder Videos herunter, und gleichzeitig lesen und schreiben sie SMS auf dem Handy. Ob Computerbildschirm oder Handydisplay, ohne Bildschirm geht bei vielen gar nichts mehr. Hausaufgaben machen sie, während sie chatten oder am Handy Musik hören. Beim Schlafen ist zumindest das Handy oder auch der Computer an. Es ist normal, auch mal nachts SMS zu lesen und gleich zu beantworten. Viele Jugendliche sagen über sich, dass sie sich ohne ständige Kommunikation über Internet einsam fühlen. Experten sprechen von einer alltäglichen Sucht, die alle Jugendlichen betreffen kann. Sie warnen vor der Abhängigkeit, unter der Jugendliche leiden, wenn sie nur noch durch Internet Verbindung nach Außen behalten. Dramatisch wird es, wenn sie die Schule vernachlässigen, sich kaum noch ernähren und immer isolierter werden. Etwa 250 000 der 14- bis 24-Jährigen in Deutschland gelten als internetabhängig, 1,4 Millionen sind „problematische Internetnutzer".

Lis l'article.

Es-tu capable :

A2	**1.** de repérer comment les adolescents utilisent les nouvelles technologies ?
B1	**2.** d'expliquer quels en sont les dangers ?
	3. d'expliquer l'avis des experts ?

→ Cahier d'activités p. 68

3 Ein Tablet, bitte!

OBJECTIF : Formuler une demande, argumenter pour ou contre, mettre en garde.
OUTILS : Le lexique des nouvelles technologies, le subjonctif II, les interrogatifs en *wo-*.

Tu (élève A) demandes une tablette à ta mère / ton père (élève B) qui n'est pas d'accord.

Tu es l'élève A. Es-tu capable :

| A2 | **1.** de formuler ta demande ? |
| B1 | **2.** de donner des arguments pour justifier ta demande ? **3.** de répondre aux objections de ta mère / ton père ? |

Tu es l'élève B. Es-tu capable :

| A2 | **1.** de formuler un refus ? |
| B1 | **2.** de justifier ton refus ? **3.** de mettre en garde contre d'éventuels dangers liés à l'utilisation d'Internet ? |

→ Cahier d'activités p. 68

4 High Tech für Teenager

OBJECTIF : Expliquer une statistique, mettre en garde.
OUTILS : Le lexique des nouvelles technologies, le subjonctif II.

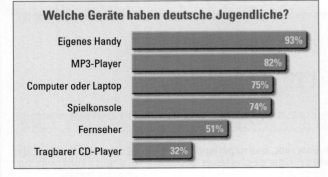

Welche Geräte haben deutsche Jugendliche?

Eigenes Handy	93%
MP3-Player	82%
Computer oder Laptop	75%
Spielkonsole	74%
Fernseher	51%
Tragbarer CD-Player	32%

Écris un article pour le journal de l'école en t'appuyant sur ces statistiques.

Es-tu capable :

| A2 | **1.** d'indiquer le niveau d'équipement technologique des jeunes Allemands ? |
| B1 | **2.** de mettre en garde contre d'éventuels dangers liés à ces appareils ? **3.** de donner ton avis personnel sur le bon usage de ces appareils ? |

Einen Fotoroman für die Webseite eurer Schule erstellen

 Ihr erstellt einen Fotoroman, in dem ihr vor den Gefahren im Netz warnt.
➜ Cahier d'activités p. 69

Etappe 1 Überlegt in der Gruppe eine Problematik und beschreibt kurz die Handlung. Macht euch Notizen zu jeder Szene (Personen, Handlung, Ort, Text, Einstellungsgröße).

Etappe 2 Fotografiert die Szenen und bearbeitet die Fotos (Großaufnahme, Veränderungen).

Etappe 3 Fügt die Fotos in eine *OpenOffice*-Datei ein und erstellt Sprech- oder Denkblasen.

Outils

➲ **Objectifs de communication :** mettre en garde.

➲ **Grammaire :** le subjonctif II.

➲ **Lexique :** le lexique des nouvelles technologies.

Mon bilan de compétences
➜ Cahier d'activités p. 69

Tâche finale	Socle commun A2	Vers B1
Réaliser un roman-photo pour mettre en garde contre les dangers du net.	**C2** **Décrire / raconter un événement, une expérience personnelle ou imaginée :** rédiger des textes et des dialogues pour un roman-photo.	Rédiger des textes et des dialogues cohérents sur un sujet précis.

Kapitel 7

Berlin entdecken

Je vais apprendre à...

Écouter
- Comprendre la description d'une ville et de ses monuments.
- Comprendre des informations sur un quartier.

Lire
- Comprendre une brochure touristique.
- Comprendre des informations sur un quartier.

Parler en continu
- Décrire une ville ou un quartier.
- Comparer deux quartiers différents.
- Décrire un quartier idéal.

Parler avec quelqu'un
- Réagir à des propositions de programme.
- Échanger des informations sur des quartiers.
- Faire deviner un monument à la classe.

Écrire
- Décrire un quartier ou une ville.
- Décrire un monument.

A2+/B1

Unser Projekt

Préparer et présenter une visite guidée de Berlin avec un diaporama.

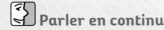

Quer durch die Stadt

1 Eine Woche in Berlin

a. Schau dir die Fotos an. Was hat Maja in Berlin vielleicht unternommen?

b. Lies dann Majas Blog und sammle Informationen zu den erwähnten Sehenswürdigkeiten.

c. Denkt euch in der Klasse ein kurzes Programm für ein Wochenende in Berlin aus.

➔ Cahier d'activités p. 70

---

http://maja_k.com **Majas Blog**

18. Februar - 10:08

KaDeWe

Nofretete, Neues Museum

Heute werde ich euch erzählen, warum ihr unbedingt nach Berlin fahren müsst! Ich habe gerade eine Woche dort verbracht, und **Berlin ist wirklich toll**. Meine Tante hatte mich eingeladen, damit ich die Berlinale, die berühmten Filmfestspiele, besuchen kann.

Meine Cousine hat mich auch durch die Stadt geführt. Am ersten Abend haben wir die bekanntesten Sehenswürdigkeiten besichtigt. Zuerst natürlich das Brandenburger Tor, das Wahrzeichen von Berlin.

Dann hat sie mir das Holocaust-Mahnmal gezeigt, das an ein Labyrinth erinnert. Von dort aus sind wir mit dem Bus bis zum Alexanderplatz gefahren, wo ich mir den Fernsehturm ansehen wollte.

Am zweiten Tag waren wir auf der Museumsinsel, die im historischen Zentrum Berlins liegt und 1999 zum Weltkulturerbe erklärt wurde. Dort habt ihr die Wahl zwischen 5 großen, sehr berühmten Museen. Weil ich mich schon immer sehr für Ägyptische Kunst interessiere, wollte ich natürlich die Büste der Nofretete im Neuen Museum sehen.

Aber irgendwann wurden wir müde und hungrig. Daher sind wir zum KaDeWe, dem Kaufhaus des Westens, gefahren. Das ist wirklich ein Einkaufsparadies. Dort habe ich die Gourmet-Abteilung entdeckt, „Feinschmeckeretage" genannt. Das ist die größte Lebensmittelabteilung in Europa! Zum Abschluss haben wir noch einen Blick auf Berlin durch die Glaskuppel des Wintergartens im 7. Stock geworfen. Einfach super!

Schade, dass die Woche so schnell vergangen ist!!

2 Eine Bootstour auf der Spree

a. Hör dir die Führung an. Notiere Informationen zu den Sehenswürdigkeiten (Baujahr, Stil …).

b. Was gefällt dem Fremdenführer? Was gefällt ihm nicht so gut?

➔ Cahier d'activités p. 71

Spreefahrt durch die Berliner Innenstadt (1 Stunde)

Berlins historische Mitte und das Regierungsviertel vom Wasser aus besichtigen!

3 Das Nikolaiviertel

Verfasse für die Broschüre der Spreefahrt einen Artikel über das Nikolaiviertel mit Hilfe folgender Informationen.

Das Nikolaiviertel, Berlins historisches Zentrum

- in Berlin-Mitte an der Spree
- das älteste Wohngebiet Berlins
- 1237 erstmals offiziell zitiert
- im Zweiten Weltkrieg zerstört, 1987 wieder aufgebaut
- die Nikolaikirche: das älteste erhaltene Gebäude der Stadt
- der historische Markt (einmal im Jahr)

Zwischenstation

■ **Eine Sehenswürdigkeit beschreiben**

Beschreibe eine bekannte Sehenswürdigkeit. Die anderen Schüler sollen erraten, um welche es sich handelt.

Ich kann's

- ➤ Je comprends la description d'une ville.
- ➤ Je sais décrire une ville et ses monuments.
- ➤ Je sais exprimer ma préférence.

Im Kiez

1 Neu in Berlin

a. Hör dir zuerst das Telefongespräch an. Worüber sprechen Jonathan und Leo?

b. Was erzählt Leo von Berlin und seinem Viertel? Welche Unterschiede sind ihm aufgefallen?

c. Lies nun den Text über Kreuzberg. Was erfährst du noch über das Viertel?

➜ Cahier d'activités p. 73

Piste 38

EIN BERLINER KIEZ: KREUZBERG

Berlin hat seit 2001 nur noch 12 Bezirke, in denen 3,4 Millionen Einwohner leben. Seither bildet Kreuzberg mit dem Nachbarviertel Friedrichshain einen Bezirk. Als die Mauer noch stand, lag Kreuzberg an der Mauergrenze und war nicht sehr beliebt. Deshalb waren die Mieten billig und viele Zuwanderer, vor allem aus der Türkei, ließen sich hier nieder. Später wollten auch Künstler und Studenten in Kreuzberg wohnen, weil ihnen die Atmosphäre gefiel und die Wohnungen wenig kosteten. Heute ist es ein sehr gemischtes Viertel mit multikultureller, lebendiger Atmosphäre und vielen kulturellen Angeboten: Museen, Konzerthallen, Restaurants, Kneipen, Theater. Weil es inzwischen auch hier teurer wird, ziehen viele Künstler und Studenten ins Nachbarviertel: nach Neukölln, daher auch Kreuzkölln genannt.

Die Berliner Bezirke

(Reinickendorf, Pankow, Spandau, Lichtenberg, Mitte, Marzahn-Hellersdorf, Friedrichshain-Kreuzberg, Charlottenburg-Wilmersdorf, Tempelhof-Schöneberg, Steglitz-Zehlendorf, Neukölln, Treptow-Köpenick)

② Zwei Viertel

a. Bildet zwei Gruppen. Jede Gruppe liest einen Text und stellt der anderen das Viertel vor.

b. Welche Unterschiede gibt es? Vergleicht Charlottenburg mit Neukölln.

BEISPIEL: In Charlottenburg kann man ..., während man in Neukölln ... Neukölln ist bunter als ...

➲ Cahier d'activités p. 74

Visit Berlin.
Besuchen Sie Berlin-Charlottenburg,
den City-Bezirk im Westen

Charlottenburg ist für jeden Touristen ein Muss. Vom Schloss Charlottenburg bis zur Deutschen Oper, vom Kudamm bis zum Volkspark hat dieses Viertel viel zu bieten!

Das Schloss Charlottenburg wurde 1699 im Stil des italienischen Barock erbaut.

Charlottenburg ist das Zentrum des Berliner Westens. Der Kurfürstendamm und die Wilmersdorfer Straße ziehen mit ihren schicken Boutiquen zum Shoppen an. Wer aber Natur sucht, kann um den Lietzensee flanieren. Wenn Sie sich für Umwelt interessieren, besichtigen Sie hier das älteste Wasserwerk Berlins, das jetzt ein Naturschutzzentrum geworden ist. Kulturinteressierte können sich in der Deutschen Oper Musik anhören, ins Theater des Westens oder in eines der vielen Museen gehen.

http://www.bblog.de

neukölln, mein kiez

Neukölln, das multikulturelle Viertel im Süden von Berlin, wird immer beliebter. Früher ein Kiez mit vielen sozial schwachen Einwohnern und schlechtem Ruf, zieht Neukölln immer mehr Künstler und Studenten an. Hier finden Musikfestivals und Kunstausstellungen statt.

Für Kinder gibt es noch Platz auf der Straße, nicht alles ist verbaut. Im Süden des Viertels liegt der Flughafen Tempelhof, der geschlossen wurde und heute einen Ort für viele Kunstprojekte bietet. Wenn ihr am Wochenende einkaufen wollt, geht doch einfach mal auf den türkischen Markt am Maybachufer, da geht es bunt zu und es gibt viel zu sehen!

Ich kann's

Zwischenstation

■ **Dein Traumviertel**

Beschreibe das Stadtviertel, in dem du gerne wohnen würdest. Vergleiche es mit dem Ort, wo du wohnst.

🗨 Je comprends et je sais donner des informations sur un quartier ou une ville.

🗨 Je sais comparer deux quartiers.

Zugabe

Geteilt und doch vereint

1 Let's talk about Berlin

Sieh dir die Bilder an und lies die Texte dazu.

a. Welche Vor- und Nachteile seiner Stadt vor und nach dem Mauerfall erwähnt Mawil?

b. Vergleiche seine Stadt früher und heute.

1976 WURDE ICH AUF EINER ART HALBINSEL NAMENS "OSTBERLIN MITTE" GEBOREN

EGAL WO MAN HINWOLLTE – MAN KONNTE IMMER NUR IN EINE RICHTUNG GEHEN

ES WAR EINE KLEINE NIEDLICHE ALTMODISCHE SOZIALISTISCHE WELT – PERFEKT FÜR EIN KIND. WIR HATTEN EINEN ZOO, EINEN FERNSEHTURM UND EINE KUNSTHOCHSCHULE AUF DIE ICH SPÄTER WOLLTE

SPÄTER MERKTE ICH: DAS WAR NUR DIE HALBE STADT UND IN DER ANDEREN HÄLFTE HINTER EINER KOMISCHEN MAUER GAB ES ALL DIE TOLLEN SACHEN, DIE ICH NUR AUS DEM WESTFERNSEHEN KANNTE

WEIL ALLE ANDEREN LEUTE AUCH DIESE GANZEN TOLLEN SACHEN HABEN WOLLTEN, HABEN WIR DANN 1989 DIE MAUER KAPUTT GEMACHT

DAS WAR GANZ GUTES TIMING, DENN ICH WURDE GERADE TEENAGER UND FÜR EINEN TEENAGER IST EINE HALBE WELT ZU KLEIN

SO HATTEN WIR DANN ZWEI ZOOS, ZWEI FERNSEHTÜRME UND ZWEI KUNSTHOCHSCHULEN ABER AUCH ARBEITSLOSIGKEIT, KAPITALISMUS HANDYSTRAHLUNG UND ...

VIELE VON DEN ORIGINAL BERLINERN FINDEN DAS AUCH NICH MEHR SO GEIL / MIT DEN VIELEN REICHEN UND GROSSEN FIRMEN DIE DIE GANZE STADT AUFKAUFEN

ABER MEINE HALBINSEL LIEGT JETZT IN DER MITTE EINER GROSSEN STADT UND ICH HAB SO VIELE INTERNATIONALE FREUNDE WIE NIE ZUVOR

ICH GLAUB ICH BIN GANZ ZUFRIEDEN

© mawil.net 2012

2 Die halbe Stadt

Lies folgenden Textauszug.

a. Die Erzählerin bekommt Besuch. Von wem? Was besichtigen sie zusammen?

b. Beschreibe die Stimmung in der Stadt und kommentiere die Reaktion der Engländer.

c. Du bist Olivia. Schreib einen Brief auf Englisch an deinen Vater und erzähle ihm von deinem Aufenthalt in Berlin.

Ulrike Sterblich, 1970 *geboren, erinnert sich an ihre Jugend in West-Berlin. Damals hatte sie eine englische Brieffreundin.*

Sie hieß Olivia und schickte mir sehr viele Polaroidfotos von sich, ihrer Familie und einigen Hunden. (…) Damit ich Olivias Briefe verstehen konnte, musste mir meine Mutter ein Wörter-
5 buch kaufen. (…)

Nachdem wir ungefähr ein Jahr lang Briefe, Bilder und Aufkleber[1] hin- und hergeschickt hatten, schrieb Olivia, dass sie mit ihrer Mutter an einer Gruppenreise nach Berlin teilnehmen werde.
10 Sie fragte, ob wir uns dann mal treffen wollten. Noch nie war ich auf die Idee gekommen, eine meiner Brieffreundinnen in echt zu treffen, und war sofort aufgeregt.

Mit meiner Mutter fuhr ich zu dem kleinen
15 Hotel in der Knesebeckstraße, einer Seiten-
straße vom Ku'damm, in dem Olivia mit ihrer Mutter und den anderen Engländern wohnte. Wir trafen uns unten im Hotel. (…) Ich mochte Olivia sofort. (…)

Dann wollten Olivia, Olivias Mutter und andere aus der englischen Gruppe die
20 Mauer sehen, *the Wall*. Es war leider kein sehr schöner Tag, es war kalt und trübe[2], und an solchen Tagen war auch Berlin kalt und trübe (…). Ich bedauerte das sehr, denn eigentlich wollte ich Olivia gern ein schönes und sonniges Berlin zeigen. (…)

Wir fuhren mit der Linie 1, die nur kurz unter der Erde und danach die ganze Zeit oben entlangfuhr, was an diesem Tag nicht so gut war. Olivia, ihre Mutter und die anderen
25 Engländer blickten durch die Fenster auf einen grauen Himmel über kaputten Häusern (…). Die Engländer sahen gesund und rotbäckig aus, sie strahlten und waren bereit, alles *lovely* und *fantastic* zu finden, während die Leute in der U-Bahn tendenziell so grau und trüb und manchmal auch so kaputt wirkten wie die Stadt draußen (…).

Am Schlesischen Tor in Kreuzberg stiegen wir aus und gingen bis nah ran an die
30 Mauer. Die Engländer staunten sehr. Sie murmelten wieder: „The Wall" und machten viele Fotos, von der Mauer und von sich vor der Mauer. Dann stiegen wir alle noch auf eine Aussichtsplattform und guckten rüber in den Osten (…). „This is such a shame", sagte Olivias Mutter.

Aus: Ulrike Sterblich, *Die halbe Stadt, die es nicht mehr gibt. Eine Kindheit in Berlin* (West),
Copyright © 2012
Rowohlt Verlag GmbH, Reinbek bei Hamburg

1. der Aufkleber *l'autocollant*
2. trübe *gris*

Sprache aktiv

1 Le passif (2)

On peut employer la voix passive aux différents temps du passé. Il suffit de conjuguer l'auxiliaire *werden* au temps voulu.

- Présent :
  Das Gebäude **wird** gerade <u>umgebaut</u>.
- Prétérit :
  Das Gebäude **wurde** in den letzten Jahren stark <u>umgebaut</u>.
- Parfait :
  Das Gebäude **ist** nach dem Krieg <u>umgebaut</u> **worden**.

⚠ Au passif, le participe II de *werden* prend la forme particulière ***worden***.

2 Les masculins faibles

- Ce sont des noms masculins qui prennent la terminaison **-(e)n** à toutes les formes sauf au nominatif singulier :
  der Architekt → den Architekten (accusatif sg.)
  des Architekten (génitif sg.)
  die Architekten (pluriel)

- Ce sont souvent des noms d'êtres humains (*der Mensch, der Junge*), d'animaux (*der Bär*), d'habitants (*der Franzose, der Grieche*) ou des noms d'origine étrangère (*der Student, der Pilot*).

⚠ Il ne faut pas les confondre avec les adjectifs substantivés (p. 54).

1 Mets les phrases au passif en conservant le temps de la voix active.

Man hat den Reichstag umgebaut.
→ *Der Reichstag ist umgebaut worden.*

a. In Berlin restauriert man den Dom.
b. 1961 baute man die Berliner Mauer.
c. Heute hat man das Museum früher geschlossen.
d. Man hat das Nikolaiviertel wieder aufgebaut.
e. Heute Abend organisiert man ein Konzert.
f. 1990 hat man Deutschland wiedervereinigt.
g. Man zerstörte einen großen Teil der Stadt.

2 Mets les phrases au passif. Fais attention au complément d'agent (voir aussi p. 87).

Deutsche Architekten haben das Gebäude umgebaut.
→ *Das Gebäude ist von deutschen Architekten umgebaut worden.*

a. 1999 renovierte Norman Foster den Reichstag.
b. Im August 1961 baute das DDR-Regime die Berliner Mauer.
c. Am Wochenende haben viele Menschen die Berliner Museen besucht.
d. Am Freitag haben unsere französischen Partner den Reichstag besichtigt.
e. Ein Berliner kommentiert die Bootstour auf der Spree.

3 Mets les phrases suivantes à la voix active. Fais attention au temps utilisé.

Die Glaskuppel ist von Norman Foster gestaltet worden.
→ *Norman Foster hat die Glaskuppel gestaltet.*

a. Maja ist von ihrer Tante eingeladen worden.
b. Sie wurde von ihrer Cousine durch ganz Berlin geführt.
c. Der erste Preis ist von der Berlinale-Jury einem österreichischen Film verliehen worden.
d. In der Gourmet-Abteilung werden Spezialitäten aus allen Ländern verkauft.
e. Der Berliner Fernsehturm ist 1969 in Ostberlin gebaut worden.
f. Das Brandenburger Tor wird von allen Touristen fotografiert.

4 Mets les groupes entre parenthèses à la forme voulue.

a. Auf der Berlinale bekam der Film *Barbara* (der Silberne Bär).
b. Meine Kollegin hat (ein Franzose) geheiratet.
c. Der Reichstag wurde nach den Plänen (der britische Architekt) Norman Foster umgebaut.
d. Ich konnte die vielen Fragen (der Tourist) nicht beantworten.
e. Im März 2012 wurde Joachim Gauck zum (neuer Bundespräsident) gewählt.
f. Ein Passant erklärt (der fremde Student), wo die Bibliothek ist.

→ Cahier d'activités p. 75
→ Mémento grammatical p. 159

Station 2

1 La comparaison

- **Le comparatif d'égalité ou d'infériorité**
  > Leipzig ist etwa **so** groß **wie** Hannover.
  > Eine Wohnung in Berlin ist **nicht so** teuer **wie** in Paris.

- **Le comparatif de supériorité**
  > Die Mieten in Kreuzberg sind jetzt **teurer als** in Neukölln.
  > Mein Kiez ist **ruhiger als** ich dachte.
  > Die Stadt ist **größer** geworden.

Certains adjectifs prennent l'inflexion au comparatif de supériorité : *jung → jünger*

Certains ont une forme irrégulière : *hoch* / **höher**, *gut* / **besser**, *gern* / **lieber**, *viel* / **mehr**.

- **Pour comparer deux éléments, on peut également utiliser une subordonnée introduite par *während*.**

  Berlin-Mitte ist immer sehr laut und hektisch, **während** mein Kiez ganz ruhig ist.

5 Compare les éléments suivants en utilisant le comparatif d'égalité, d'infériorité ou de supériorité.

Berlin-Mitte / Kreuzberg / ruhig sein
→ *Berlin-Mitte ist nicht so ruhig wie Kreuzberg.*
→ *Kreuzberg ist ruhiger als Berlin-Mitte.*

a. Eine Wohnung in Charlottenburg / eine Wohnung in Neukölln / teuer sein
b. Der Fernsehturm (368 m, 1969 gebaut) / der Funkturm (138 m, 1924 gebaut) / hoch sein / alt sein
c. Das Leben auf dem Land / das Leben in der Stadt / angenehm sein

6 Compare les éléments suivants en utilisant la conjonction *während*.

Berlin Mitte / dynamisch und hektisch sein – Kreuzberg / ruhiger sein
→ *Berlin Mitte ist dynamisch und hektisch, während Kreuzberg ruhiger ist.*

a. Der Kurfürstendamm / nicht mehr so attraktiv sein – Ostberlin / sehr schön renoviert werden
b. Wedding / bunte Märkte haben – Charlottenburg / Luxusläden haben
c. Leo / das Leben in Kreuzberg super finden – sich in Prenzlauer Berg nicht so wohl fühlen

Vokabeln Kurz und gut

→ Cahier d'activités p. 76

❶ Großstadt Berlin

- die Hauptstadt(¨e)
- das Viertel(-), der Stadtteil(e), der Kiez(e), der Bezirk(e)
- das Gebäude(-) → ein Gebäude *um*bauen
- nach Berlin *um*ziehen
- Jugendliche *an*ziehen

- zerstören → die Zerstörung der Häuser
- teilen → die Teilung der Stadt
- gründen → die Gründung der DDR
- bauen → der Bau der Mauer

❷ Stadtführung

- der Tourist(en, en)
- die Stadt besichtigen → die Stadtbesichtigung
- die Sehenswürdigkeit(en)
- das Monument(e)
- das Denkmal(¨er)
- das Schloss(¨er)
- der Fernsehturm
- das Wahrzeichen der Stadt
- das Luxusgeschäft(e)

Sprechtraining
Pistes 40-41

- **Les mots composés**
- **La neutralisation**
→ Cahier d'activités p. 72 et p. 75

Berlin gestern und heute

Berlin, eine Stadt im Wandel: Wenige Metropolen verändern sich so schnell wie die deutsche Hauptstadt. Wenn man zum Beispiel Plätze und Gebäude von früher und heute vergleicht, kann man diesen tiefgreifenden Wandel feststellen.

Der Potsdamer Platz

Der Potsdamer Platz war in den 20er Jahren ein zentraler Platz in Berlin. Er symbolisierte damals schon die moderne Großstadt mit viel Verkehr und Leben. Seit den 90er Jahren ist der Platz ganz neu bebaut und zu einem hochmodernen Stadtviertel mit futuristischen Hochhäusern geworden. Das 70 Meter hohe Sony-Center ist berühmt für sein offenes Glasdach.

Der Potsdamer Platz in den 20er Jahren und heute

Das Brandenburger Tor

Das Berliner Wahrzeichen mit der Quadriga wurde 1791 auf dem Pariser Platz gebaut. Das Brandenburger Tor symbolisierte bis 1989 den Kalten Krieg und die Teilung Berlins durch die Mauer, die ganz in seiner Nähe verlief. Deshalb stand es im Sperrgebiet und man konnte es nicht durchqueren. Heute erinnert es an die Wiedervereinigung Deutschlands.

Das Brandenburger Tor 1981 und heute

Bernauer Straße in Prenzlauer Berg

Bernauer Straße

Die Bernauer Straße zur Zeit der Mauer und heute

Während der Teilung Berlins verlief die Grenze zwischen Ost und West durch die Bernauer Straße. Heute ist die Bernauer Straße eine Gedenkstätte geworden. Hier findet man ein Dokumentationszentrum und ein Denkmal für die Opfer der Mauer.

Kulturtipp

1945	Teilung Berlins in 4 Sektoren
1949	Gründung der BRD und der DDR
1961	Bau der Berliner Mauer
1989	Mauerfall
1990	Wiedervereinigung Berlin wird wieder Hauptstadt

Alles klar?

1. Was charakterisiert den Potsdamer Platz?
2. Was symbolisierte das Brandenburger Tor bis 1989? Und heute?
3. Nenne zwei Orte, an denen die Berliner Mauer entlang lief.

WEBQUEST   Identifier, trier et évaluer des ressources.

Sucht Informationen über Berliner Sehenswürdigkeiten oder Plätze, die sich sehr verändert haben, wie zum Beispiel:
– die Kaiser-Wilhelm-Gedächtnis-Kirche,
– den Alexanderplatz.
Schreibt einen kurzen Text und sucht Fotos von früher und heute.

WEBSITES FÜR INFOS
http://www.berlin.de/orte/sehenswuerdigkeiten/kaiser-wilhelm-gedaechtniskirche/
http://www.berlin-magazin.info/alexanderplatz.html

Workshops

Was ist Berlin für dich?

Schau dir das Video über Berlin an.

a. Was sagen die interviewten Personen über Berlin?
b. Welche Worte beschreiben für sie die Stadt am besten?
c. Siehst du Orte oder Gebäude, die du wiedererkennst?

▶ *50 Menschen, eine Frage: Was ist Berlin für dich?*
Berliner Morgenpost, 2012

2 IT

Eine Diashow erstellen

Erstelle für deine Berlinführung eine Präsentation mit Open-Office Impress.

a. Öffne ein neues Dokument und wähle einen Hintergrund (z.B. Farbe) aus.
b. Wähle für den Seitenwechsel einen Effekt aus und klicke auf „Fertig stellen".
c. Gib einen Titel ein und füge Bilder, Texte oder Audiodateien ein.
d. Füge eventuell Animationen hinzu. Wähle ein Objekt aus und klicke im Aufgabenbereich rechts auf „Effekte hinzufügen".
e. Erstelle für jede Sehenswürdigkeit eine neue Seite.
f. Speichere deine Präsentation.

Vokabeln

🖼 Bild einfügen

🎞 Video / Audiodatei einfügen

🗔 Neue Seite erstellen

🎦 Diashow vorführen

B2i

C4
• Créer, produire, traiter, exploiter des données → *Je sais saisir et mettre en page un texte.*
• S'informer et se documenter → *Je sais consulter des bases de données documentaires en mode simple (plein texte).*
• Adopter une attitude responsable → *Je fais preuve d'esprit critique face à l'information et à son traitement.*

3 Kunst

Der Öko-Reichstag

a. Schau dir die Fotos an. Was fällt dir auf?

b. Lies jetzt den Text. Was hat sich an dem Gebäude seit seinem Bau verändert?

c. Wie findest du den renovierten Reichstag? Inwiefern ist er ökologisch?

Der Reichstag nach der Renovierung

Das Reichstagsgebäude wurde 1894 erbaut. 1933 brannte der Reichstag und wurde dann im Krieg stark beschädigt. 1949 wurde er wieder aufgebaut. Heute versammelt sich in diesem Gebäude der Bundestag, das deutsche Parlament.

1999 renovierte der britische Architekt Norman Foster das Gebäude und ließ eine Glaskuppel bauen. Sie ist 40 Meter breit und 23 Meter hoch.

Der Trichter in der Glaskuppel ist nicht nur beeindruckend, er bringt auch frische Luft und Licht ins Parlament direkt darunter. Auf dem Dach wurden Solarzellen installiert. Diese Fotovoltaikanlage erzeugt viel Energie.

Durch die gründliche Renovierung wurde das Gebäude also auch umweltfreundlich und produziert Strom und Wärme mit erneuerbaren Energien.

Spiel den Künstler!

Wähle ein Gebäude aus. Suche ein Foto davon und zeig, wie du es verändern möchtest. Wie könnte man es moderner und umweltfreundlicher gestalten?

Jetzt kannst du's !

→ Cahier d'activités p. 77

1 Klassenfahrt nach Berlin

Classe

OBJECTIF : Comprendre une interview entre un journaliste et un élève.
OUTILS : Le lexique de la ville, de l'architecture, la comparaison.

Checkpoint Charlie

Écoute l'interview.

Es-tu capable de :

A2	**1.** citer les lieux visités ?
A2+	**2.** caractériser quelques monuments ?
B1	**3.** repérer les aspects positifs et négatifs évoqués par l'élève ? **4.** comprendre les différences entre Berlin et Dortmund ?

→ Cahier d'activités p. 77

2 Ein Ausflug nach Potsdam

OBJECTIF : Comprendre un blog sur une ville.
OUTILS : Le lexique de la ville, de l'architecture, la comparaison.

Betty – 18. Juni um 10:08

Wenn Sie Berlin besichtigen, empfehle ich einen Tagesausflug nach Potsdam, nur 30 Minuten mit der Regionalbahn von Berlin entfernt.

Das Schloss Sanssouci

Besichtigen Sie das berühmte Schloss und seine Gärten. Manche nennen das Schloss auch das „preußische Versailles", das fand ich sehr passend.

Babelsberg

Wer sich für Filme interessiert, muss unbedingt das Studio Babelsberg besuchen, die bekannten Film- und Fernsehstudios von Potsdam. Ich habe danach im Erlebnispark Babelsberg einen Film im 4D-Actionkino angesehen. Das war wirklich beeindruckend!

Mir hat Potsdam sehr gut gefallen, vor allem, dass alles viel kleiner ist als in Berlin.

Reisende22 – 2. August um 16:50

Danke für deine Tipps, ich bin voll einverstanden!!! Ich fand Potsdam ruhig und entspannend, während mir Berlin zu stressig ist.

Tour_Alex – 3. September um 19:13

Ich liebe Berlin und war von Potsdam enttäuscht. Dort ist einfach nichts los. Nur ein paar nette kleine Häuser.

Lis le blog et les commentaires.

Es-tu capable de :

A2+	**1.** donner un maximum d'informations sur Potsdam ? **2.** repérer les trois avis formulés ?
B1	**3.** comprendre ce qui motive ces différents avis ? **4.** repérer les différences entre Potsdam et Berlin ?

→ Cahier d'activités p. 78

3 | Der Berliner Fernsehturm

Objectif : Décrire un monument.
Outils : Le lexique de l'architecture, le passif passé, la comparaison.

Tu es guide touristique.

Es-tu capable de :

A2+	**1.** décrire ce monument ?
B1	**2.** parler de son histoire ?
	3. parler de son importance ?

Der Fernsehturm,
eine Sehenswürdigkeit
der Superlative

✓ Höhe: 368 Meter
✓ der höchste Turm Deutschlands
✓ zentral in der Innenstadt, am Alexanderplatz
✓ Baujahr: 1969
✓ Prestigeobjekt der DDR
✓ Fahrstuhl zur Aussichtsplattform
✓ Drehrestaurant in der Kugel

→ Cahier d'activités p. 78

4 | Auf Kieztour

Objectif : Comparer deux quartiers de Berlin.
Outils : Le lexique de la ville, de l'architecture, le passif, la comparaison, l'expression de la préférence.

Prenzlauer Berg
* früher in Ostberlin
* viele Gebäude mehr als 100 Jahre alt
* überall leckere Restaurants und Kneipen
* hier früher die Berliner Mauer, jetzt der Mauerweg
* ☺ super Atmosphäre, jung, dynamisch

Lichtenberg
* früher in Ostberlin
* Tradition und Moderne
* Leben in der Großstadt und wie auf dem Dorf
* ☺ viele Parks, sehr familienfreundlich
* ☹ traditionell und ruhig

Tu viens de déménager de Prenzlauer Berg à Lichtenberg.

À partir de ces notes, es-tu capable de :

| B1 | **1.** décrire et comparer ces deux quartiers ? |
| | **2.** dire dans quel quartier tu préfères habiter et justifier ton choix ? |

Eine Stadtführung durch Berlin vorbereiten

Bereitet in Gruppenarbeit eine Führung durch Berlin vor.
→ Cahier d'activités p. 79

Outils

○ **Objectifs de communication :** décrire des monuments, des quartiers, une ville.
○ **Grammaire :** le passif, la comparaison.
○ **Lexique :** le lexique de la ville, de l'architecture.

Etappe 1 Macht Recherchen über Berliner Sehenswürdigkeiten und Viertel, die ihr der Klasse zeigen wollt.
Macht euch Notizen für die Führung durch Berlin und sucht Fotos.

Etappe 2 Erstellt mit den Fotos eine OpenOffice-Präsentation.

Etappe 3 Stellt jetzt der Klasse mit Hilfe der Diashow eure Stadtführung vor.

Etappe 4 Eine Jury sucht die beste Tour aus und begründet ihre Wahl.
→ IT p. 122

BERLIN ENTDECKEN

WWW.BERLIN-STADTFÜHRUNGEN.DE

Mon bilan de compétences
→ Cahier d'activités p. 79

Tâche finale	Socle commun A2	Vers B1
Préparer et présenter une visite guidée de Berlin avec un diaporama.	**C2 Présenter, décrire, comparer, donner des informations :** présenter devant la classe un projet de visite guidée d'une ville en s'appuyant sur un diaporama.	S'exprimer devant un auditoire. Faire un exposé sur un sujet. Restituer une information à partir de notes. Exprimer une opinion personnelle.

Zur Legende werden

> JETZT WERDET IHR AM EIGENEN LEIB ERFAHREN, WAS TERROR HEISST !!!

Je vais apprendre à...

★ A2+/B1 ★

 Écouter

- Comprendre une visite guidée.
- Comprendre le récit d'une légende.

 Lire

- Comprendre des informations relatives à une visite de musée.
- Comprendre des informations sur un personnage historique.
- Comprendre une légende.

 Parler en continu

- Formuler des hypothèses sur la suite d'un récit.
- Parler de mes goûts artistiques et de mes sentiments.

Parler avec quelqu'un

- Faire deviner à la classe un personnage historique célèbre.
- Échanger des avis sur un spectacle.

 Écrire

- Raconter un événement marquant de ma vie.
- Actualiser une légende allemande.

Unser Projekt

 Concevoir une petite pièce de théâtre en actualisant une légende germanique.

Station 1

Auf den Spuren Ludwigs II.

 1 ## Schloss Neuschwanstein

a. Lies den Prospekt und sammle Informationen über das Schloss.

b. Wie erklärst du, dass Neuschwanstein so berühmt ist?

➔ Cahier d'activités p. 80

Vokabeln

- **prächtig** *splendide*
- **eindrucksvoll** *impressionnant*
- **beeindrucken** *impressionner*

Das Schloss Neuschwanstein liegt im südlichen Bayern. Es ist heute eines der meistbesuchten Bauwerke Deutschlands. Neben den üblichen Führungen gibt es auch Themenrundgänge, zum Beispiel mit Schwerpunkt „deutsche Sagenwelten", deren Helden Ludwig II. fasziniert haben.
Zwei Burgruinen aus dem Mittelalter wurden ab 1869 zum heutigen Schloss Neuschwanstein umgebaut.
Als Ludwig II. am 13. Juni 1886 starb, war das Schloss noch nicht vollendet. Er wollte nicht, dass Touristen sein Schloss besichtigen. Aber schon sechs Wochen nach seinem Tod wurde es für Besucher geöffnet.
Heute wird Neuschwanstein jährlich von fast 1,5 Millionen Gästen besucht.

 2 ## Rundgang durch das Schloss

a. Hör dir die Führung an. Wo befinden sich die Besucher?

 b. Was beschreibt die Führerin alles? Notiere zu jedem dieser Punkte möglichst viele Informationen.

➔ Cahier d'activités p. 80

Schloss Neuschwanstein, Wohnzimmer

3 Der Märchenkönig

a. Lies den Titel. Wofür schwärmte Ludwig II.?

b. Bildet 3 Gruppen. Sammelt im Artikel Informationen, die diese Leidenschaften illustrieren.

➜ Cahier d'activités p. 81

Ludwig II.

Leidenschaftlicher Bauherr, Liebhaber mittelalterlicher Legenden, Förderer der Kunst

Ludwig Otto Friedrich Wilhelm von Wittelsbach wurde am 25. August 1845 in München geboren.

Als sein Vater am 10. März 1864 starb, wurde Ludwig am selben Tag, mit 18 Jahren, König Ludwig II. Er sagte selbst, dass es zu früh gewesen sei, dass er mehr Zeit gebraucht hätte, um das Regieren zu lernen.

Von Anfang an engagierte sich der junge Monarch für das Theater und die Oper. Er unterstützte vor allem Richard Wagner, dessen Werke er liebte. Er ließ Privataufführungen organisieren und rief die Bayreuther Festspiele ins Leben.

Ludwig II. wurde auch einer der bedeutendsten Schlossbauherren aller Zeiten. Seine Reisen nach Frankreich, wo er Paris, aber auch die Schlösser Pierrefonds, Fontainebleau und Versailles besichtigte, inspirierten ihn zu seinen eigenen Schlossbauten.

Politik und öffentliche Auftritte interessierten den König immer weniger. Er zog sich immer mehr zurück, lebte immer mehr in einer Märchen- und Legendenwelt. Man begann, ihn „Märchenkönig" zu nennen.

Seine gigantischen Schlossbauarbeiten kosteten das bayerische Königreich enorm viel Geld.

Anfang Juni 1886 wurde Ludwig II. von Ärzten für „unheilbar" erklärt und kurz darauf von der bayerischen Regierung entmündigt.

Am 13. Juni ertrank er auf mysteriöse Weise im Starnberger See.

Ich kann's

Zwischenstation

■ Eine historische Figur vorstellen

Such dir eine Figur aus der Geschichte aus und stelle sie der Gruppe vor. Du kannst die Gruppe eventuell raten lassen.

❯ Je sais repérer les informations essentielles dans un prospectus touristique.

❯ Je comprends une visite guidée.

❯ Je sais présenter un personnage historique célèbre.

Die Lohengrin-Sage

1 Apropos Legende ...

Schau dir das Bild an und hör dir die Erklärungen der Museumsführerin an.

a. Wer sind die Hauptfiguren der Legende?

b. Formuliere Hypothesen über den Kontext der dargestellten Szene.

➔ Cahier d'activités p. 83

2 Eine Legende wird zu Musik

Lies die Zusammenfassung des ersten Aktes der Oper.

a. Assoziiere mit jeder Figur möglichst viele Informationen.

b. Gibt es Elemente, die deine Hypothesen über den Kontext bestätigen?

➔ Cahier d'activités p. 83

LOHENGRIN
Eine Oper von Richard Wagner

Die Geschichte spielt in der ersten Hälfte des 10. Jahrhunderts bei Antwerpen.

Vorgeschichte

Vor seinem Tod hatte der Herzog von Brabant den Grafen Friedrich von Telramund gebeten, Vormund[1] seiner beiden Kinder Gottfried und Elsa zu sein. Als die beiden eines Tages in einem Wald spazieren gegangen waren, kam Elsa allein zurück. Gottfried war verschwunden. Telramund und seine Frau Ortrud klagten Elsa an, ihren Bruder ermordet zu haben.

Erster Akt

Der deutsche König Heinrich kommt nach Brabant und findet das Land ohne Herrscher.

Graf Friedrich von Telramund erzählt, was sich ereignet hat und erklärt, dass er selbst nun Herrscher über Brabant werden soll.

Der König lässt Elsa holen und will sie befragen. Doch die junge Frau ist verwirrt und spricht immer von einem Ritter, den sie im Traum gesehen hat und der kommen wird, um für sie zu kämpfen.

Graf Telramund verlangt nun einen Kampf, der beweisen soll, ob Elsa schuldig oder unschuldig ist. Wenn der Graf gewinnt, ist Elsa schuldig. Elsa will, dass der Ritter ihres Traums für sie kämpft; wenn er gewinnt, ist sie unschuldig.

Zwei Mal wird der Ritter gerufen, doch niemand tritt vor. Elsa ist verzweifelt.

Da erscheint ein Ritter in einem Gefährt, das von einem Schwan gezogen wird ...

1. der Vormund *le tuteur*

3 Lohengrins Geheimnis

a. Hör dir die Führung weiter an und rekonstruiere das Ende der Geschichte.

b. Zu welcher Szene passen folgender Auszug aus dem Libretto und das Bild? Spielt zu zweit einen kurzen Dialog.

➔ Cahier d'activités p. 84

Elsa und Lohengrin

III, 3

LOHENGRIN (*immer streng*)
Ihr hörtet alle, wie sie mir versprochen,
Dass nie sie woll' erfragen, wer ich bin?
Nun hat sie ihren teuren Schwur[1] gebrochen,
[...]
Nun muss ich künden, wie mein Nam' und Art.
[...]
Vom Gral ward ich zu euch daher gesandt:
Mein Vater Parzival trägt seine Krone,
Sein Ritter ich, bin Lohengrin genannt.
[...]
O Elsa! Was hast du mir angetan!
Als meine Augen dich zuerst ersah'n,
Zu dir fühlt' ich in Liebe mich entbrannt,
Und schnell hatt' ich ein neues Glück erkannt:
[...]
Was rissest du nun mein Geheimnis ein?
Jetzt muss ich, ach! von dir geschieden[2] sein!

1. der Schwur *le serment*
2. geschieden *séparé*

Vokabeln

- etwas versprechen / das Versprechen
- sein Geheimnis preisgeben
- jdm vertrauen

Zwischenstation

■ Von einem Geheimnis erzählen

Du hast jemandem ein Geheimnis erzählt, der es leider verraten hat. Erzähle dein Erlebnis auf deinem Blog.

☑ Je comprends le portrait d'un personnage de légende.

☑ Je comprends le sujet d'un opéra.

☑ Je sais raconter un événement de ma vie personnelle.

Held, Legende oder beides?

1 Deutsche Helden?

a. Schau dir die Grafik an und kommentiere sie. Welche deutschen Helden kennst du?

b. Lies dann den Auszug aus dem *Spiegel*. In welchen Bereichen gibt es die meisten deutschen Helden? Was charakterisiert für Karl Marx einen Helden?

c. Wer ist für dich ein Held? Warum?

DIE HELDEN DER DEUTSCHEN

Wissenschaftler haben nach Meinung der Bundesbürger die Menschheit in den vergangenen Jahrhunderten am meisten vorangebracht.

Es komme nicht darauf an, die Welt zu „interpretieren", schrieb KARL MARX im Jahre 1845: „Es kömmt darauf an, sie zu verändern." Nun liegt er, abgeschlagen, aber immerhin, auf Platz 13 der Liste jener Deutschen, die nach einer repräsentativen Umfrage von Emnid für den SPIEGEL den „bedeutendsten Beitrag zur Entwicklung der Menschheit" erbracht haben.

Unangefochten an der Spitze der deutschen Helden steht ALBERT EINSTEIN; einer, der die Welt veränderte, indem er die Physik revolutionierte und damit auch die Voraussetzungen[1] für den Atombombenbau schuf. Der kosmologische Umstürzler NIKOLAUS KOPERNIKUS ist beim Ranking dabei, ebenso der Vater der ersten Medien-Revolution, der Buchdrucker JOHANNES GUTENBERG.

MARTIN LUTHER, JOHANN WOLFGANG VON GOETHE, ALBERT SCHWEITZER haben ihren Platz im Herzen der Deutschen, einer der Wissenschaftspioniere ging sogar in ihren Sprachschatz ein („Ich werde geröntgt."). Zwei massige „Einheitskanzler", OTTO VON BISMARCK und HELMUT KOHL, marschieren mit.

© Der Spiegel, 52/1999

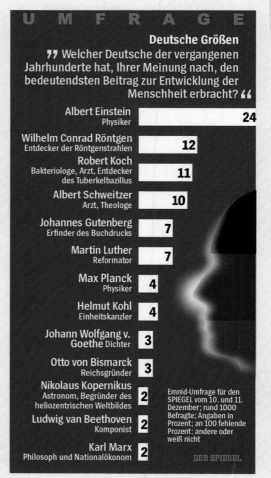

UMFRAGE

Deutsche Größen

„ Welcher Deutsche der vergangenen Jahrhunderte hat, Ihrer Meinung nach, den bedeutendsten Beitrag zur Entwicklung der Menschheit erbracht? "

Albert Einstein — Physiker	24
Wilhelm Conrad Röntgen — Entdecker der Röntgenstrahlen	12
Robert Koch — Bakteriologe, Arzt, Entdecker des Tuberkelbazillus	11
Albert Schweitzer — Arzt, Theologe	10
Johannes Gutenberg — Erfinder des Buchdrucks	7
Martin Luther — Reformator	7
Max Planck — Physiker	4
Helmut Kohl — Einheitskanzler	4
Johann Wolfgang v. Goethe — Dichter	3
Otto von Bismarck — Reichsgründer	3
Nikolaus Kopernikus — Astronom, Begründer des heliozentrischen Weltbildes	2
Ludwig van Beethoven — Komponist	2
Karl Marx — Philosoph und Nationalökonom	2

Emnid-Umfrage für den SPIEGEL vom 10. und 11. Dezember; rund 1000 Befragte; Angaben in Prozent; an 100 fehlende Prozent: andere oder weiß nicht

DER SPIEGEL

1. die Voraussetzung *la condition préalable*

② Münchhausen – Held oder Lügner?

Lies die Texte.

a. Was erfährst du über Münchhausen? Wodurch ist er berühmt geworden? Warum nannte man ihn den „Lügenbaron"?

b. Erfinde eine andere lustige oder verrückte Geschichte, wie Münchhausen sie erlebt haben könnte.

Hieronymus von Münchhausen

Hieronymus von Münchhausen wurde 1720 auf Schloss Bodenwerder an der Weser geboren. Als Offizier nahm er mit der russischen Armee am Krieg gegen die Türkei teil. Als er sich 1750 auf sein Gut in Bodenwerder zurückzog, erzählte er seinen Freunden die wunderbarsten Kriegsabenteuer, die er erlebt haben wollte. Diese Geschichten wurden weitererzählt und waren bald so berühmt, dass sie dann als Buch in Deutschland und in England erschienen. Münchhausen war zuerst sehr erstaunt über diese Bücher, die er nicht selbst geschrieben hatte. Sie hatten aber großen Erfolg und Münchhausen wurde bald als **„Lügenbaron"** bekannt. Insgesamt wurden ihm mehr als 100 „Lügengeschichten" zugeschrieben, aber wir wissen heute, dass er sie nicht alle erfinden und erzählen konnte.

Eine der bekanntesten Erzählungen ist **„Der Ritt auf der Kanonenkugel"**. Da erzählt der Baron, wie er einmal auf einer Kanonenkugel über eine belagerte Stadt ritt, den Feind ausspionieren konnte und schließlich auf eine Kugel umstieg, die aus einer feindlichen Kanone in die Gegenrichtung flog. Und so wäre er wieder ins russische Lager zurückgeflogen und hätte dem Feldmarschall beschrieben, wie es beim Feind aussah.

Münchhausens Geschichten sind vielfach verfilmt worden, zuerst 1911 in einem französischen Stummfilm von Georges Méliès. Die berühmteste Verfilmung ist der Film *Münchhausen* von 1943, dessen Drehbuch der Schriftsteller Erich Kästner unter einem Pseudonym geschrieben hatte.
Neuere Verfilmungen gibt es von Terry Gilliam (1999) und Karel Zeman (2009).

→ Cahier d'activités p. 82
→ Mémento grammatical
pp. 158, 163

Station 1

1 Le pronom relatif au génitif

- Le pronom relatif au génitif n'a que deux formes :
- **dessen** au masculin et au neutre,
- **deren** au féminin et au pluriel.

Maximilian, **dessen** Sohn mit 18 Jahren König von Bayern wurde, starb im Jahre 1864.

Ici, *dessen* remplace l'antécédent *Maximilian* et occupe dans la relative la fonction complément du nom *Sohn*. Le groupe se construit comme le génitif saxon :

> **Maximilians Sohn** war Ludwig II.
> Maximilian, **dessen Sohn** Ludwig II. war, starb im Jahre 1864.

2 Le subjonctif II au passé

- Le subjonctif II passé se forme sur le modèle du parfait : auxiliaire *haben* ou *sein* + participe II. L'auxiliaire se met au subjonctif II.

Ludwig II. **hätte** mehr Zeit **gebraucht**, um das Regieren zu lernen.

- Il sert à formuler des hypothèses sur ce qui aurait pu se produire dans le passé ou à exprimer un regret.

> Wenn wir mehr Zeit **gehabt hätten**, **wären** wir sicher bis zum See **gegangen**.
> Ach, wenn ich doch bei der Schlossführung besser **aufgepasst hätte**!

1 Transforme les phrases selon le modèle.

Maximilian, dessen Sohn Ludwig II. war, starb im Jahre 1864.
→ *Maximilian starb im Jahre 1864. Sein Sohn war Ludwig II.*

a. Ludwig, dessen Onkel die Herrschaft über Bayern übernahm, ertrank im Starnberger See.
b. Die Führerin, deren Erklärungen sehr interessant waren, ist eine echte Bayerin.
c. Ludwig II. ließ Schlösser bauen, deren Schönheit Touristen aus der ganzen Welt anzieht.

d. Richard Wagner, dessen Werke der König bewunderte, befand sich in einer schwierigen finanziellen Lage.
e. Meine Cousine, deren Austauschpartnerin in München wohnt, hat einen Ausflug nach Neuschwanstein gemacht.

2 Complète les phrases par le pronom relatif qui convient.

a. Ludwig II., von … wir im Deutschunterricht gesprochen haben, wurde 1845 geboren.
b. Die Schlösser, … er bauen ließ, werden heute von vielen Touristen besichtigt.
c. Der König, … man den Märchenkönig nennt, ist in Bayern immer noch sehr beliebt.
d. Er schwärmte für Wagners Opern, … Themen und Figuren ihn faszinierten.
e. Die Minister, … der König von seinen Bauplänen erzählte, konnten ihn nicht verstehen.
f. Er zog sich dann in eine Traumwelt zurück, in … das Leben schön und fantasievoll war.
g. Ludwig, … Bruder Otto zum neuen König wurde, ertrank 1886 im Starnberger See.

3 Imagine ce qui se serait passé si les choses avaient été différentes.

Ludwig ist so früh König geworden. Das Regieren ist ihm so schwer gefallen.
→ *Wenn Ludwig nicht so früh König geworden wäre, wäre ihm das Regieren nicht so schwer gefallen.*

a. Ludwig hat so viel Geld für seine Schlösser ausgegeben. Seine Minister haben ihn entmündigt.
b. Die Sagenwelt hat ihn fasziniert. Er hat sich aus der wirklichen Welt zurückgezogen.
c. Wagner hat Ludwig getroffen. Er hat von ihm Geld für sein Festspielhaus bekommen.
d. Ludwig ist ein romantischer Mensch gewesen. Man hat ihn den Märchenkönig genannt.
e. Sein Bruder hat ihm nicht geholfen. Er ist entmündigt worden.

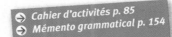

→ Cahier d'activités p. 85
→ Mémento grammatical p. 154

Station 2

1 Exprimer la chronologie

On dispose de différents moyens pour marquer la succession des événements :

- une proposition subordonnée : **Nachdem Lohengrin gegen Telramund gekämpft hatte**, heiratete er Elsa.
- un adverbe : Lohengrin kämpfte gegen Telramund. **Danach** heiratete er Elsa.
- Un groupe prépositionnel : **Nach dem Kampf gegen Telramund** heiratete Lohengrin Elsa.

⚠ Dans ces exemples, ces différents compléments de temps occupent tous la première position dans la phrase et sont suivis du verbe de la principale.

	avant l'événement (antériorité)	pendant l'événement (simultanéité)	après l'événement (postériorité)
conjonctions de subordination	*bevor*	*während, indem*	*nachdem*
adverbes	*zuerst, vorher, davor*	*währenddessen*	*nachher, danach, dann*
prépositions	*vor* + datif	*während* + génitif	*nach* + datif

4 Complète ces phrases par un des éléments du tableau ci-contre.

a. ... dem Tod des alten Herzogs herrschte Graf Telramund über Brabant.
b. ... der König mit Telramund sprach, erschien der Ritter, der Elsa heiraten sollte. Aber ... musste er gegen Telramund kämpfen.
c. ... der Hochzeit versprach Elsa, dass sie den geliebten Ritter nie nach seiner Identität fragen würde.
d. ... Elsa ihrem Ehemann die verbotene Frage gestellt hatte, musste er verschwinden. ... starb sie vor Kummer.
e. ... Lohengrin verschwand, erklärte er Gottfried zum neuen Herrscher von Brabant.
f. ... Ludwig mit 16 Jahren eine Aufführung von *Lohengrin* gesehen hatte, konnte er Wagners Musik nicht mehr vergessen.

Vokabeln Kurz und gut

→ Cahier d'activités p. 86

Piste 45

❶ Sagen und Helden

- die Sage(n), die Legende(n)
- das Märchen(-)
- der Held(en, en) → die Heldentat(en)
- Es gelingt dem Helden, ...
- gegen jemanden kämpfen → der Kampf(ˉe)
- jemanden besiegen → der Sieg(e)
- jemanden ermorden / töten → der Mord(e) / der Tod
- jemanden verraten → der Verrat → der Verräter(-)
- der Mut → mutig ≠ feige
- die Kraft → kräftig, stark ≠ schwach
- unverwundbar, unbesiegbar
- treu ≠ untreu
- klug ≠ unklug
- jemanden verzaubern

❷ Vorbild sein

- jemanden beeinflussen → der Einfluss auf etwas / jemanden
- jemanden bewundern → die Bewunderung
- jemanden faszinieren
- für etwas / jemanden schwärmen
- jemanden beeindrucken

❸ Oper und Theater

- eine Oper, ein Theaterstück inszenieren / *auf*führen
- die Inszenierung(en)
- der Regisseur(e)
- der Schauspieler(-)
- die Bühne betreten

Sprechtraining
Pistes 46-47

- **L'accent d'insistance**
- **Le son [ŋ] ou [ŋk] ?**

→ Cahier d'activités p. 82 et p. 85

Geschichte und Legende

Diese Helden aus Geschichte und Mythos sind seit Jahrhunderten zur Legende geworden. Sie symbolisieren die Identität ihres Landes und dessen Kultur.

Der Apfelschuss

WILHELM TELL
Nationalheld der Schweiz

Im Jahre 1307: Der tyrannische Landvogt Gessler herrschte in der Schweiz, bis Wilhelm Tell, ein großartiger Schütze, sich eines Tages gegen den Despoten wehrte. Deshalb kam er ins Gefängnis. Nur unter einer Bedingung konnte Tell freigelassen werden: Er sollte einen Apfel vom Kopf seines Sohnes Walter schießen.

Gessler sagte zu Tell: „Solltest du daneben schießen, dann wird dein Sohn sterben. Wenn du aber den Apfel triffst, bist du ein freier Mann." Tells Pfeil traf den Apfel in der Mitte. Ein wahrer Meisterschuss! Später erschoss Wilhelm Tell den Tyrannen. Seine heldenhafte Tat wurde schnell im ganzen Land bekannt. Dies war der Beginn der Bewegung für Freiheit und Unabhängigkeit in der Schweiz, die dann mit dem Rütlischwur besiegelt wurde.

Der Rütlischwur

DIE NIBELUNGEN
Siegfrieds Kampf mit dem Drachen

Eines Tages verließ Siegfried die väterliche Burg in Xanten, um Abenteuer zu erleben. Bei einem Schmied lernte er, wie man ein gutes Schwert schmiedet. Siegfried war aber so stark, dass der Schmied Angst vor ihm bekam. Eines Tages schickte er ihn deshalb in den Wald, um Holz zu holen, denn er wusste, dass dort ein Drache lebte ...

Unterwegs traf Siegfried den Drachen. Nachdem er ihn nach einem langen Kampf getötet hatte, badete er in seinem Blut und wurde unverwundbar. Nur eine kleine Stelle zwischen seinen Schultern blieb frei und wurde so seine Schwachstelle.

Siegfried tötet den Drachen

Siegfrieds Tod

Nur Siegfrieds Frau Kriemhild wusste von seiner Schwachstelle. Da sie Siegfrieds Freund Hagen vertraute und glaubte, dass er Siegfried schützen wollte, verriet sie ihm das Geheimnis ... Aber eigentlich hatte Hagen der Königin Brünhild versprochen, Siegfried zu töten. Als Siegfried auf der Jagd am Bach trinken wollte, hob Hagen den Speer und fiel seinem Freund in den Rücken.

Hagen ersticht Siegfried

Alles klar?

1. Wie kam Wilhelm Tell frei?
2. Was macht Siegfried unverwundbar?
3. Wie erfuhr Hagen von Siegfrieds Schwachstelle?

WEBQUEST   ▶ Chercher et sélectionner l'information demandée.

Sucht euch eine andere Episode aus den Nibelungen aus und macht ein kurzes Referat, um das Ereignis zu erzählen und die Personen (Hagen, Brünhild, Kriemhild, Günter ...) vorzustellen.

WEBSITES FÜR INFOS
http://www.worms.de/deutsch/kultur/nibelungen/index.php
http://www.deutschland-im-mittelalter.de/nibelungen.php
http://www.rheinhessen.de/die_nibelungen_in_worms.html

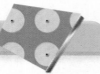

Kunst

Von der Legende zur Oper

1. Richard Wagner

a. Lies die Biografie. Inwiefern unterstützte Ludwig II. Richard Wagner?

b. Was hat das heute noch für Auswirkungen?

Richard WAGNER

Richard Wagner (1813 Leipzig – 1883 Venedig) war ein **deutscher Komponist** und ist u.a. für seine Opern und Symphonien berühmt geworden. Er war auch Musikdirektor und Kapellmeister. Nach der Revolution 1848-1849 floh er in die Schweiz und lebte auch in Wien und Paris.

1873 zog er nach **Bayreuth** und ließ ein **Festspielhaus** bauen, dessen Bau von Ludwig II., seinem Mäzen und Freund, mitfinanziert wurde. Dort finden jedes Jahr die Bayreuther Festspiele statt. Seine bekanntesten Opern: *Der Fliegende Holländer* (1843), *Tannhäuser* (1845), *Lohengrin* (1850), *Tristan und Isolde* (1865), *Der Ring des Nibelungen* (1869-1876), *Parsifal* (1882).

2. Lohengrin – live aus der Metropolitan Opera New York

a. Schau dir die Szene an. Worum geht es wohl?

b. Welche Gefühle drücken die Figuren aus?

c. Wie hättest du die Szene inszeniert (Bühnenbild, Kostüme, Gesten ...)?

Lohengrin
Metropolitan Opera, 1986

3. Lohengrin heute – Inszenierung, Bühnenbild und Kostüme

Schau dir die beiden Fotos an.

a. Welchem Ereignis entspricht die dargestellte Szene?
b. Vergleiche beide Inszenierungen.
c. Diskutiert in der Klasse über die Inszenierungen.

Vokabeln

- die Inszenierung
- das Requisit(en)
- das Bühnenbild
- traditionell ≠ modern
- überladen ≠ schlicht

Lohengrin,
Bayreuther Festspiele,
2011

Lohengrin,
Covent Garden,
2009

Spiel den Künstler!

Suche im Internet Fotos und mache eine Collage, um eine Szene aus einer Heldenoper darzustellen. Präsentiere dann deine Collage vor der Klasse. Du kannst auch Musik dazu auswählen.

Jetzt kannst du's !

→ Cahier d'activités p. 87

1 Schlossführung

OBJECTIF : Comprendre les informations relatives à une visite de château.
OUTILS : Le lexique de la description, de l'architecture, la proposition subordonnée relative.

Écoute la visite du château.

Es-tu capable :

A2+	**1.** de retracer le parcours des élèves à travers le château ? **2.** de comprendre la réaction des élèves ?
B1	**3.** de comprendre la description du château et de son intérieur ? **4.** d'indiquer ses particularités ?

Schloss Linderhof

→ Cahier d'activités p. 87

2 Etwas Geschichte ...

OBJECTIF : Comprendre les informations essentielles de l'histoire d'un château.
OUTILS : Le lexique de l'architecture, la chronologie, la proposition subordonnée relative.

Schloss Linderhof

1869 ließ König Ludwig II. das Försterhaus seines Vaters in ein Königshäuschen umbauen.

Bevor es zu dem Schloss wurde, wie wir es heute kennen, war Linderhof eine große, luxuriöse Berghütte, deren oberer Teil ganz aus Holz war.

Nach und nach wurde rund um diese „Hütte" weitergebaut, sodass bald ein richtiges Schloss um das Königshäuschen herum entstand.

Danach wurde das Königshäuschen 1874 an seinen heutigen Ort versetzt, etwa 200 Meter entfernt.

An seiner Stelle wurde der neue Südtrakt errichtet.

Erst dann bekam das Schloss außen seine endgültige Form. Im Inneren wurden Vestibül und Treppenhaus eingebaut. Die Räume in Linderhof, deren Wände reich verziert sind, wurden im Stil des Rokoko eingerichtet.

Nach ein paar weiteren Umbauten war Linderhof 1886 fertiggestellt. Es ist das einzige Schloss, dessen Vollendung Ludwig II. erlebt hat.

Lis l'extrait de cette brochure touristique.

Es-tu capable :

A2+	**1.** d'indiquer ce qu'était le château à l'origine ?
B1	**2.** d'indiquer les différentes étapes de sa construction ? **3.** de dire en quoi ce château avait une importance particulière pour Louis II ?

→ Cahier d'activités p. 88

3 In Hohenschwangau

Objectif : Présenter un lieu et un personnage historiques.
Outils : Le lexique de la description, le lexique des légendes et de l'histoire, la chronologie, la proposition subordonnée relative, les temps du passé, le passif.

Tu es guide touristique et tu accueilles un groupe d'élèves dans cette salle du château.

Es-tu capable :

A2
1. de présenter rapidement le lieu (château et salle) ?
2. de décrire la salle et ses décorations ?

B1
3. de parler de Louis II de Bavière ?
4. d'évoquer ce qui le passionnait ?

Schwanrittersaal, Hohenschwangau

→ Cahier d'activités p. 88

4 Siegfried

Objectif : Rédiger un récit.
Outils : Le lexique des récits et légendes, les compléments de temps, la proposition subordonnée relative, les temps du passé, le passif.

- das Schloss des Vaters verlassen
- bei einem Schmied arbeiten
- den Drachen töten und in seinem Blut baden
- nach Worms an den Hof der Burgunder kommen
- die Sachsen besiegen
- Kriemhild heiraten
- von Hagen ermordet werden

Raconte la légende de Siegfried en t'appuyant sur les éléments ci-contre.

Es-tu capable :

A2
1. de rédiger des énoncés simples pour relater les événements indiqués ?
2. de structurer le récit (enchaînements logiques et chronologiques) ?

B1
3. d'utiliser correctement les temps du passé ?
4. d'employer des phrases complexes ?

Ein Theaterstück schreiben und inszenieren

Arbeitet in Gruppen und schreibt eine Szene für ein Theaterstück auf der Basis einer germanischen Legende, die ihr dann vor der Klasse vorspielt.

→ Cahier d'activités p. 89

Outils

➲ **Objectifs de communication :** raconter, adapter une légende connue et la mettre en voix.

➲ **Grammaire :** la proposition subordonnée relative, la chronologie, les temps du passé.

➲ **Lexique :** le lexique des sentiments, des légendes.

Etappe 1 Sucht euch eine germanische Legende aus und notiert die wichtigsten Ereignisse.

Etappe 2 Schreibt jetzt die Szene mit Bühnenanweisungen.

Etappe 3 Überlegt euch eine originelle und moderne Inszenierung (Requisiten, Kostüme, Mimik und Gestik).

Etappe 4 Spielt nun die Szene vor der Klasse.

Mon bilan de compétences

→ Cahier d'activités p. 89

Tâche finale	Socle commun A2	Vers B1
Concevoir une petite pièce de théâtre en actualisant une légende germanique.	**Présenter / raconter :** décrire un événement, une activité passée et établir un dialogue sur des personnages légendaires.	Écrire de manière créative en décrivant des événements imaginés.

Lektüre

EDVARD
Mein Leben, meine Geheimnisse

1 Lies die ersten zwei Textauszüge.

a. Was erfahren wir über den Erzähler (Name, Eigenschaften ...)?
b. Wie ist sein Verhältnis zu anderen Personen? Warum vielleicht?

Donnerstag, 18.8., 15:32 Uhr

Wenn ich Glück habe, sterbe ich, bevor die Schule wieder losgeht. Ich bin Henk über den Weg gelaufen, als ich einkaufen war. Henk ist mit mir in einer Klasse, und er kann mich nicht leiden. Er war allein, und ich denke noch so: Hoffentlich hält er die Klappe, wenn er ohne seine Kumpels[1] unterwegs ist. Dann hat er kein Publikum.

Ich reiche ihm offenbar als Publikum. Er kommt zu mir und sagt:

„Hey, Dumpfbacke[2], bist du gewachsen oder haben dich Aliens gegen deinen großen Bruder ausgetauscht, von dem nicht mal deine Eltern was wussten?"

Ich bin zehn Zentimeter gewachsen. Einfach so. Das muss über Nacht passiert sein.

„Hau ab[3]", sage ich.

Henk rollt fast am Boden vor Lachen. „Ey, weißt du eigentlich, wie scheiße das ist? Du bist jetzt größer als ich und sprichst wie ein Mädchen!"

„Verpiss dich", sage ich.

„Ich hab 'nen neuen Namen für dich. (...) Ab heute heißt du 'Mädchen'!"

„Du bist ein stinkender Penner[4]", sage ich und biege schnell in den Biosupermarkt ab.

Ich schnappe mir einen Einkaufskorb und renne durch die Gänge. Gerade schaue ich über die Schulter, um sicherzustellen, dass Henk mir nicht gefolgt ist, da knalle[5] ich frontal in einen Einkaufswagen, der vor den Nudeln parkt. Der Einkaufswagen gehört zu Constanze und ihrer Mutter.

„Ist das nicht der Sohn von den de Vignys?", sagt ihre Mutter total laut.

„Oh, hi, Edvard", sagt Constanze.

Ich merke, dass ich rot werde. Ich will auch 'Hallo' sagen, aber dann fällt mir ein, dass ich wie ein Mädchen spreche, also sage ich nichts und renne einfach weiter zu den Putzmitteln. Ich höre noch, wie Constanzes Mutter hinter mir herruft: „Grüß deinen Vater schön!", bevor ich den Sonderaufsteller[6] mit dem Kaffee umschmeiße. (...)

1. der Kumpel *(fam.) le pote*
2. die Dumpfbacke *(fam.) l'imbécile*
3. Hau ab! *(fam.) Dégage !*

4. der Penner *(fam.) le clochard*
5. knallen *(ici) heurter*
6. der Sonderaufsteller *le présentoir avec des promotions*

Freitag, 19.08., 10:27 Uhr

Nur noch eine Woche Ferien, und immer noch keine Haare auf der Brust[1]. Ich habe auch keine Muskeln bekommen, obwohl ich gelesen habe, dass man in meinem Alter wie von selbst Muskeln kriegt, ganz egal, ob man viel Sport macht oder nicht. (Ich mache gar keinen Sport.) Und ich bin noch nicht im Stimmbruch[2]. Ich pass nicht mehr in meine Klamotten. Zum Glück ist es so heiß, dass ich keine langen Hosen tragen muss. Die gehen mir nämlich nur noch bis zum Knie. (Also, nicht ganz, aber so ungefähr.) Neue Schuhe brauche ich auch, aber nicht nur, weil meine Füße jetzt so riesig groß sind (auch irgendwie über Nacht). Vorhin, als ich schnell zum Bäcker gerannt bin und Brötchen geholt hab, weil mir meine Eltern mal wieder nur Vollkornbrot dagelassen hatten, bin ich natürlich voll in einer Monstertretmine[3] gelandet, die der hässliche Pudel[4] von dem alten Sack im Haus neben uns hinterlassen hat. Der Alte macht natürlich nie die Kacke von seinem Drecksköter weg. Jeder in der Straße hasst ihn, und jeder weiß auch, dass seiner der einzige Hund ist, der mitten auf die Bürgersteige scheißt, aber keiner traut sich, dem Alten mal so richtig die Meinung zu sagen. (…) Jedenfalls, meine Schuhe kann ich jetzt wegschmeißen, die werden doch nie wieder richtig sauber. Ächz. (…)

---

1. die Brust *le torse*
2. der Stimmbruch *la mue*

3. die Tretmine *la mine antipersonnel, ici la crotte de chien*
4. der Pudel *le caniche*

(2) Lies nun weiter.

a. Was macht Edvard auf Facebook? Beschreibe sein Profil.

b. Und wie verhält sich Constanze? Was hältst du davon? Gib ihr ein paar Tipps, wie sie sich in sozialen Netzwerken verhalten sollte.

Samstag, 20.08., 20:19 Uhr

Ich hab ja vor allem wegen Constanze das Netbook mitgenommen. Sie ist auf Facebook. Ich bin auch auf Facebook, aber mit einem anderen Namen und natürlich nicht mit einem Foto von mir. Ich habe ein lizenzfreies Foto von einer Bildagentur gekauft, darauf ist ein Typ um die sechzehn, der ziemlich cool aussieht. Ich nenne mich Jason Miles und tue so, als wäre ich ein amerikanischer Austauschschüler. Constanze hat innerhalb von einer Minute die Freundschaftsanfrage bestätigt. Als ich noch unter meinem eigenen Namen auf Facebook war, hat sie mich ein halbes Jahr lang ignoriert. Sie schreibt Jason immer mal wieder was auf die Pinnwand oder postet sogar Fotos von sich. Es ist die einzige Möglichkeit für mich, Constanze richtig gut kennen zu lernen. Ich weiß dank Jason alles über sie, weil Jason ja auch ihre Fotos ansehen und ihre Einträge lesen darf. Sie war zum Beispiel am Anfang der Ferien mit ihren Eltern drei Wochen in Südfrankreich. Sie hat Jason erzählt, was sie alles gegessen hat und dass sie zum Abendessen manchmal ein bisschen Wein getrunken hat und dass sie jeden Tag im Mittelmeer gebadet hat. Sie hat Jason sogar eine Nachricht mit einem Foto von sich im Bikini geschickt. Als Jason schreibe ich ihr nette Sachen zurück, in einem wackeligen[1] Deutsch natürlich, Jason ist ja Amerikaner. Sie korrigiert das dann und sagt, dass sie meine Fehler „total süß" findet. Und damit ich weiß, was Constanze den ganzen Tag macht, muss ich als Jason auf Facebook rumhängen. (…)

Wahrscheinlich muss ich mich irgendwann umoperieren lassen, damit ich wie Jason aussehe, und dann geht sie mal mit mir ins Kino.

facebook

Constanze B. hat ein neues Foto hinzugefügt.

Gefällt mir • Kommentieren • Teilen • 03. August um 16:20

👍 **3 Personen** gefällt das.

1. wackelig *chancelant*

③ Lies nun den letzten Auszug.

a. **Was passiert am Anfang der Szene?**

b. **Wie reagieren die Mitschüler? Und der neue Schüler?**

c. **Wie ist die Situation am Ende der Szene?**

d. **Und wie wird die Geschichte vielleicht weitergehen?**

Henk hat auf der Rückfahrt aus dem Urlaub ein Foto von Edvard gemacht, als der sich am Rand der Autobahn übergeben[1] musste.

Freitag, 2.9., 19:43 Uhr

Eine Woche Schule: ganz schlimm. (…)
Seit Montag gibt es eine neue Sitzordnung.
Weil Arthur endlos auf dem Klo ist, warte ich, bis sich Anselm an einen Tisch setzt, und setze mich dann schnell an einen anderen. Ich tu so, als würde ich ihn gar nicht sehen, und wühle in meinem Rucksack. Arthur scheint auf dem Klo eingeschlafen zu sein. Ich stecke weiter meinen Kopf in den Rucksack.
Dann klingeln der Reihe nach so ziemlich alle Handys. Meins auch. Eine MMS von Henk: das Bild, auf dem ich kotze[2]. Alle rollen am Boden vor Lachen, und ich werde natürlich knallrot. (…)
Dann setzt sich jemand neben mich. Ein Typ, den ich noch nie gesehen habe. Offenbar neu.
„Da ist besetzt", sage ich.
„Da war frei", sagt er.
„Da sitzt mein Kumpel Arthur", sage ich. „Der ist nur grad auf dem Klo."
„Dann muss er jetzt wohl woanders sitzen." Der Typ knallt seinen Rucksack auf den Tisch. „Viel ist ja nicht mehr frei."

1. sich übergeben *vomir*
2. kotzen (*fam.*) *gerber*

Ich sehe mich um: Es ist nur noch der Platz neben Anselm frei. Anselm hat wohl als Einziger keine MMS von Henk bekommen. Er verrenkt sich nämlich den Hals nach den Handys der anderen, um rauszufinden, warum sie so lachen.

Sie lachen übrigens immer noch.

Der Typ neben mir fragt: „Warum bepissen die sich eigentlich gerade alle vor Lachen?"

Was habe ich schon zu verlieren? Vielleicht kapiert er ja, neben wem er hier sitzt, und macht Platz für Arthur. Ich sage: „Darum", und zeige ihm das Foto von mir.

Er sieht es sich an. „Oh."

„Meine Mutter fährt ein bisschen ruckelig Auto."

„Verstehe." Er schaut mich an. „Blöde Sache, hm?"

„Er hat das Bild auf Facebook gestellt. Und jetzt noch mal an alle Handys verschickt", sage ich.

„Wer, er?"

Ich zeige auf Henk.

„Macht er so was öfter?"

„Dauernd", sage ich.

„Ist wohl sehr beliebt?"

„Voll."

Dann steht er auf und geht zu Henk.

„Hey, ich bin Karli", und schüttelt ihm die Hand. Na toll. Keine zwei Minuten in unserer Klasse, und schon schlägt er sich auf Die Dunkle Seite Der Macht.

„Bist neu hier?", sagt Henk.

„Yep. Aber wir haben eine gemeinsame Bekannte. Rate mal, wen ich meine. Hübsch und blond. Nicht aus unserer Klasse."

Henk strahlt: „Moni?"

Ich sehe gerade zu Constanze rüber, die gar nicht strahlt, als der Name Moni fällt.

„Genau. Moni. Ich soll dir was ausrichten." Auch das noch. In fünf Minuten sind sie wahrscheinlich die dicksten Freunde, die die Welt je gesehen hat.

„Echt? Hat mich wohl in guter Erinnerung behalten, die Kleine." Henk schaut sich wichtig um und stellt sicher, dass auch ja jeder mitbekommt, was ihm die hübsche, blonde Moni sehnsüchtigst auszurichten hat. „Also, was sagt sie?"

„Dass ihr noch nie so ein Loser wie du unter die Augen gekommen ist. Nichts für ungut, Kumpel, sie steht eher auf Typen, die was im Kopf haben." Karli klingt, als würde es ihm echt total leidtun, und er klopft Henk kameradschaftlich auf die Schulter, bevor er zurück an meinen Tisch kommt.

Die anderen lachen wieder, aber diesmal anders. Sie platzen damit nicht laut raus, sie versuchen eher, es zu unterdrücken. (…)

Ich bin total durcheinander. „War diese Moni in deiner alten Klasse?", frage ich Karli.

Der zuckt mit den Schultern. „Ich kenne keine Moni."

Ich glotze ihn nur blöd an, dann kapiere ich.

„Danke", sage ich.

Er streckt mir die Hand hin. „Karli."

Ich schüttele seine Hand. „Edvard."

Aus: Zoé Beck, *Edvard, Mein Leben, meine Geheimnisse*
Baumhaus Verlag in der Bastei Lübbe GmbH & Co. KG
Copyright © 2012 by Bastei Lübbe GmbH & Co. KG, Köln

④ Und was meinst du?

Du hast Edvards Blog gelesen und schreibst einen Kommentar.
Was würdest du ihm raten? Wie sollte er sich auf Facebook verhalten? Und in Bezug auf seine
Freunde und Mitschüler?

Skript

Zeig mal, was du kannst!

Etappe I

① Reality-Shows   p. 10

1. Ich wollte einfach weg von hier, wollte ein anderes Land entdecken und neue Leute kennen lernen. Am Anfang war alles genial, aber nach ein paar Wochen habe ich meine Freunde und meine Familie vermisst. Schließlich bin ich nach Hause zurückgefahren.

2. Lange Zeit haben wir eine neue Wohnung gesucht. Aber es klappte einfach nicht! Entweder war die Miete zu teuer oder die Zimmer zu klein. Jetzt fühlen wir uns wirklich wohl. Wir haben sogar ein Gästezimmer für unsere Freunde, ein Arbeitszimmer und eine große Küche!

3. Es war schon schwierig, 2 Monate lang auf jeglichen Komfort zu verzichten. Wir haben gelernt, wie man Feuer macht und was die Menschen vor 5000 Jahren gekocht und gegessen haben. Echt spannend – auch für unsere Kinder – Geschichte live zu erleben!

4. Seit ich 8 Jahre alt bin, will ich Sängerin werden. Meine Mutter findet, ich sollte mich auf die Schule konzentrieren und einen Beruf erlernen. Aber ohne Musik hat mein Leben keinen Sinn! So habe ich lange mit ihr gesprochen, und schließlich durfte ich an der Casting-Show teilnehmen!

5. Ich hatte wirklich Probleme mit meinem Sohn Alexander. Er hat beim Essen oder Schlafengehen jedes Mal so einen Stress gemacht! Ja, da hat uns die Sozialpädagogin sehr geholfen.

② Interview mit einer Kandidatin   p. 10

Journalist: „Deutschland sucht den Meisterkoch" ist nun zu Ende, und heute haben wir zu Gast die jüngste Kandidatin. Sie heißt Julia, ist 19 Jahre alt und kommt aus Hamburg.
Hallo Julia, Sie sind im Finale auf Platz 2 gelandet. Sind Sie nicht allzu sehr enttäuscht?

Julia: Na, ein bisschen schon. Aber ich bin vor allem sehr glücklich, weil ich viel gelernt habe. Wir haben von den Profis tolle Tipps bekommen und echt schöne Erfahrungen gemacht.

Journalist: Wie sind Sie auf die Idee gekommen, an der Casting-Show teilzunehmen?

Julia: In der 8. Klasse habe ich bei einer Koch-AG mitgemacht. Das hat mir ganz gut gefallen, ich war super motiviert ... und hab dann auch öfters für meine Familie gekocht. Letztes Jahr haben wir uns dann mit meiner Mutter die Sendung angesehen, und sie sagte zu mir: „Hey, das ist was für dich, warum machst du nicht mit?" Schließlich hat sie mich angemeldet!

Journalist: Gut. Und haben Sie noch Zeit für andere Hobbys?

Julia: Ja klar, ich treffe mich gerne mit Freunden und lese viel ... nicht nur Kochbücher! Ich interessiere mich besonders für Geschichte.

Journalist: Wie haben Sie sich denn mit den anderen Kandidaten verstanden?

Julia: Na, wir haben von Ende Juni bis Mitte August zusammen in einer großen Wohnung gewohnt und hatten nie Konflikte. Die waren alle sehr nett, und wir haben gerne zusammen gekocht!

Journalist: Und was macht für Sie den Meisterkoch aus?

Julia: Na, ein guter Koch soll nicht nur gut kochen können, sondern auch kreativ sein. Und wichtig ist, in einem Team arbeiten zu können. Sonst funktioniert's nicht!

Journalist: Wie sehen Ihre Zukunftspläne aus?

Julia: Ja, ich studiere zur Zeit Geschichte und Sport, um Lehrerin zu werden. Aber ich würde auch gerne mein eigenes Restaurant haben.

Journalist: Na, dann wünsche ich Ihnen weiterhin viel Erfolg!

Kapitel 1

Station I

① Podcast: Sag mir, was du isst ...   p. 16

1 Journalist: Was ist für Sie die wichtigste Mahlzeit am Tag?
Das Frühstück. Unter der Woche trinke ich eine Tasse Kaffee und esse Quark mit Müsli. Dazu mache ich mir ein Brot mit Marmelade. So starte ich gestärkt in den Tag!
Journalist: Und am Wochenende?
Ja, am Wochenende darf es ruhig etwas mehr sein. Da gibt es dann auch Wurst, Käse und Eier. Ich find's besonders schön, mit der Familie gemeinsam am Tisch zu sitzen und sich Zeit zu lassen.

2 Journalist: Ist eine gesunde Ernährung für dich wichtig?
Klar. Ich treibe viel Sport und achte schon drauf, was auf den Tisch kommt. Deswegen esse ich mittags nie in der Kantine und fahre stattdessen schnell nach Hause. Da esse ich zum Beispiel Nudeln oder Reis und Brot, weil sie Kohlenhydrate enthalten. Sie geben mir Energie für den restlichen Tag. Beim Sport habe ich dann immer einen Energieriegel dabei, um meine Reserven aufzutanken! Und ich trinke tagsüber viel Wasser, so 1,5 bis 2 Liter.

3 Journalist: Hast du heute Morgen gefrühstückt?
Nee, am Morgen habe ich selten Zeit, was zu essen. In der großen Pause kaufe ich mir dann manchmal einen Schokoriegel am Automaten, aber meine Mutter gibt mir meistens ein Pausenbrot und Obst mit.
Journalist: Und mittags?
Ja, seit wir eine Ganztagsschule sind, esse ich in der Kantine. Da kriegst du oft Fleisch mit Kartoffeln und als Nachtisch Obst oder ein Stück Kuchen. Mir schmeckt's schon, aber viele haben keinen Bock drauf und gehen in die Dönerbude, anstatt in der Schule zu essen.

4 Journalist: Kochen Sie gern?
Ich bin berufstätig und wenn ich abends von der Arbeit zurückkomme, habe ich keine Lust zu kochen. Da hole ich mir meistens eine Pizza aus der Tiefkühltruhe und leg' mich aufs Sofa vor den Fernseher. Da kann ich richtig abschalten! Ein- oder zweimal in der Woche lade ich ein paar Freunde ein und da bestellen wir oft beim Cateringservice online. Das ist ein bisschen teurer, als wenn du selber kochst, aber dafür sehr praktisch!

5 Journalist: Wo isst du mittags?
Nach der Schule gehe ich mittags immer mit Freunden in den Imbiss und kaufe mir eine Wurst oder einen Burger mit Pommes und zum Trinken eine Cola. In der Schule kann ich nicht essen, denn meine Mutter arbeitet den ganzen Tag. Da macht es mir keinen Spaß, allein zu Hause zu hocken, und kochen tue ich sowieso nicht gern!

③ Initiativen für eine gesunde Ernährung   p. 17

Journalistin: Guten Tag Herr Scherz, was war Ihre Motivation, den Verein Scherz e.V. zu gründen?
Matthias Scherz: Scherz e.V. habe ich nach Beendigung meiner aktiven Karriere gegründet. Als Ex-Profisportler weiß ich, wie wichtig Ernährung und körperliche Aktivität für die Leistungsfähigkeit sind. Da wollte ich die Schüler in Köln für dieses Thema sensibilisieren und ihnen konkret helfen. Ich bin froh, dass die Kids sich über Scherz in der Mittagspause gesund stärken können.
Journalistin: Sie bieten in den Schulmensen das Fit-Menü an. Wie muss ein Gericht für Kinder aussehen, um fit zu machen?
Matthias Scherz: Zuerst sollte es lecker sein und schmecken. Gesund heißt nicht langweilig! Wichtig ist auch die Qualität. Wir verwenden nur frische Produkte. Und natürlich spielt ausgewogene Ernährung eine große Rolle. Kohlenhydrate dürfen nicht fehlen, denn Kinder brauchen Energie, um sich im Unterricht konzentrieren zu können. Deswegen gibt es oft Nudeln, Reis oder Kartoffeln, aber auch Gemüse, weil sie Vitamine enthalten.
Journalistin: Wie halten Sie sich fit, seit Sie nicht mehr beruflich Fußball spielen?
Matthias Scherz: Ich trainiere manchmal noch bei Fußballmannschaften mit. Ansonsten laufe ich jeden Tag 20 Minuten und schwimme ein- oder zweimal in der Woche. Ich meine, es ist wichtig, körperlich aktiv zu sein.
Journalistin: Und was ist Ihr Lieblingsgericht?
Matthias Scherz: Na, da ich aus Norddeutschland komme, mag ich natürlich Grünkohl. Aber ich mag auch die asiatische Küche, z.B. esse ich gerne Wokgemüse mit Fleisch.

Station 2

② Mehr Infos über die Schule   p. 18

Frau Stüber: Stüber.
Anna: Guten Tag Frau Stüber, ich heiße Anna Berger. Ich würde vor, mich um einen Platz in der Sportschule zu bewerben, ich hätte aber noch einige Fragen. Zuerst einmal über die Schulorganisation. Auf der Webseite steht, dass es „geregelte Zeiten für Lernen, Training und Regeneration" gibt. Könnten Sie mir bitte sagen, wie das alles organisiert ist? Ich fürchte nämlich, der Doppelbelastung von Schule und Sport nicht gewachsen zu sein.
Frau Stüber: Gut so! Du weißt schon, dass du kein leichtes Leben wählst, wenn du zu uns kommst, aber mach dir keine Sorgen: Hier in der Schule tun wir alles – ich meine die Lehrer, Trainer und Erzieher – damit ihr euch wohlfühlt.
Anna: Aha.
Frau Stüber: Die Schule ist von 7 bis 21 Uhr geöffnet, die Schüler können morgens oder auch nachmittags trainieren, je nach Sportart. Die Schüler lernen bei uns auch, sich selbst zu organisieren und auch auf ihren Körper zu hören. Natürlich ist das nicht einfach, besonders für die Jüngeren, aber, wie gesagt, wir sind da!
Anna: Sie meinen, wir gehen jeden Tag von 7 bis 21 Uhr in die Schule?
Frau Stüber: Nein! Es handelt sich um flexible Arbeitszeiten, denn die Schule ist genauso wichtig wie der Sport. Stell dir vor, viele Sportler brauchen mehr als 25 Stunden Training pro Woche, das will doch ein bisschen organisiert sein, besonders wenn man kurz vor dem Abitur steht, nicht wahr? Übrigens, alle Zimmer haben einen Internetanschluss ...
Anna: Oh, schön!! Das steht nicht auf der Webseite!
Frau Stüber: Ja ... Du hast Recht, die Information fehlt, aber wir verfügen doch über eine E-Learning-Plattform, und ohne Internetanschluss geht das nicht!
Anna: Und ... Gibt es Tests oder sowas?
Frau Stüber: Ja, es gibt Aufnahmeprüfungen in deiner Sportart und eine ärztliche Untersuchung. Du musst auch gute Schulzeugnisse haben, ich meine, du musst nicht unbedingt nur Einsen haben, aber auf jeden Fall sollst du keine Schwierigkeiten

haben. Was ist denn deine Sportart?

Anna: Ich schwimme, das heißt ich schwimme im Verein, zwei- oder dreimal die Woche, und das ist nicht immer einfach, denn ich wohne auf einem Bauernhof, und da muss mich meine Mutter hinfahren. Das ist halt kompliziert, weil sie jetzt wieder arbeiten muss.

Frau Stüber: Ja, dann wäre die Sportschule was für dich.

Anna: Vielen Dank ... Ich hätte noch eine Frage ... Wie steht's mit ... mit der Freizeit – dürfen wir dann überhaupt noch ein bisschen Freizeit haben?

Frau Stüber: Ja klar! Wir haben eine große Bibliothek.

Anna: Aha ... Und sonst?

Frau Stüber: Und einen gemütlichen Jugendklub mit moderner Ausstattung.

Anna: Mit Videospielen und sowas???

Frau Stüber: Jaaaa! Und vieles mehr noch – es gibt Gesellschaftsspiele, Tischtennisplatten, DVDs ... Hör mal, am 12. April haben wir unseren Tag der offenen Tür. Das Beste ist, du kommst mit deinen Eltern zu uns, da kannst du dich umschauen und mit den Lehrern sprechen, natürlich auch mit den Schülern. Die werden dir erzählen, wie das alles läuft ... und wie sie sich an ihr neues Leben bei uns gewöhnt haben.

Anna: Ja, wir sehen uns also am 12. Danke Frau Stüber.

Frau Stüber: Es freut mich. Bis bald Anna!

④ Erste Eindrücke   p. 18

Mutter: Berger!

Anna: Hallo Mama!

Mutter: Ach Anna, jetzt höre ich dich endlich! Ich hab' Papa gesagt, wenn sie vor Samstag nicht angerufen hat, dann rufe ich selbst die Schule an. Was ist denn mit deinem Handy, du bist nie zu erreichen!

Anna: Ach Mama, du hattest doch versprochen ... Lassen wir das ... Mein Handy, weißt du, liegt noch im Koffer, ich hab' gar keine Minute frei gehabt, glaub mir!

Mutter: So so, du kannst doch verstehen, dass ich mir Sorgen gemacht habe. Nun erzähl mal, Schatz, was du alles gemacht hast.

Anna: Alles? Unmöglich, Mama! Also bis jetzt haben wir nur wenige Unterrichtsstunden gehabt, wir haben vor allem Sport gemacht, Mannschaftssportarten, damit wir uns alle schnell kennen lernen und so. Ich habe am zweiten Tag nochmal Tests gemacht – weißt du was, es gibt drei Schwimmbecken! – dann haben wir allerlei Spiele gemacht mit den Erziehern, mal in der Schule, mal auf dem Gelände. Wir haben die Einrichtungen und verschiedene Anlagen in kleinen Gruppen besichtigt – oh Mama – die Zeit vergeht so schnell hier, du hast keine Ahnung!

Mutter: Schön, es freut mich, dass du dich so schnell eingelebt hast.

Anna: Na ja, an das Essen hab' ich mich noch nicht gewöhnt.

Mutter: Schmeckt's denn nicht? Bekommst du denn zu wenig?

Anna: Nein, im Gegenteil! Alles ist superlecker, aber eben ... gesund, du weißt schon, was ich meine: Mir fehlen die Schokoriegel!!! ... und deine Nusstorte!

Mutter: Wenn du zu Weihnachten zurückkommst, backe ich dir eine ganz große Nusstorte! Soll ich dir vielleicht ein kleines Päckchen mit Süßigkeiten schicken?

Anna: Mama ... ich bin doch kein Baby mehr ...

Mutter: Ja, ja, ich weiß – und abends? Du hast doch ein bisschen Heimweh, oder?

Anna: Eigentlich nicht, keine Zeit, Mama! Ich verstehe mich sehr gut mit Marina. Die ist mit mir im

Zimmer. Sie ist sehr lustig, sie ist Fußballspielerin, weißt du.

Mutter: Schön, das freut mich ... also nächste Woche geht's los, Training, Schule, Training ... Ruf bitte an, nur fünf kleine Minuten, das schaffst du doch!

Anna: Hmmm – Mama ... apropos Fußball ...

Mutter: Jaaaa?

Anna: Mir ist doch was passiert ...

Mutter: Was denn?

Anna: Ich habe mir den Fuß verstaucht. Also, gestern haben wir Fußball gespielt und da, stell dir vor, das war ganz dumm von mir ... da ...

Mutter: Und dein Training??

Kapitel 2

Station 1

② Live dabei!   p. 32

Journalist: Hallo, ihr kommt gerade aus dem Konzert, darf ich euch ein paar Fragen stellen? Wie gefiel euch denn die Gruppe Luxuslärm?

Nadja: Total gut!

Jonas: Einfach geil ...

Journalist: Warum?

Lena: Ich steh voll auf Jini, die Sängerin. Ihre Stimme ist der Hammer und die Texte sind wunderschön.

Nadja: Außerdem war die Stimmung einfach großartig, weil alle getanzt haben. Die meisten kennen ihre Texte auswendig und haben mitgesungen.

Jonas: Das war mein erstes Livekonzert und ich fand's absolut genial. Endlich ist mal was los hier! Und da ich mir letztes Jahr eine Gitarre gekauft habe, war's jetzt die Gelegenheit, einen professionellen Gitarristen live zu erleben.

Journalist: Und wie alt seid ihr?

Jonas: 14, nur die Lena ist schon 15.

Journalist: Mit 14 schon auf ein Rockkonzert. Wie habt ihr das denn geschafft? Habt Ihr so tolerante Eltern, die euch alles erlauben?

Lena: Ganz einfach! Meine Mutter weiß, dass ich schon lange ein Fan von Luxuslärm bin, und deshalb hat sie sofort ja gesagt. Das war kein Problem. Außerdem hatte ich eine Freikarte.

Jonas: Bei mir war das schwieriger, aber da mein großer Bruder mitgekommen ist, waren meine Eltern dann schließlich doch einverstanden.

Nadja: Also, bei uns zu Hause war das total kompliziert. Meine Eltern hatten ganz schön Angst wegen der vielen Menschen, die immer zu solchen Konzerten kommen. Ich musste lange mit ihnen diskutieren und mir meine Karte auch von meinem Taschengeld bezahlen.

Station 2

② Ein berühmter Thomaner   p. 34

Journalistin: Wie war denn das bei euch?

Krumbiegel: Ja, meine rückblickende Sicht hat sich natürlich auch sehr geändert. Also ich weiß, dass ich damals erst mal gerne reingegangen bin in den Chor. Ich war deswegen gern dabei unter anderem, weil mein Bruder schon dabei war, mit Tobias in einer Klasse, und ich wollte da unbedingt hin als kleiner Junge. Und als ich dann älter wurde, als ich anfing zu pubertieren und eben gemerkt habe, hier geht's echt um Unterordnen und um ... ja sich selbst zurücknehmen, und dann war mir das irgendwie nix mehr. Also mit 15, 16 Jahren, als ich mit Wolfgang zusammen die erste Band gegründet hab' damals, wir ... also ich war am Ende doch sehr froh, als ich da raus bin, weil ich schon 'ne andere Art von Freiheit haben wollte, aber ich glaube dass das auch ziemlich normal ist als junger Mensch, dass du, wenn du eben dann 15, 16 Jahre alt bist,

dass du irgendwie andere Ideen hast, andere Dinge zu tun. Rückblickend ist es trotzdem so, dass ich genau weiß, was ich damals gelernt hab', was wir damals gelernt haben, ist unbezahlbar. Das, was du als Kind musikalisch da mitkriegst, dass du jeden Tag 2 Stunden Bach singst, kannst du in keinem Studium und in keiner Schule später lernen, also das ist wirklich wie eine zweisprachige Erziehung: Musik und Sprechen.

Bei mir war's eigentlich genau umgekehrt, dass ich sozusagen aus der Klassik kam. Meine Eltern, beide sehr klassisch ambitioniert, haben beide im Unichor in Leipzig gesungen, haben sich dort kennen gelernt. Wir haben zu Hause Hausmusik gemacht, ich hab' Cello gelernt und Trompete und später Klavier spielen, bis ich dann Schlagzeug anfangen wollte. Und das war für meine Eltern glaub' ich erst mal ein ziemlicher Schock, als ich dann gesagt habe, ich will aber hier ganz andere Musik machen. Und die haben mich damals versucht zu überreden: „Wenn du schon Schlagzeug machen willst, mach' doch bitte klassisches Schlagzeug." Und dann habe ich immer den Solopaukisten des Gewandhausorchesters vor meinem geistigen Auge gesehen, der beim Weihnachtsoratorium „pom, pom, pom, pom, pom" macht, und dann erst mal 1½ Stunden rumsitzt – dieses übertrieben jetzt – aber trotzdem eigentlich eher da eben nichts weiter macht, und da hab' ich gedacht „nee", das willste nicht machen, du willst kreativ deine eigene Musik machen, du willst was anderes machen. Bitte nicht klassische Musik machen! Wie gesagt, was wir damals gelernt haben: großartig, unbezahlbar, Gold wert!

Kapitel 3

Station 1

① Traumferien   p. 48

Am 10. März ging die weltgrößte Tourismus-Messe in Berlin zu Ende. Und da gibt es 2012 wieder einen neuen Reiserekord: 54 Millionen Deutsche unternahmen im letzten Jahr mindestens eine Urlaubsreise.

Aber wohin fahren die Deutschen? Die meisten träumen zwar von der Karibik, Australien und von den USA, reisten aber vor allem an die Ostsee, auf die Balearen und nach Italien. Jeder dritte Deutsche macht Urlaub in Deutschland, am liebsten an der Küste oder auch im Süden, vor allem in Bayern. Ein weiteres Drittel aller Urlaubsreisen geht ans Mittelmeer – besonders beliebt sind Spanien, Italien und die Türkei. Ein letztes Drittel verteilt sich auf andere Ziele weltweit.

Der Gewinner heißt aber Deutschland: 71 Prozent der Deutschen, die im letzten Jahr hierzulande ihren Urlaub verbracht haben, planen auch ihre nächsten Ferien in der Heimat.

Lust auf Deutschland also ... selbst wenn das Wetter nicht immer schön ist ... Ob das stimmt, und warum, hören wir gleich ...

Journalist: Wohin sind Sie im letzten Sommer gefahren?

1. Dieses Jahr war ich mit meinen Eltern in Italien – mein Vater wollte eigentlich nach Portugal, aber meine Mutter hat gesagt, nein, mit dem Auto dauert es eine Ewigkeit, lieber Italien, wie immer. Mir war's egal. Schließlich will ich nur am Strand rumchillen, die Sonne genießen und mich mit Freunden treffen, die jedes Jahr wieder kommen.

2. Hotels und Campingplätze sind uns zu teuer. Deswegen sind wir letzten Sommer zu meinem Bruder gefahren, den ich seit 2 Jahren nicht gesehen hatte. ... Er lebt in Schwaben auf einem gemütlichen Bauernhof ... So konnten wir die

Natur genießen und haben auch gesund gegessen.

3. Ich fahre dort hin, wo nicht alle hinfahren, ich mag nämlich keinen Massentourismus! Italien, Mallorca, nein danke! Am liebsten fahre ich mit dem Zug nach Bayern in ein kleines Dorf, wo ich mich ausruhen und den Stress abbauen kann. Dort schätze ich besonders die Gastfreundschaft der Leute.

4. Ich war mit meiner Freundin in den Bergen, in der Schweiz zum Wandern. Die Landschaft ist wunderschön, und Faulenzen ist nicht mein Ding! Der Körper braucht Bewegung und frische Luft, um Energie zu tanken. Wir sitzen ja sonst immer am Computer.

5. Am liebsten halte ich mich in einer Stadt auf, denn für mich soll der Ferienort lebendig sein! Dieses Jahr war ich in New York, meine erste Reise mit dem Flugzeug ... Ich wollte etwas Neues entdecken, Museen und Ausstellungen besuchen. Nächstes Jahr fahre ich nach Rom, ich hab' mir schon einen Reiseführer gekauft!

③ Anekdoten   p. 49

1. Also, wir waren Ende Juli am Königssee. Schon am ersten Tag wollte mein Bruder Leo unbedingt in den Bergen zu einer Aussichtsplattform wandern. Da passierte, was passieren musste. Nach einer halben Stunde habe ich mir den Fuß verstaucht. Stell dir vor, wir waren ganz allein – zum Glück hatte Leo sein Handy dabei. Er hat die Notrufnummer gewählt, und die Leute sind schnell gekommen.

2. Meine Ferien? Super! Na ja, der Anfang war etwas chaotisch. Wir waren zwei Wochen an der Ostsee. Also, Anreise okay, wir sind pünktlich und problemlos angekommen. Wir hatten ein niedliches Haus mit Blick auf die See gemietet! Da wollte ich gleich an den Strand – habe den Koffer ausgepackt, um meine Badesachen zu holen – und siehe da, es war nicht mein Koffer!

3. Ach deine Ferien! Die waren eigentlich sehr schön. Die Altstadt mit ihren zahlreichen Geschäften und Cafés hat mir sehr gut gefallen. Ich habe auch schöne Kirchen und Museen besichtigt. Und die Leute waren sehr freundlich! Aber die Rückfahrt war ein Albtraum. In der U-Bahn habe ich festgestellt, dass ich meine Kamera im Hotelzimmer vergessen hatte. Da bin ich noch schnell zum Hotel zurückgefahren. Meine Kamera habe ich wiedergefunden, aber dafür habe ich meinen Zug verpasst!

4. Im Dezember sind wir mit unseren Enkelkindern nach Salzburg gefahren. Wir wollten mit ihnen die weihnachtliche Atmosphäre der vielen Christkindlmärkte genießen, dort kann man wirklich von Adventzauber reden. Und die Österreicher sind so freundlich! Ich erzähle Ihnen was: Am letzten Abend habe ich mein Portemonnaie verloren, und unsere kleine Leni wollte unbedingt ein großes Herz aus Lebkuchen für ihre Mutter kaufen. Wissen Sie was? Sie hat es vom Händler geschenkt bekommen!

5. Dieses Jahr haben wir eine kurze, aber sehr schöne Reise nach Italien gemacht, meine Frau und ich. Die Kinder waren bei den Großeltern im Schwarzwald. Wir haben endlich unseren Traum verwirklicht und eine romantische Gondelfahrt durch die Kanäle gemacht. Leider gibt es auf der Piazza San Marco viele Touristen und ... Tauben! Als meine Frau mich vor dem Dogen-Palast fotografieren wollte, hat mich eine Taube vollgekackt! Sehr romantisch!

Station 2

② Wohin fahren wir?   p. 51

Inga: Mensch, jetzt konzentriert euch doch mal. Wir müssen entscheiden, wo's hingehen soll.

Emre: Hab mich schon entschieden. Wir fahren ins Adventure-Camp. Das ist spannend.

Lisa: Ich kann dort nicht hin. Ich habe wahnsinnige Höhenangst, und die wollen uns über so eine Seilbrücke jagen.

Emre: Komm schon, spiel dich nicht auf Lisa. Wenn du Angst hast, wird dein Marko dir die Hand halten.

Marko: Kann ich gerne machen, aber ich bin eher für Hamburg.

Inga: Also ich finde das Programm der Hamburgreise sehr abwechslungsreich. Schaut doch, hier findet jeder etwas.

Lisa: Kultur, Sport, Natur ...

Marie: Das denk' ich auch. Im Sauerland wird nur Sport geboten.

Fabian: Hey, hast du gelesen, was da steht? Naturschätze entdecken, mit dem GPS auf Schatzsuche gehen; wir werden dort malerische Landschaften mit modernster Technik erkunden.

Marie: Hmm. Stimmt.

Marko: Moment, wann fahren wir noch?

Inga: Im März.

Marko: Ok. Wo ist da das Wetter besser?

Emre: Marko, im März kann es immer und überall regnen, und besonders warm ist es auch nicht.

Lisa: Eben. Wenn es regnet, ist es in einer Stadt besser. Kunsthalle, Stadtrundfahrt, Musical: Das ist alles drinnen!

Fabian: Aber eine graue, verregnete Stadt ist doch traurig. Außerdem wohnen wir das ganze Jahr in einer Stadt. Lasst uns doch in die Natur raus! Das ist auch gesund.

Marie: Ich finde, Fabian hat recht. Eine Sportwoche wird uns gut tun.

Inga: Gut. Lasst uns abstimmen. Wer für das Adventure Camp ist, hebt die Hand. – Fabian, Marie, Emre, Marko. – Lisa, ich fürchte, wir sind in der Minderheit.

Lisa: Pff. Kulturbanausen. Auch du, Marko. Ich bin echt enttäuscht.

Inga: Ihr könnt später streiten. Da wir jetzt wissen, wo die Klassenfahrt hingehen soll, müssen wir ein Rundschreiben an die Eltern verschicken. Wer schreibt den Text?

Lisa: Ich, wie immer.

Inga: Danke Lisa. Jetzt müssen wir nur noch schauen, wie wir die Reise finanzieren können. Die Klassenfahrt kostet pro Schüler 170 Euro. Hinzu kommen noch 80 Euro für die Bahn. Einen Teil bezahlen die Familien, einen Teil subventioniert die Schule, aber wir brauchen noch Geld.

Emre: Wir können wieder Kuchen verkaufen. Meine Mutter macht sicher gerne wieder orientalische Leckereien.

Inga: Gut. Weitere Ideen?

Fabian: Ich schlage vor, wir organisieren mit der Foto-AG eine Ausstellung und verkaufen die Bilder.

Inga: Perfekt! Dann sind wir fertig. Jeder hat eine Aufgabe. Wir treffen uns nächsten Dienstag wieder.

Kapitel 4

Station 1

① Es lebe die deutsch-französische Freundschaft!   p. 64

Journalistin: Heute am 22. Januar feiern Deutschland und Frankreich ihre Freundschaft. Dass Deutsche und Franzosen sich so gut verstehen, ist schön. Es war aber nicht immer so harmonisch. Früher gab es zwischen Deutschen und Franzosen oft Kriege. Der letzte fand vor etwa 75 Jahren statt.

Mann: Während des 2. Weltkriegs zwischen 1939 und 1945 waren Deutschland und Frankreich Feinde. Auch nach dem Krieg hatten Deutsche und Franzosen Probleme miteinander. Das änderte sich aber unter dem deutschen Bundeskanzler Konrad Adenauer und dem französischen Präsi-

denten Charles de Gaulle. 1963 haben sie nämlich beschlossen, dass Deutschland und Frankreich sich wieder besser verstehen sollen. Deshalb haben sie den deutsch-französischen Freundschaftsvertrag unterschrieben. Darin steht, dass es nie mehr Krieg zwischen den beiden Ländern geben soll. Im Vertrag steht auch, dass die Regierungschefs sich mindestens zweimal im Jahr treffen, um über wichtige politische Fragen zu sprechen. Außerdem sollen sich Kinder und Jugendliche aus beiden Ländern früh kennen lernen, damit sie sich als Erwachsene auch gut verstehen.

So entstand 6 Monate später das Deutsch-Französische Jugendwerk, eine Organisation, die den Austausch zwischen jungen Franzosen und Deutschen in den unterschiedlichsten Bereichen fördert: Ausbildung, Kultur, Sport und Freizeit, Wissenschaft und Technik.

Seit dem Élysée-Vertrag spielt die deutsch-französische Freundschaft trotz politischer Differenzen weiter eine zentrale Rolle. Dank der engen Kooperation zwischen beiden Ländern wurde im Jahre 1992 der Vertrag über die Europäische Union unterzeichnet.

Journalistin: Und ihr? Habt ihr Geschichten, persönliche Erfahrungen zum Thema deutsch-französische Freundschaft? Schickt uns eure Videos oder Beiträge. Auf der Website des DFJW findet ihr auch eine Menge Informationen über die verschiedenen Austauschprogramme, und ihr könnt an spannenden Wettbewerben teilnehmen.

② Ausbildung ohne Grenzen   p. 64

Journalistin: Ich darf jetzt unseren Studiogast begrüßen. Guten Tag Matthieu.

Matthieu: Guten Tag.

Journalistin: Kannst du dich bitte kurz vorstellen?

Matthieu: Ja. Ich bin Matthieu Berger, 16 Jahre und komme aus Straßburg.

Journalistin: Und du sprichst sehr gut Deutsch. Wie kommt das?

Matthieu: Na ja, ich lerne seit der Grundschule Deutsch. Deswegen habe ich beschlossen, meine Berufsausbildung halb in Frankreich und halb in Deutschland zu machen.

Journalistin: Das klingt aber spannend! Kannst du das für unsere Zuhörer näher erklären?

Matthieu: Klar! Ich möchte KFZ-Mechaniker werden. Den theoretischen Teil meiner Ausbildung absolviere ich in einer Berufsschule in Straßburg, den praktischen Teil in einem deutschen Betrieb.

Journalistin: Aha! Dank dieser binationalen Ausbildung lernst du natürlich auch perfekt Deutsch.

Matthieu: Ja. Und ich lerne die Arbeitswelt in Deutschland kennen.

Journalistin: Dann gib uns mal deine Meinung. Welches sind die größten Unterschiede zwischen der französischen und der deutschen Ausbildung?

Matthieu: Meiner Meinung nach ist die französische Ausbildung theoretischer als die deutsche. In Deutschland ist sie eher praxisorientiert. Der Druck auf die Azubis ist in Frankreich glaube ich auch höher, wegen des Konkurrenzdenkens, das in Deutschland weniger stark ist.

Journalistin: Interessant. Wo wirst du, glaubst du, später arbeiten wollen?

Matthieu: Ich glaube, dass ich gerne in Deutschland arbeiten würde. Ich mag deutsche Autos. Außerdem ist man als Azubi in Deutschland sicher, nach der Ausbildung einen Arbeitsvertrag zu bekommen.

Journalistin: Und wo würdest du wohnen?

Matthieu: Am liebsten würde ich in Deutschland arbeiten und weiter in Frankreich wohnen. Trotz des Interesses an deutschen Autos ist Straßburg einfach meine Heimat.

Journalistin: Das hast du schön gesagt. Vielen Dank Matthieu und viel Erfolg bei deiner Ausbildung.

Matthieu: Danke.

Station 2

② Typisch französisch? Typisch deutsch? p. 66

Journalistin: Hat sich Ihr Bild von den Deutschen geändert, seit Sie in Deutschland leben?

Paul: Eigentlich schon. In Frankreich hören wir oft, die Deutschen seien diszipliniert, gründlich und fleißig. Na ja, es stimmt irgendwie. Aber sie können auch richtig feiern! Beim Karneval in Köln zum Beispiel, da ist die Hölle los! Es gibt Konzerte. Die Leute sind fröhlich, lachen, singen und machen total verrückte und lustige Sachen. Beim ersten Mal dachte ich, ich träume! So was gibt's in Frankreich nicht! Aber eins ist sicher: Am Aschermittwoch ist alles vorbei!

Fabienne: Zum Klischee Disziplin muss ich sagen, dass ich viel strenger bin als mein Mann, obwohl er Deutscher ist. Mit ihm gibt es immer Diskussionen und Kompromisse, fragen Sie mal meine Kinder! Das merke ich aber auch an der Schule, wo ich Französisch und Geschichte unterrichte. Da wird viel mehr diskutiert als in Frankreich.

Journalistin: Sind die Lehrer in Deutschland anders?

Damien: Die sind nicht viel anders, aber sie haben trotzdem einen anderen Kontakt zu den Schülern. Ich bin mit 14 nach Deutschland gezogen, und am Ende des Schuljahrs hat die Klassenlehrerin die ganze Klasse eingeladen. Wir haben mit ihrer Familie im Garten Kuchen gegessen und gespielt. Hier ist es nicht unüblich, aber in Frankreich habe ich das nie erlebt!

Journalistin: Sie haben in Frankreich gelebt. Oft gelten die Franzosen als arrogant. Wie stehen Sie dazu?

Sonja: Ach Quatsch! Ich glaube, das liegt daran, dass viele Franzosen sich nicht trauen, Fremdsprachen zu sprechen. Sie sind halt etwas reserviert, aber als ich ein Jahr lang Au-pair in Toulouse war, habe ich leicht Kontakte geknüpft. Und die Leute waren sehr hilfsbereit. Oft haben wir gemütlich zusammengesessen und über Gott und die Welt gesprochen.

Thomas: Was ich aber komisch finde, ist die Gewohnheit der Franzosen, Fremdwörter und fremde Namen französisch auszusprechen. Da versteht man gar nichts! Dazu fällt mir eine lustige Anekdote ein. Das war bei einem Schulaustausch. Da fragte mich meine Gastmutter: „T'aimes bien Bach?", und als ich sagte: „C'est qui? Je ne connais pas!", war sie total verblüfft „Quoi? Tu ne connais pas Bach??" und guckte mich mitleidig an. Erst später habe ich kapiert, dass sie damit Johann Sebastian Bach meinte!

Kapitel 5

Station 1

② Wir waren dabei! p. 80

Katja: Ich heiße Katja und bin 16 Jahre alt. Ich habe letzten Sommer an einem Designwettbewerb teilgenommen. Die Bewerber sollten ein Möbelstück entwerfen, auf dem man sitzen kann. Das konnte ein Sofa, ein Sessel oder ein Stuhl sein. Wir hatten Pastellfarben, Wasserfarben, Filzstifte und große weiße Blätter, auf denen wir unsere Möbel malten.

Ich habe ein Sofa entworfen. Das hat großen Spaß gemacht!

Eine Jury hat die schönsten drei Möbel ausgewählt

und die wurden dann von einer großen Firma produziert. Mein Sofa wurde leider nur Nummer fünf, aber bei über 50 Mitbewerbern ist das sehr gut.

Frederik: Ich bin der Frederik. Vor ungefähr drei Jahren habe ich begonnen, kurze Texte zu schreiben. Es sind Texte, die sich reimen und die von aktuellen Themen handeln.

Meine Freunde fanden immer, dass ich sie auf einer Bühne vorlesen sollte.

Aber ich traute mich nicht.

Im letzten Mai habe ich von Textstrom gehört. Ich glaube, das war das Zeichen, auf das ich gewartet hatte. Ich habe mich eingeschrieben und am Slam Wettbewerb teilgenommen.

Das war richtig cool! Volle Bude, alle gut gelaunt, einfach eine Stimmung, über die man sich freut. Ja, und ich habe auch einen Preis gewonnen!

Iris und Nina: Hallo, wir sind die Iris und die Nina, zwei Freundinnen aus dem Gutenberggymnasium in Erfurt. Wir haben uns bei Jugend forscht beworben und ein Gerät erfunden, mit dem man genau weiß, wie hart Eier gekocht sind. Man legt das Gerät, das wie ein halbes Ei aussieht, ins Wasser. Wenn das Ei roh ist, ist die Halbkugel weiß. Wenn es weich ist, ist sie gelb. Wenn man das Ei weiter kocht, wird die Halbkugel orange und schließlich rot.

Außerdem kann man die Farbe, die man will, vor dem Kochen einprogrammieren und das Gerät piepst dann.

Wir haben zwar nicht den ersten Preis gewonnen, aber eine Firma, die Küchengeräte produziert, hat sich für unser Gerät interessiert. Ist das nicht toll? Wir haben es beim Patentamt angemeldet.

Johannes: Ich bin Johannes und komme aus Jena. Seit ich ganz klein bin, fasziniert mich der Zirkus. Mit 5 Jahren konnte ich schon mit drei Bällen jonglieren und auf einem Einrad balancieren. Zirkus ist eine Welt, in der alle Träume möglich sind. Ich habe bei diesem Wettbewerb gezeigt, dass ich ein Talent besitze, über das alle staunen, an das man sich erinnert. Ich bin mit verbundenen Augen auf einem Seil Einrad gefahren, habe dabei mit 7 Bällen jongliert und *Simply The Best* gesungen. Ich bin in die Endrunde gekommen!

Station 2

③ Eine Besichtigung p. 83

Frau Eva Scharf: Herzlich willkommen in der Firma Born. Mein Name ist Eva Scharf, ich arbeite in der Marketingabteilung und werde euch heute durch die Fabrik führen.

Haben alle Schutzhauben und Überschuhe an? Gut. Dann kann's ja losgehen.

Hier in der Produktionsstätte der Firma Born werden jährlich 3000 Tonnen Senf produziert!

Bis 1993 wurden unsere Produkte in Erfurt hergestellt. Danach wurde die gesamte Produktion hierher, nach Bad Langensalza verlegt.

Hier seht ihr Bilder der Firmengründer. Zwei Brüder, Wilhelm und Louis Born, gründeten 1820 eine Fabrik, in der Senf, Essig und andere Produkte hergestellt wurden.

Bis ins Jahr 1970 wurde die Firma von der Familie geleitet. Dann wurde sie von der DDR verstaatlicht und die Familie wurde enteignet.

Nach der Wiedervereinigung wurde Born wieder ein Privatunternehmen. Der Firmensitz befindet sich in Erfurt. Dort kann man auch das Museum besichtigen, das den berühmten Produkten gewidmet ist. Sicher ist euch auch schon das Firmenlogo aufgefallen. Was seht ihr denn da?

Klaus: Einen Springbrunnen.

Frau Scharf: Genau. Dieser Springbrunnen stand auf dem ersten Firmengelände und wird seit dem Anfang des 20. Jahrhunderts als Logo benützt.

Von Born gibt es natürlich Senf, aber auch Mayonnaisen und Ketchup. Und nicht nur in Deutschland ist Born Senf beliebt, er wird nach Großbritannien und sogar nach China exportiert!

So. Wir gehen jetzt in eine Produktionshalle, bitte bleibt beisammen.

Hier werden die Senfkörner gemahlen. Das Resultat wird Maische genannt und mit Wasser, Salz, Zucker, Essig und Gewürzen gemischt.

Ich darf euch jetzt unseren Chefmaischer, Herrn Bernd Eberhardt, vorstellen.

Bernd Eberhardt: Guten Tag allerseits! Ja, ich zeige euch jetzt, wie der Senf, wenn er fertig ist, in Gläser oder Flaschen abgefüllt wird. Ich bin für die Qualität der Mischungen zuständig. Wir haben auch ein Labor, das sich um Qualitätskontrolle kümmert.

Frau Scharf: Vielen Dank, Herr Eberhardt.

Wir beenden unsere Führung mit einer Verkostung. Ich habe da zehn verschiedene Senfsorten, die ihr jetzt probieren könnt.

Klaus: Schau mal: Curry-Kokos-Senf! Hey, und hier ist Pfeffer-Ananas-Senf! Und Honig-Senf! Was es da alles gibt!

Kapitel 6

Station 1

① Tina und ihre Community p. 96

Tina: Mama, ich brauch' wirklich ein Smartphone.

Mutter: Du hast doch schon ein Handy, das gut funktioniert. Und Fotos macht es auch. Du hörst ja sogar Musik damit.

Tina: Ja, aber ein Smartphone hat Internet! Da kann man zum Beispiel total interessante Podcasts abonnieren, da wäre ich richtig gut informiert. Wenn ich ein Problem mit Hausaufgaben habe, kann ich im Chat schnell meine Freunde fragen oder eine Info online suchen, egal wo ich bin.

Mutter: Was ist mit deinem Laptop?

Tina: Ach Mama, das passt nicht in meine Tasche. Dann kauf mir ein Tablet, aber das ist noch teurer.

Mutter: Was ist denn das?

Tina: Na, so ein ganz kleiner Computer, so groß wie ein flaches Buch.

Mutter: Kommt nicht in Frage!

Tina: Du weißt ja gar nicht, wie viele Apps ein Smartphone hat. Wenn wir im Urlaub ein Smartphone hätten, könnte es uns den Weg zeigen.

Mutter: Also mir reicht eine Landkarte.

Tina: Du musst doch verstehen, wie wichtig ein Smartphone für mich ist, hier auf dem Land, so weit weg von meinen Freunden! Wenn ich ein Smartphone hätte, würde ich mich nicht immer so einsam fühlen. Ich wäre immer in Kontakt mit meinen Freunden.

Mutter: Ist es wirklich so wichtig, ständig mit anderen via Internet zu sprechen? Wie wäre es mit Telefonieren?

Tina: Telefonieren, das macht doch kein Mensch mehr! Meine Freunde haben alle ein Smartphone! Die sind immer in der Community, und alle wissen Bescheid. Ich bin immer die Einzige, die nicht weiß, was los ist.

Mutter: Ich sehe schon, wenn du ein Smartphone hättest, würde ich dich gar nicht mehr zu Gesicht bekommen. Also ich weiß nicht …

Station 2

② Clever durchs Netz: Ruft uns an! p. 98

Julia: Hallo. Ich kann mich seit einer Weile nicht mehr richtig konzentrieren. Ohne mein Smartphone geht gar nichts, in der Schule oder in der Freizeit. Wenn ich Hausaufgaben mache, surfe ich auch immer im Web, oder schreibe SMS und so. In der Schule bin ich nicht besonders gut, und es gibt ständig Stress mit meinen Eltern! Könnt ihr mir helfen?

Oskar: Mein Computer ist kaputt, und mir geht es auf einmal richtig schlecht, ich fühle mich nervös und allein und so. Denn mit meinen Freunden spielen wir alle die ganze Zeit dieselben Online-Games. Das ist noch besser als sich treffen, weil man da oft nicht weiß, was man machen soll. Und jetzt fehlt mein Computer mir schrecklich! Ist das normal?

Florian: Ich glaube, mein Freund ist süchtig nach seinen Computerspielen. Seit ein paar Wochen sehen wir uns nicht mehr, und er ruft auch nicht an. Er meint, er hat keine Zeit! Er sitzt mehr als 5 Stunden täglich vor seinem Bildschirm, und ich finde, er sieht nicht gesund aus. Er sagt, dass das Spiel viel spannender als der Alltag ist. Ich mache mir Sorgen! Was kann ich tun?

Kapitel 7

Station 1

② Eine Bootstour auf der Spree p. 113

So, alle mal herhören. „Tach aber auch." Willkommen zur Bootstour auf der „Spree-Perle". Wir beginnen die Fahrt am Hotel Abion und fahren jetzt eine Stunde lang durchs Stadtzentrum. Ich erzähle Ihnen ein bisschen was von meiner Stadt und den Sehenswürdigkeiten unterwegs.

Berlin ist ja im Moment ein sehr beliebtes Reiseziel, vor allem bei den jungen Leuten. Es ist auch eine junge Stadt: 25% seiner Bewohner sind zwischen 18 und 35 Jahren alt. Berlin hat fast 3,5 Millionen Einwohner.

Zuerst fahren wir mal durchs Regierungsviertel. Rechts von uns sehen Sie zeitgenössische Architektur, das Bundeskanzleramt. Na, wie gefällt es Ihnen? Böse Zungen nennen es auch „Kanzlerwaschmaschine". Teuer war es auch! Hier sehen Sie den Reichstag. 1894 ist das Parlamentsgebäude erbaut worden. Damals konnte man noch richtig bauen. Die restaurierte Kuppel wurde vom britischen Architekten Norman Foster gestaltet. Ich empfehle Ihnen, besteigen Sie die Glaskuppel an einem sonnigen Tag, denn der Ausblick ist großartig. Können Sie erkennen, welches hohe Gebäude dort hinten steht? Richtig, der Hauptbahnhof, wieder so was Modernes. Aber praktisch ist er. Hier fahren Züge, S-Bahnen und U-Bahnen auf verschiedenen Etagen, damit man schnell umsteigen kann.

So, jetzt fahren wir an der Museumsinsel vorbei. 5 große und weltberühmte Museen erwarten Sie hier. Ein bisschen Schlange stehen müssen Sie schon, um reinzukommen … An Ihrer Stelle würde ich mich ja lieber mit einer Currywurst ans Spreeufer setzen. Aber jedem nach seiner Façon.

Zu Ihrer Linken sehen Sie das DDR-Museum, in dem interaktiv der Alltag der DDR entdeckt werden kann. Nun erreichen wir ein imposantes Bauwerk vom Anfang des 20. Jahrhunderts, den Berliner Dom. Er wurde im Stil der italienischen Rennaissance erbaut und ist 116 Meter hoch.

So, jetzt liegt links von uns das Nikolaiviertel, das historische Zentrum Berlins mit der Nikolaikirche. Das Viertel ist Ende des 20. Jahrhunderts wieder mehr oder weniger originalgetreu hergestellt worden. Ein bisschen kitschig vielleicht, aber mir gefällt es!

Sehen Sie den hohen Turm dahinter? Richtig, das ist der Fernsehturm auf dem Alexanderplatz, dem

Alex, der architektonische Stolz der ehemaligen DDR, mit 368 Metern der höchste Turm Berlins. Als Abschluss sehen wir die „East Side Gallery", wo noch ein langes Stück der Berliner Mauer zu sehen ist. Diese Mauerreste wurden von Künstlern aus der ganzen Welt bemalt.

So, jetzt sind wir am Ende unserer Fahrt angekommen. Ich hoffe, Sie haben viel über Berlin erfahren, und wünsche Ihnen noch einen schönen Aufenthalt!

Station 2

① Neu in Berlin p. 114

Jonathan: Hallo?

Leo: Hallo Jonathan, ich bin's, Leo. Aus Berlin.

Jonathan: Mensch Leo, wie geht's? Wie war der Umzug? Und wie ist es so in der Hauptstadt??

Leo: Umziehen war total anstrengend, meine Mutter und ich haben eine Woche lang Kartons ausgepackt, und wir sind immer noch nicht fertig. Und Berlin, das ist eben Berlin.

Jonathan: Erzähl mal, was ist denn so anders als in Erlangen?

Leo: Hier ist immer was los, und es gibt viele Kieze. Davon hat jeder eine ganz eigene Atmosphäre.

Jonathan: Was ist denn ein Kiez ?

Leo: Na ein Viertel. Ich wohne in Kreuzberg, das ist ein Viertel südlich vom Stadtzentrum. Ich fahre mit dem Rad zur Schule. Nur wenn es regnet, nehme ich die U-Bahn.

Jonathan: Was ist sonst noch anders?

Leo: Na … in Erlangen ist in den letzten Jahren fast alles gleich geblieben, die Gebäude, die Kneipen und so, während hier in Berlin überall gebaut wird. Die Leute sagen, dass sich die Kieze ständig verändern, neue Bewohner zuziehen, neue Geschäfte eröffnen …

Jonathan: Und wie gefällt dir Kreuzberg?

Leo: Ein bisschen Heimweh habe ich schon noch, aber die vielen Nationalitäten finde ich toll. Kreuzberg ist viel bunter als Erlangen; die Bewohner stammen aus vielen Ländern. Unsere Nachbarn sind eine türkische Familie mit 5 Kindern. Über uns wohnen Studenten aus Frankreich und Spanien in einer WG. Wenn meine Mutter keine Zeit zum Kochen hat, und ich mir was zu essen kaufe, habe ich die Wahl zwischen einem türkischen Döner Kebab, französischen Schinkencroissants oder einem indischen Gemüseteller.

Jonathan: Und die Leute? Sind die Menschen freundlich?

Leo: Die meisten ja. Sie kennen sich hier fast alle und reden miteinander, wenn sie sich treffen. Der Mann am Kiosk weiß schon, welche Zeitung ich kaufe. Es ist hier auch ruhiger als ich dachte, obwohl wir in der Hauptstadt wohnen.

Jonathan: Stimmt es, dass es überall Graffiti gibt?

Leo: Ja klar, die gibt es hier auf fast allen Häusern. Sogar an meinem Haus, riesengroß. Und an der Fabrik hinter meinem Haus. Dort hat unsere Wohnung auch einen kleinen Garten. Super, oder? Und ich hatte Angst, dass hier alles nur grau wäre. Es gibt auch in der Nähe ruhige Orte, mit Wiese, fast wie auf dem Land.

Jonathan: Ich bin ganz neidisch! Da hast du Ruhe und kannst trotzdem viel unternehmen.

Leo: Das stimmt, aber es gibt auch Viertel, in denen es laut und hektisch ist. Zum Beispiel Berlin Mitte oder Charlottenburg. Überall Touristen und Leute, die einkaufen oder spazieren gehen.

Jonathan: Ich muss unbedingt nach Berlin!

Leo: Dann besuch mich doch in den nächsten Ferien.

Jonathan: Au das wäre toll!

Kapitel 8

Station 1

② Rundgang durch das Schloss p. 128

Sie sind nun im dritten Obergeschoss des Schlosses angelangt, in der königlichen Wohnung. Diese besteht aus acht Wohnräumen.

Sie befinden sich hier im Wohnzimmer, dessen Wände mit Szenen aus der Lohengrin-Legende verziert sind. Die deutschen Sagen, deren Helden den jungen König Ludwig immer schon fasziniert haben, sind im ganzen Schloss präsent.

Mit den Wänden und der Decke verglichen, wirken die Möbel für einen König relativ einfach. Der Raum ist auch nicht mit Möbeln vollgestellt. Auf der einen Seite sehen Sie einen Alkoven, in man sich zu privaten Gesprächen zurückziehen konnte. Alles hier wirkt wohnlich und gemütlich.

Neben dem Wohnzimmer wurde eine kleine Grotte eingerichtet, als Übergang zum Arbeitszimmer des Monarchen.

Station 2

① Apropos Legende … p. 130

Führerin: So, jetzt schaut euch mal die Bilder an den Wänden an. Seht Ihr den Mann in dem Kahn?

Elise: Den kenne ich! Das ist Lohengrin!

Führerin: Ganz genau. Und wisst Ihr auch, wer Lohengrin war?

Manuel: Ein Ritter.

Führerin: Ja, er war ein Ritter. Aber wisst Ihr auch, wer sein Vater war?

Manuel: Hmmm …

Führerin: Denkt an die berühmten Ritter der Tafelrunde.

Manuel: Parzifal?

Führerin: Richtig! Parzifal ist Lohengrins Vater. Sehen wir uns das Bild jetzt genauer an. Da kommt Lohengrin auf einem Kahn, der von einem Schwan gezogen wird. Wer ist dieser Schwan und wo bringt er Lohengrin hin?

Elise: Ich glaube, der Schwan ist ein verzauberter Prinz, oder so.

Führerin: Genau. Der Schwan ist Gottfried, Prinz von Brabant. Dieser holt Lohengrin nach Brabant.

③ Lohengrins Geheimnis p. 131

Führerin: Lohengrin soll dort gegen Telramund, den momentanen Herrscher, kämpfen, damit Gottfried die Herrschaft über sein Land zurückgewinnt.

Elise: Ach ja! Jetzt weiß ich's wieder! Lohengrin kämpft gegen Telramund und gewinnt.

Führerin: Ja. Und Lohengrin bietet Elsa, Gottfrieds Schwester, an, sie zu heiraten. Sie darf ihn jedoch nie fragen, wie er heißt und woher er kommt. Sonst ist Lohengrin für immer weg.

Svenja: Aber sie wird ihn fragen, oder?

Führerin: Ja. Deshalb muss er die Wahrheit sagen. Also tritt er vor das Volk und erklärt, dass er Parzifals Sohn ist. Er erklärt auch, dass er zurück in sein Reich muss.

Bevor er fortgeht gibt er dem Schwan seine menschliche Erscheinung zurück und erklärt den Prinzen Gottfried zum neuen Herrscher von Brabant. Dann verschwindet er, und Elsa stirbt vor Kummer.

Svenja: Wie traurig!

Führerin: Ja. Es ist eine spannende und traurige Geschichte. Richard Wagner, dessen Werke Ludwig II. sehr bewunderte, hat daraus eine Oper gemacht. So, seht euch nun die Bilder an und versucht, die Legende zu rekonstruieren.

1 La structure de base de l'allemand

La structure de base de l'allemand fonctionne à l'inverse du français : l'élément le plus important se trouve en dernière position et l'élément qui le détermine vient se placer à sa gauche.

→ *nach Berlin **fahren***

aller à Berlin

Cette structure, fondamentale en allemand, se retrouve dans le groupe infinitif, la proposition subordonnée, les noms composés, les nombres et l'expression de l'heure.

1 Le groupe infinitif

Le verbe à l'infinitif (le noyau du groupe) porte l'information principale et se trouve donc en dernière position. Les éléments qui apportent des précisions supplémentaires se placent à gauche de l'infinitif.

→ *mit dem Auto nach Berlin **fahren***
aller en voiture à Berlin

→ *der Freundin ein Geschenk **mitbringen wollen***
vouloir apporter un cadeau à son amie

2 La proposition subordonnée

Dans la proposition subordonnée, le verbe conserve la dernière place, comme dans le groupe infinitif. Mais il est conjugué et s'accorde avec le sujet.

Groupe infinitif :
→ *Hilfe **brauchen***

Proposition subordonnée :
→ *Sophie ruft die Mutter, weil sie Hilfe **braucht**.*

3 Les noms composés

• Dans les noms composés, le nom portant l'information la plus importante est en dernière place. Il est précédé par le ou les éléments qui le déterminent. Il donne son genre au nom composé, mais c'est le premier élément qui porte l'accent de mot.

→ *der Sportlehrer / die Sportlehrerin*

• On accentue *Sport*, car c'est l'élément qui précise de quel professeur il s'agit (*der Sportlehrer* et non pas *der Deutschlehrer*).

⚠ La traduction de ces mots en français n'est pas toujours automatique.

→ *der Klassenlehrer* (le professeur principal)

⚠ À noter dans certains noms composés la présence d'un « s » de jonction.

→ *die Ganztagsschule*
→ *der Weihnachtsmarkt*

4 Les nombres

De 13 à 99, la dizaine constitue l'élément de base. L'unité vient s'ajouter à gauche de la dizaine.

→ *fünfund**zwanzig*** (5 + 20)

vingt-cinq (20 + 5)

5 L'heure

L'heure pleine constitue l'élément de base.
→ *Es ist **zwei** (Uhr).*
→ *Es ist fünf nach **zwei** / Viertel vor **zwei** / halb **zwei**.*

2 L'organisation de la phrase simple

1 La place du verbe conjugué dans les différents types de phrases

• Dans la phrase simple, le **verbe** n'est plus en dernière position, comme dans le groupe infinitif ou dans la subordonnée. Il occupe la **première** ou la **deuxième place**, selon le type d'énoncé.

	Verbe en première place
L'interrogative globale	→ **Treffen** wir uns um sechs Uhr bei mir?
La phrase à l'impératif	→ **Bring** doch deine Gitarre mit!

	Verbe en deuxième place
L'interrogative partielle	→ Was **machst** du morgen?
La phrase déclarative	→ Der Junge **kauft** ein T-Shirt vom FC Bayern.

⚠ Par rapport au groupe infinitif ou à la subordonnée, seul le verbe conjugué se déplace en 1re ou 2e position. Les autres éléments, y compris les préverbes séparables, ne changent pas de place.

Groupe infinitif	der Freundin ein Geschenk **mitbringen**
Interrogative globale	**Bringst** du der Freundin ein Geschenk **mit**?

Déclarative	Sophie **bringt** der Freundin ein Geschenk **mit**.

• Dans la **proposition déclarative**, le verbe conjugué occupe la **2e place**, c'est-à-dire qu'il est le deuxième groupe à avoir une fonction dans la phrase. La 1re place est occupée par le sujet ou par d'autres compléments.

1er élément de la phrase	Verbe conjugué en 2e position	Exemple
Meine Klasse (sujet)	**macht**	einen Ausflug nach Saarbrücken.
Morgen (complément de temps)	**schreibt**	ihr eine Klassenarbeit.
In der Jugendherberge (complément de lieu)	**ist**	kein Platz frei.
Den Fotoapparat (complément d'objet)	**nehme**	ich auch mit.
Mit dem Fahrrad (complément de moyen)	**bist**	du in einer Viertelstunde in der Schule.

⚠ Certains éléments ne comptent pas comme premier élément. Ce sont par exemple les conjonctions de coordination *und*, *aber*, *oder*, ainsi que *ja* et *nein*.

→ <u>Nein, ich</u> ⟨habe⟩ keinen Hunger, <u>aber ich</u> ⟨habe⟩ Durst.
    0   1   2   0   1   2

2 L'interrogative partielle

L'interrogative partielle, comme son nom l'indique, porte sur une partie de la phrase. Elle est introduite par un mot interrogatif en **w-**.

Les principaux mots interrogatifs

Exemple	La question porte sur	Traduction
Wer ruft an?	la personne sujet	Qui appelle ?
Wen rufst du an?	la personne complément à l'accusatif	Qui appelles-tu ?
Wem schreibst du?	le « bénéficiaire » (datif)	À qui écris-tu ?
Wo wohnst du?	le lieu où l'on est	Où habites-tu ?
Wohin fährt er?	le lieu où l'on va	Où va-t-il ?
Woher kommen Sie?	le lieu d'où l'on vient	D'où venez-vous ?
Was machst du heute Nachmittag?	le sujet ou complément d'objet (chose ou événement)	Que fais-tu / Qu'est-ce que tu fais cet après-midi ?
Wann hast du morgen Schule?	le temps	Quand as-tu école demain ?

Wie machst du das?	le moyen, la manière	Comment fais-tu ?
Warum machst du bei diesem Programm mit?	la cause	Pourquoi participes-tu à ce programme ?

On trouve aussi des composés avec *wie*.

→ **Wie alt** bist du? Quel âge as-tu ? (*How old?* en anglais)
→ **Wie oft** hast du Fußball pro Woche? Combien de fois as-tu foot par semaine ? (*How often?*)

Wen (accusatif) et *wem* (datif) peuvent se combiner avec une préposition.

→ An **wen** denkst du? (À qui penses-tu ?)
→ Mit **wem** telefonierst du? (À qui téléphones-tu ?)

Lorsque la question porte sur un objet ou un événement, on utilise un interrogatif composé de **wo(r)-** et de la préposition. On ne conserve le *r* de **wor** que lorsque la préposition commence par une voyelle :

→ **Woran** denkst du? (À quoi penses-tu ?)
→ **Womit** hast du den Stuhl repariert? (Avec quoi as-tu réparé la chaise ?)

La négation avec *nicht*

Nicht se place devant les éléments que l'on veut nier. Quel que soit le type de phrase, il conserve la place qu'il a dans le groupe infinitif.

Groupe infinitif → **nicht** mit dem Auto nach Berlin fahren **wollen**

Subordonnée → Martin sagt, dass er **nicht** mit dem Auto nach Berlin fahren **will**.

Déclarative → Martin **will nicht** mit dem Auto nach Berlin fahren.

⚠ Pour nier un groupe indéfini, on utilise *kein* (voir p. 156).

⚠ La négation partielle ne porte que sur un élément de la phrase. Cet élément porte un accent d'insistance et *nicht* se place directement devant cet élément.

→ *Ich komme **nicht am Mittwoch** zu dir, sondern erst am Donnerstag.*

 ## La subordonnée

Une proposition subordonnée ne peut pas fonctionner seule. Elle dépend d'un autre groupe, le plus souvent une proposition principale. Les deux propositions (principale et subordonnée) forment alors une phrase complexe et sont séparées par une virgule.

La proposition subordonnée conjonctive

Elle est introduite par une conjonction de subordination et le verbe conjugué reste en dernière place, c'est-à-dire à la place qu'occupe le verbe dans le groupe infinitif.

a. Les subordonnées complétives (en fonction complément d'objet)

	Phrase simple	Subordonnée
Déclarative	Till **interessiert** sich für Frankreich.	Jan sagt dem Mädchen, **dass** Till sich für Frankreich **interessiert**.
Interrogative globale	**Mag** Coraline Tiere**?**	Till möchte wissen, **ob** Coraline Tiere **mag**.
Interrogative partielle	**Woher kommt** Coraline?	Till fragt Meike, **woher** Coraline **kommt**.

b. Les subordonnées circonstancielles

Conjonctions de subordination	Expression de	Exemples
weil, da	la cause	Sophie will nach Frankreich, **weil** sie sich für andere Kulturen interessiert. **Da** mein Bruder mitkommt, darf ich zum Konzert.
wenn	- la condition - la répétition dans le temps (à chaque fois que)	**Wenn** das Wetter schön ist, fahren wir ans Meer. **Wenn** wir nach Berlin fahren, gehen wir immer ins KaDeWe.
als	un moment du passé	Ich war zehn Jahre alt, **als** ich zum ersten Mal nach Berlin fuhr.
damit	le but	Der Direktor macht alles, **damit** die Jugendlichen sich im Internat wohlfühlen.
obwohl	la restriction, la concession	**Obwohl** wir so müde waren, sind wir noch durch den Schlosspark gegangen.
während	- l'opposition - la simultanéité	**Während** sehr viele Deutsche die Sommerferien in Frankreich verbringen, fahren die Franzosen lieber in den Süden. **Während** ihr die Stadtführung macht, warte ich in der Konditorei.
bevor	l'antériorité	**Bevor** wir uns die Stadt ansehen, bringen wir unser Gepäck ins Hotel.
nachdem	la postériorité	**Nachdem** wir uns im Hotel ausgeruht hatten, haben wir den Reichstag besichtigt.

⚠ Dans une phrase complexe qui commence par une subordonnée, celle-ci est le premier élément de la phrase. Elle est immédiatement suivie du verbe de la principale qui occupe ainsi la deuxième place dans la phrase.

→ *Wenn es friert,* │ *können* │ *wir Schlittschuh laufen.*

        1   2

2 La subordonnée infinitive

Dans la subordonnée infinitive, le verbe est à l'infinitif et donc en dernière position. Il est précédé de *zu*.

→ *Ich habe keine Lust, den ganzen Tag hier **zu bleiben**.*

Dans le cas d'un verbe à préverbe séparable, *zu* se place toujours devant le radical du verbe.

→ *Ich finde es toll, in der Innenstadt ein**zu**kaufen.*

Pour exprimer le but, on peut utiliser une subordonnée infinitive introduite par *um*.

Remarque : Une subordonnée relative ne dépend pas d'une proposition principale. Elle complète un nom et s'intègre à un groupe nominal (voir p. 158).

→ *Sophie macht beim Sauzay-Programm mit, **um** ihr Deutsch **zu verbessern**.*

L'infinitive introduite par *anstatt* (au lieu de) permet d'exprimer une opposition.

→ ***Anstatt** immer mit dem Bus **zu fahren**, solltest du zu Fuß zur Schule gehen.*

L'infinitive introduite par *ohne* (sans) est complément de manière.

→ *Er trat ins Wohnzimmer, **ohne** uns **zu begrüßen**.*

4 Le groupe nominal

L'élément essentiel d'un groupe nominal est le nom. Un groupe nominal peut n'être constitué que d'un nom seul.

→ *Musik* dans *Ich mag Musik.*

Mais le plus souvent, il comporte plusieurs éléments, en particulier un déterminant.

→ *der Direktor, mein Lieblingssport*

Le nom peut aussi être déterminé par un adjectif, un nom au génitif saxon ou un complément.

→ *die **neue** Schülerin*   → ***Vanessas** Bruder*
→ *das Mädchen **aus Berlin*** → *der Vater **meines Freundes***

Il peut également être suivi d'une subordonnée relative.

→ *Die Leute, **die in diesem Haus wohnen**, …*

Le groupe ainsi formé peut être remplacé par un pronom.

→ *Vanessas Bruder*
→ <u>*Der Bruder meiner Freundin*</u> ⎫ *heißt Leo.*
    Er   ⎭

1 Les trois genres

L'allemand possède trois genres : le masculin (*der*), le féminin (*die*) et le neutre (*das*).

⚠ Les genres des noms allemands ne correspondent pas toujours à ceux des noms français.

→ ***der** Tisch* (la table) ; ***die** Sonne* (le soleil)

Le neutre pourra aussi bien correspondre à un féminin qu'à un masculin français.

→ ***das** Mädchen* (la jeune fille) ; ***das** Wetter* (le temps)

2 Le pluriel

Au pluriel, on ne fait plus la distinction entre les genres et il n'y a qu'une seule forme pour les trois genres.

→ *Die Männer* ⎫
→ *Die Kinder* ⎬ *spielen Tennis.*
→ <u>*Die Freundinnen*</u> ⎭
    Sie

En français, on utilise essentiellement un « s » pour marquer le pluriel d'un nom, mais l'allemand possède de nombreuses marques de pluriel. Quand on apprend un nom, il faut donc l'apprendre avec son genre et son pluriel.

On présente toujours un nom sous la forme d'un groupe nominal au singulier avec :
– un article défini au nominatif qui nous indique le genre de ce nom,
– la marque du pluriel.

→ *der Mann(⸚er)* nous indique que *Mann* est masculin et que son pluriel est *die Männer*.
→ *der Bruder(⸚)* → masculin, pluriel *die Brüder*
→ *das Mädchen(-)* → neutre, pluriel *die Mädchen* (inchangé)
→ *das Kind(er)* → neutre, pluriel *die Kinder*
→ *die Gitarre(n)* → féminin, pluriel *die Gitarren*

a. L'article défini (*der, die, das*)

L'article défini s'emploie quand l'élément dont on parle est déjà connu ou identifié.

→ *die Stadt* (la ville dont je parle et non pas une ville parmi d'autres)

b. L'article indéfini (*ein*)

On emploie l'article indéfini pour désigner des éléments indéterminés, que l'on ne connaît pas ou que l'on n'identifie pas avec précision.

→ *Ich suche einen Austauschpartner in Frankreich.*

⚠ Au pluriel, un groupe indéfini s'emploie sans article, là où le français utilise l'article « des ».

→ *Ich brauche **eine Briefmarke**.* (un timbre)
→ *Ich brauche **Briefmarken**.* (des timbres)

c. La forme négative (*kein*)

• Pour nier un groupe indéfini (*eine Briefmarke, Ø Briefmarken*), on emploie la forme négative *kein. Kein* prend les mêmes terminaisons que *ein / eine*.

→ *Ich habe **keine Briefmarke**.* (singulier)
→ *Ich habe **keine Briefmarken**.* (pluriel)

• *Kein* sert également à nier les éléments que l'on ne peut pas dénombrer : le groupe partitif (*du café, de l'eau minérale...*) et les expressions sans déterminant telles que *Geld, Zeit, Lust haben*.

→ *Ich trinke **keinen** Kaffee.*
→ *Ich habe **kein** Geld / **keine** Zeit / **keine** Lust.*

	Forme affirmative	Forme négative
Groupes indéfinis singulier (masc., fém., n.)	einen Freund ⎫ eine Briefmarke ⎬ haben ein Auto ⎭	keinen Freund ⎫ keine Briefmarke ⎬ haben kein Auto ⎭
Groupes indéfinis pluriel	Ø Briefmarken haben	keine Briefmarken haben
Groupes partitifs (masc., fém., n.)	Ø Kaffee ⎫ Ø Milch ⎬ mögen Ø Fleisch ⎭	keinen Kaffee ⎫ keine Milch ⎬ mögen kein Fleisch ⎭

d. Le déterminant possessif

Le déterminant possessif prend la même terminaison (marque de genre, de nombre et de cas) que l'article indéfini.

→ ***ein** Freund* → ***mein** Freund*
→ ***eine** Gitarre* → ***meine** Gitarre*

Le choix du déterminant dépend du possesseur.

Possesseur	Pronom personnel	Déterminant possessif
1re pers. du singulier	ich	**mein** Bruder
2e pers. du singulier	du	**dein** Bruder
3e pers. du singulier	er / es (masculin/neutre)	**sein** Bruder
	sie (féminin)	**ihr** Bruder
1re pers. du pluriel	wir	**unser** Bruder
2e pers. du pluriel	ihr	**euer** Bruder **eure** Schwester
3e pers. du pluriel	sie	**ihr** Bruder
forme de politesse	**Sie**	**Ihr** Bruder

Comme en anglais, à la 3e personne du singulier, le possessif varie selon le genre du possesseur.

• Possesseur masculin ou neutre :
→ *Das ist **Lukas**. **Sein** Bruder heißt Fred.* (**his** brother)

• Possesseur féminin :
→ *Das ist **Vanessa**. **Ihr** Bruder heißt Leo.* (**her** brother)

Pour choisir le déterminant possessif qui convient :
• on doit d'abord se demander qui est le possesseur.

→ *Lukas* → ***sein***
→ *Vanessa* → ***ihr***
→ *du* → ***dein***
→ *wir* → ***unser***

• on ajoute ensuite la terminaison en fonction du genre, du nombre et du cas du nom qui suit.

→ *Lukas ruft sein**e** Mutter an.* → *Findest du dein**Ø** Handy?*
→ *Vanessa ruft ihr**en** Bruder an.* → *Wir müssen auf unser**e** Eltern warten.*

e. Le génitif saxon

Pour exprimer l'appartenance, l'allemand utilise aussi le génitif saxon. Il s'emploie avec un nom propre. Le nom propre prend un « s » à la fin et il joue le rôle du déterminant.
→ *Vanessa**s** Bruder heißt Leo.*

Lorsque le nom propre se termine déjà par « s », « ß » ou « x », on utilise uniquement l'apostrophe.
→ *Lukas' Schwester heißt Anke.*

f. Autres déterminants

• Le démonstratif *dieser, dieses, diese* (ce, cette) se décline comme *der, die, das*.
→ ***Dieses** Mädchen heißt Vanessa.* (Cette fille s'appelle Vanessa.)

• Les quantificateurs *jeder* (chaque) et *alle* (tous) se déclinent comme *der, die, das*.
→ ***Jeden** Sonntag* (chaque dimanche, tous les dimanches)
→ *An **alle** Schüler aus der 10a.* (À tous les élèves de 10e a.)

• *Viele* (beaucoup de), *einige* (quelques), *wenige* (peu de) s'emploient principalement au pluriel. Ils se déclinent comme l'adjectif épithète.

→ *viele **große** Städte*   → *nur **wenige** Schüler*

Les cas

L'allemand possède quatre cas : le nominatif, l'accusatif, le datif et le génitif.

Chaque cas correspond à une fonction du groupe nominal. La terminaison portée le plus souvent par le déterminant est la marque du genre, du nombre et du cas du groupe nominal. Elle est en quelque sorte une étiquette qui fournit des informations sur le groupe nominal.

a. Le nominatif

Le nominatif correspond à la fonction **sujet** ou **attribut du sujet**.

→ *Dieser Vorschlag ist sehr interessant.*
      sujet

→ *Frau Liebermann ist unsere Klassenlehrerin.*
                      attribut du sujet

b. L'accusatif

L'accusatif est essentiellement le cas du complément d'objet du verbe (qui répond à la question *was?* ou *wen?*). Seul le masculin a une forme différente au nominatif et à l'accusatif : il prend la marque **-n** à l'accusatif (voir **6** p. 158).

→ *Ich kaufe einen Hamburger.*

c. Le datif

Le datif correspond à deux types de complément.

• Certains verbes sont suivis d'un complément d'objet au datif : *helfen, danken, gratulieren*... Ce complément désigne généralement le « bénéficiaire » d'une action.

→ *Benjamin hilft seiner Freundin.*
→ *Das Mädchen dankt dem Freund.*

• Par ailleurs, de nombreux verbes peuvent être suivis d'un complément à l'accusatif qui désigne l'objet transmis et d'un complément au datif qui désigne le bénéficiaire ou le destinataire. (On l'appelle aussi « complément d'objet second ».)

→ *Sophie bringt ihrer Freundin ein Puzzle mit.*
               Cᵗ datif   Cᵗ accusatif

• Les marques du datif sont **-m** au masculin et au neutre, **-r** au féminin. Au pluriel, la marque est double : le déterminant prend la terminaison **-n** et on ajoute également **-n** au nom.

Masculin / Neutre	*Der Junge gratuliert dem Großvater zum Geburtstag.*
Féminin	*Jens dankt seiner Freundin.*
Pluriel	*Der Junge dankt seinen Freunden.*

d. Le génitif

Le génitif correspond à la fonction complément du nom.

→ *Der Vater **meines Freundes** arbeitet bei BMW.*
           groupe nominal sujet

⚠ Le complément de nom au génitif n'a pas une fonction propre au niveau de la phrase. Dans l'exemple ci-dessus, *meines Freundes* complète *der Vater* et forme avec lui le groupe sujet de la phrase.

Les marques du génitif sont :

– **-r** au féminin et au pluriel.

→ *die Besichtigung der Schlösser*

– au masculin et au neutre la marque est double, **-s** sur le déterminant et **-s** sur le nom.

→ *die Besichtigung des Schlosses*

---

5 **Les pronoms personnels**

• Les pronoms personnels de la **3ᵉ personne** servent à remplacer des groupes nominaux. Ils se déclinent comme le groupe nominal et portent la marque de genre, de nombre et de cas.

→ *Ich will meine Freundin anrufen.* → *Ich will **sie** anrufen.*
→ *Der Direktor gratuliert den Kindern.* → *Der Direktor gratuliert **ihnen**.*

Voir **6** tableau récapitulatif.

• À la **1ʳᵉ** et à la **2ᵉ personne**, les pronoms personnels désignent la ou les personnes qui parlent ou auxquelles on s'adresse.

⚠ À la forme de politesse, on utilise les pronoms de la 3ᵉ personne du pluriel avec une majuscule.

⚠ Le pronom réfléchi renvoie à la même personne que le sujet. À la 1ʳᵉ et à la 2ᵉ personne, il est identique au pronom personnel, mais a une forme particulière à la 3ᵉ personne.

→ *Ich interessiere **mich** für Sport.* → *Das Mädchen interessiert **sich** für Sport.*
→ *Wir wollen **uns** den Film ansehen.* → *Sie wollen **sich** den Film ansehen.*

		Nominatif	Accusatif	Datif
Singulier	1ʳᵉ personne	ich	mich	mir
	2ᵉ personne	du	dich	dir
Pluriel	1ʳᵉ personne	wir	uns	uns
	2ᵉ personne	ihr	euch	euch
Forme de politesse		Sie	Sie	Ihnen

6 Récapitulatif : la déclinaison du groupe nominal

	Nominatif	Accusatif	Datif	Génitif
Masculin	**der** Freund ein**Ø** Freund er	**den** Freund ein**en** Freund ihn	**dem** Freund ein**em** Freund ihm	**des** Freunde**s** ein**es** Freunde**s**
Neutre	**das** Pferd ein**Ø** Pferd es		**dem** Pferd ein**em** Pferd ihm	**des** Pferde**s** ein**es** Pferde**s**
Féminin	**die** Freundin ein**e** Freundin sie		**der** Freundin ein**er** Freundin ihr	**der** Freundin ein**er** Freundin
Pluriel	**die** Freunde **Ø** Freunde sie		**den** Freunde**n** **Ø** Freunde**n** ihnen	**der** Freunde **Ø**

⚠ Certains noms masculins prennent la terminaison **-(e)n** à toutes les formes sauf au nominatif singulier. On les appelle « masculins faibles ».

→ *der Held → den Helden* (accusatif sing.) → *des Helden* (génitif sg.) → *die Helden* (pluriel)

Dans un lexique, ils apparaissent sous la forme suivante : *der Held(en, en)*.

Ce sont souvent des noms d'êtres humains (*der Mensch, der Prinz, der Junge*), d'animaux (*der Bär, der Löwe*), d'habitants (*der Franzose, der Chinese*) ou des noms d'origine étrangère (*der Student, der Pilot, der Soldat*).

7 Le groupe nominal avec adjectif épithète

• À la différence du français, l'adjectif épithète se place toujours devant le nom.

→ *Dieses Festival ist ein **großes musikalisches** Erlebnis.*

• Dans **un groupe nominal défini**, c'est le déterminant qui porte la marque de genre, de nombre et de cas. L'adjectif prend alors la terminaison **-e** ou **-en**.

• Dans **un groupe nominal indéfini**, lorsque le déterminant porte la marque, l'adjectif prend également les terminaisons **-e** ou **-en**. Lorsque le déterminant ne porte pas la marque, ou lorsqu'il n'y a pas de déterminant, la marque se reporte sur l'adjectif.

• Au datif et au génitif, dans un groupe nominal avec déterminant, c'est toujours le déterminant qui porte la marque et l'adjectif prend la terminaison **-en**.

→ *de**m** neuen Schüler ; de**s** neuen Schüler**s** ; de**n** kleinen Kinder**n** ; de**r** kleinen Kinder.*

	Nominatif	Accusatif
Masculin	de**r** neue Schüler ein**Ø** neu**er** Schüler	de**n** ein**en** } neu**en** Schüler
Neutre	da**s** ruhige Mädchen ein**Ø** ruhig**es** Mädchen	
Féminin	di**e** ein**e** } nett**e** Dame	
Pluriel	di**e** klein**en** Kinder **Ø** klein**e** Kinder	

⚠ En allemand, l'adjectif attribut est invariable.

→ *Till und Meike sind sehr sportlich.*

⚠ Certains adjectifs sont utilisés comme des noms. Ils prennent une majuscule et continuent à se décliner comme un adjectif épithète. On ne doit pas les confondre avec des masculins faibles (voir **6**).

→ *ein Deutscher / einen Deutschen* (masc.), *eine Deutsche* (fém.), *Deutsche, die Deutschen.*

De même : *ein Kranker, eine Angestellte, etwas Besonderes*

8 La subordonnée relative complément d'un nom

La subordonnée relative permet de préciser (ou déterminer) un nom. Elle forme avec le nom un groupe nominal élargi.

→ *Frag **den** Mann, **der** das Tablett mit Kaffee und Kuchen trägt.*

Le pronom relatif *der* remplace l'**antécédent** *den Mann*, dont il prend le genre et le nombre (masculin singulier), mais il se met au cas qui correspond à sa fonction dans la subordonnée (*der*, sujet du verbe *trägt*, est au nominatif). La proposition relative n'a pas de fonction propre dans la phrase. Elle complète l'antécédent et forme avec lui le groupe complément d'objet du verbe *fragen*. On peut remplacer tout le groupe par un pronom personnel.

→ *Frag den Mann, der das Tablett mit Kaffee und Kuchen trägt.*
   ihn

Dans la majorité des cas, le pronom relatif a la même forme que l'article défini.

→ *Hier ist der Reiseführer, **den** ich in Berlin gekauft habe.*

Il se distingue de l'article défini uniquement au datif pluriel et au génitif.

datif pluriel : → *Die Freunde, **denen** ich meine Texte gezeigt habe, fanden sie ganz toll.*

génitif masculin et neutre : → *Siegfried, **dessen** Vater König von Xanten war, ging nach Worms.*

génitif féminin et pluriel : → *Elsa, **deren** Bruder Gottfried verschwunden war, sollte ihre Unschuld beweisen.*

Le pronom relatif au génitif remplace l'antécédent et a dans la relative la fonction complément du nom. Le groupe se construit comme le génitif saxon :

dessen Vater = Siegfrieds Vater

Le pronom relatif peut être précédé d'une préposition. Il se met alors au cas exigé par la préposition.

→ *Der Junge, **über den** alle staunen, kann Einrad fahren.*

---

5 Les degrés de l'adjectif : comparatif et superlatif

- Comparatif d'**égalité**.

→ *Manon ist **so alt wie** ich.*

- Comparatif d'**infériorité**.

→ *Ich bin aber **nicht so groß wie** sie.*

- Comparatif de **supériorité (degré 1 de l'adjectif)** : On le forme en ajoutant **-er** à l'adjectif. La comparaison est introduite par la conjonction *als*.

→ *In Deutschland sind Videospiele **billiger als** in Frankreich.*

- Le **superlatif (degré 2 de l'adjectif)** : On ajoute **-st** à l'adjectif. L'adjectif épithète conserve en outre sa terminaison (voir déclinaison p. 158). Il ne peut être précédé que d'un article défini ou d'un déterminant possessif.

→ *In diesem Geschäft findet man **die billigsten Videospiele**.*

⚠ Certains adjectifs prennent également l'inflexion.

*alt → **älter** → der **älteste***

De même : *stark, gesund, jung, kalt, warm, lang, kurz, groß…*

⚠ Certaines formes sont irrégulières.

*gut → **besser** → **der / die / das beste***
*nah → **näher** → **der nächste** (le plus proche, le suivant)*
*hoch → **höher** → **der höchste***

De même :

*viel → **mehr**   gern → **lieber***

- L'adjectif au comparatif de supériorité peut également :

– modifier un verbe :

→ *Er arbeitet **besser** als sein Bruder.*

– s'employer comme adjectif épithète pour comparer deux personnes ou objets :

→ *Herr Weber hat zwei Söhne. Der **ältere** arbeitet in Frankreich.* (= le plus âgé des deux)

Lorsque la comparaison porte sur plus de deux éléments, on emploie le superlatif :

→ *Nils ist **der jüngste** Schüler in der Klasse.*

---

6 Le groupe prépositionnel

C'est un groupe constitué d'une préposition suivie le plus souvent d'un groupe nominal ou d'un pronom, parfois d'un mot invariable.

→ *mit dem Großvater*   → *mit ihm*
→ *mit dir*   → *nach rechts*

Le groupe nominal ou le pronom se mettent au cas exigé par la préposition. Il faut donc apprendre la préposition et le cas qu'elle exige.

1 Prépositions suivies de l'accusatif

durch (à travers), **für** (pour), **gegen** (contre), **ohne** (sans), **um** (autour de)

→ *Rotkäppchen ging **durch den Wald**.*
→ *Dann bitte **ohne mich**!*
→ *Dieser Mann ist **um die Welt** gereist.*

2 Prépositions suivies du datif

mit (avec), **von** (de), **aus** (en provenance de), **bei** (chez, près de), **nach** (direction/après), **zu** (vers, à), **seit** (depuis)

→ *Ich verbringe zwei Monate **bei meinem Austauschpartner**.*
→ ***Nach der Schule** gehen wir ins Eiscafé.*
→ *Er wohnt **seit zwei Jahren** in Berlin.*

Prépositions suivies de l'accusatif ou du datif

Ces prépositions entraînent l'accusatif ou le datif, selon qu'elles expriment le changement de lieu (directif) ou | le séjour dans un lieu (locatif).

*Die Kinder gehen **in die** Schule.* (Les enfants vont à l'école.)	*Die Kinder sind **in der** Schule.* (Les enfants sont à l'école.)
*Leg das Handy **auf den** Schreibtisch!* (Pose le portable sur le bureau !)	*Dein Handy liegt **auf dem** Schreibtisch.* (Ton portable est sur le bureau.)
*Du hast es **hinter den** Computer gelegt!* (Tu l'as posé derrière l'ordinateur !)	*Liegt es nicht **hinter dem** Computer?* (Il n'est pas derrière l'ordinateur ?)
*Ich hänge das Porträt **an die** Wand.* (J'accroche le portrait au mur.)	*Das Porträt hängt **an der** Wand.* (Le portrait est accroché au mur.)
*Stell doch den Papierkorb **unter den** Tisch!* (Mets donc la poubelle sous la table !)	*Die Katze schläft **unter dem** Bett.* (Le chat dort sous le lit.)
*Häng das Bild **über das** Sofa.* (Accroche le tableau au-dessus du canapé.)	*Dichter Nebel liegt **über der** Stadt.* (Un épais brouillard recouvre la ville.)
*Marie, stell dich für das Foto **vor die** Oma!* (Marie, mets-toi pour la photo devant ta grand-mère.)	*Papas Auto steht **vor dem** Rathaus.* (La voiture de papa est devant la mairie.)
*Lukas, setz dich **neben den** Opa!* (Lukas, assieds-toi à côté de ton grand-père.)	*Lukas sitzt **neben dem** Opa.* (Lukas est assis à côté du grand-père.)
*Alice, setz dich **zwischen deine** Großeltern!* (Alice, assieds-toi entre tes grands-parents.)	*Alice sitzt **zwischen den** Großeltern.* (Lukas est assise entre ses grands-parents.)

Prépositions suivies du génitif

wegen (à cause de), *trotz* (malgré), *während* (pendant), *dank* (grâce à) peut également être suivi du datif.

→ ***Wegen des Regens** mussten wir auf die Wanderung verzichten.*

→ ***Dank der Unterstützung** ihrer Lehrer konnte Julia ihre Karriere als Geigerin verfolgen.*

7 Le verbe

Le présent de l'indicatif

a. Les auxiliaires *sein*, *haben* et *werden*

	sein (être)	haben (avoir)	werden (devenir)
ich	bin	habe	werde
du	bist	hast	wirst
er, sie, es	ist	hat	wird
wir	sind	haben	werden
ihr	seid	habt	werdet
sie, Sie	sind	haben	werden

⚠ **Werden** employé avec un verbe à l'infinitif permet d'exprimer **le futur**. On utilise cette forme pour insister (réalisation certaine, promesse, engagement).

→ *Das **wird** ein schönes Fest **sein**!*

En règle générale, la présence d'un complément de temps suffit à donner une valeur de futur à la phrase.

→ ***Nächste Woche** schreiben wir eine Klassenarbeit.*

b. Les verbes faibles et forts

En allemand, il n y a pas de groupes comme en français, mais deux types de verbes :
• **les verbes faibles**, dont la voyelle du radical ne change jamais ;
• **les verbes forts**, dont la voyelle change au prétérit. Certains subissent également un changement de voyelle à la deuxième et à la troisième personne du singulier du présent de l'indicatif (*a/ä*, *e/ie* ou *i*) ou au participe II.

À cela s'ajoutent quelques verbes dont la conjugaison est irrégulière (verbes de modalité, *wissen*, *bringen*, etc.).

	lernen (apprendre)	**reiten** (faire du cheval)	**schlafen** (dormir)	**sehen** (voir)	**nehmen** (prendre)
ich	lern**e**	reit**e**	schlaf**e**	seh**e**	nehm**e**
du	lern**st**	reit**est**	schl**ä**f**st**	s**ie**h**st**	n**imm**st
er, sie, es	lern**t**	reit**et**	schl**ä**f**t**	s**ie**ht	n**imm**t
wir	lern**en**	reit**en**	schlaf**en**	seh**en**	nehm**en**
ihr	lern**t**	reit**et**	schlaft	seh**t**	nehm**t**
sie, Sie	lern**en**	reit**en**	schlaf**en**	seh**en**	nehm**en**

c. Les verbes de modalité

können	**Possibilité, capacité**	*Wenn es nicht regnet, können wir schwimmen gehen.*
		Max kann Sounds mixen.
	Impossibilité	*Sie kann heute nicht in die Schule gehen.*
dürfen	**Autorisation**	*Die Kinder dürfen heute Abend ins Kino gehen.*
	Interdiction	*Du darfst jetzt kein Eis essen!*
müssen	**Obligation absolue**	*Wir müssen morgen um 9 Uhr in der Schule sein.*
sollen	**Devoir, recommandation**	*Du sollst jetzt besser aufpassen!*
		Was soll ich tun?
wollen	**Volonté, intention**	*Ich will morgen einkaufen gehen.*
mögen	**Goût, désir, envie**	*Ich mag Sport und Musik.*
		Ich mag keinen Stress.
		Ich möchte gern etwas essen. (j'aimerais)

	können (être capable de)	**dürfen** (avoir le droit)	**müssen** (être obligé)	**wollen** (vouloir)	**mögen** (avoir envie de, aimer)	**sollen** (devoir)
ich	kann**Ø**	darf**Ø**	muss**Ø**	will**Ø**	mag**Ø**	soll**Ø**
du	kann**st**	darf**st**	musst	will**st**	mag**st**	soll**st**
er, sie, es	kann**Ø**	darf**Ø**	muss**Ø**	will**Ø**	mag**Ø**	soll**Ø**
wir	könn**en**	dürf**en**	müss**en**	woll**en**	mög**en**	soll**en**
ihr	könn**t**	dürf**t**	müss**t**	woll**t**	mög**t**	soll**t**
sie, Sie	könn**en**	dürf**en**	müss**en**	woll**en**	mög**en**	soll**en**

2 Le mode impératif

L'impératif sert à donner un ordre ou un conseil. On ne l'utilise qu'à la deuxième personne et à la forme de politesse. À l'impératif, seuls les verbes forts en **-e** conservent le changement de voyelle à la deuxième personne du singulier.

⚠ Pour rapporter un ordre, on utilise une subordonnée avec le verbe *sollen*.

→ *Der Arzt hat gesagt, dass du ein paar Tage zu Hause bleiben sollst.*

	Verbes forts en -e	**Tous les autres verbes**
2ᵉ personne singulier	*Lies den Text!*	*Fahr doch nicht so schnell!*
2ᵉ personne pluriel	*Lest den Text!*	*Fahrt doch nicht so schnell!*
Forme de politesse	*Lesen Sie bitte diesen Brief!*	*Fahren Sie doch nicht so schnell!*

3 Le parfait de l'indicatif

Le parfait (ou passé composé) indique qu'une action est accomplie ou achevée. Il s'emploie donc pour raconter des événements qui ont déjà eu lieu ou pour tirer un bilan de quelque chose.

C'est un temps composé qui se forme avec :
– l'auxiliaire *sein* ou *haben* ;
– le participe II (ou participe passé) du verbe.

a. Le choix de l'auxiliaire

On emploie *sein* uniquement :
• avec les verbes intransitifs (ceux qui ne peuvent pas avoir un complément à l'accusatif) exprimant un déplacement ou un mouvement dans l'espace ou un changement d'état ;
→ *Um 6 Uhr **sind** wir ins Kino gegangen.*
→ *Wir **sind** heute sehr früh aufgestanden.*
→ *Du **bist** aber groß geworden!*
• avec *passieren* et *geschehen* (événement) ;
→ *Was **ist** passiert? Was **ist** geschehen?*
• pour conjuguer *sein* et *bleiben*.
→ *Er **ist** krank gewesen.*
→ *Mein Brieffreund **ist** drei Wochen bei uns geblieben.*

Dans les autres cas, on utilise l'auxiliaire *haben*.
→ *Ich **habe** meine Großeltern nach Dortmund begleitet.*
  (verbe transitif : complément à l'accusatif)
→ *Mein Onkel **hat** lange in Berlin gewohnt.*
  (verbe intransitif, mais qui n'exprime ni déplacement, ni changement d'état)

b. La formation du participe II

• Pour les verbes faibles : **ge-** devant le radical et terminaison **-t**.
→ *machen → **gemacht***
• Pour les verbes forts : **ge-** devant le radical et terminaison **-en**.
→ *schlafen → **geschlafen***
Le radical peut changer de voyelle.
→ *helfen → **ge**holf**en***

Pour savoir si le radical subit un changement de voyelle, il faut apprendre par coeur les différents verbes forts (voir liste pp. 164-165).

⚠ Verbes avec un préverbe séparable : **ge-** se place devant le radical du verbe.
→ **auf**stehen → **aufgestanden**

⚠ Certains verbes ne prennent pas **ge-** au participe II. Ce sont les verbes qui ne sont pas accentués sur la première syllabe :
  • les verbes qui ont un suffixe accentué, comme par exemple *-ieren* ;
→ *telefo̲nieren → Laras Vater hat mit der Klassenlehrerin **telefo̲niert**.*
  • les verbes formés avec un préverbe inséparable (*be-, emp-, ent-, er-, ge-, ver-, zer-*).
→ *verli̲eren → Ich habe die Karten für das Konzert **verlo̲ren**.*

4 Le prétérit de l'indicatif

Pour décrire un fait situé dans le passé, on peut également employer le prétérit, qui correspond en français à l'imparfait et au passé simple. Il est souvent utilisé dans les contes et dans les récits.

Dans la langue courante, on l'emploie fréquemment pour quelques « verbes-outils » :
• **sein** → *Ich **war** gestern in Dortmund.*
• **haben** → *Ich **hatte** keine Zeit.*
• Les **verbes de modalité** et *wissen* → *Ich **konnte** gestern nicht kommen. Ich **musste** meiner Mutter helfen.*

Le prétérit des verbes faibles se forme en ajoutant la marque **-te** au radical.
→ *spielen → er spielt**e***
⚠ Les verbes se terminant par **-t** ou **-d** prennent un **e** intercalaire.
  → *er arbeit**e**t**e***
Pour les verbes forts, la voyelle du radical change.
→ *fahren → er f**u**hr*
À ces formes de base on ajoute les terminaisons de personnes, qui sont identiques à celles des verbes de modalité au présent : **Ø, -st, Ø, -(e)n, -t, -(e)n**

	spielen	fahren	sein	haben	können	müssen
ich	spielte**Ø**	fuhr**Ø**	war**Ø**	hatte**Ø**	konnte**Ø**	musste**Ø**
du	spielte**st**	fuhr**st**	war**st**	hatte**st**	konnte**st**	musste**st**
er, sie, es	spielte**Ø**	fuhr**Ø**	war**Ø**	hatte**Ø**	konnte**Ø**	musste**Ø**
wir	spielte**n**	fuhr**en**	war**en**	hatte**n**	konnte**n**	musste**n**
ihr	spielte**t**	fuhr**t**	war**t**	hatte**t**	konnte**t**	musste**t**
sie, Sie	spielte**n**	fuhr**en**	war**en**	hatte**n**	konnte**n**	musste**n**

Il suffit ainsi de mémoriser la première personne et d'ajouter ensuite les terminaisons de personnes.

Infinitif	Prétérit		Infinitif	Prétérit
werden	ich **wurde**		mögen	ich **mochte**
wollen	ich **wollte**		dürfen	ich **durfte**
sollen	ich **sollte**		wissen	ich **wusste**

5 Le subjonctif II

Le subjonctif II est le mode de l'irréel. C'est l'équivalent du conditionnel français.

Il permet d'exprimer :

• une suggestion, une possibilité ou un conseil ;
→ *Wir **könnten** ins Kino gehen.*
→ *Du **solltest** deine Großmutter besuchen.*

• un souhait ;
→ *Ich **möchte / würde** gern um die Welt reisen.*
→ ***Hättet** ihr auch Lust, um die Welt zu reisen?*
→ *Es **wäre** schön, wenn du mitkommen **könntest**.*

• une hypothèse ;
→ *Wenn es nicht so spät **wäre, könnten** wir uns den Film ansehen.*

On forme le subjonctif II à partir du prétérit, en ajoutant lorsque c'est possible **-e** et l'inflexion, puis les terminaisons de personnes, qui sont identiques à celles du prétérit et des verbes de modalité au présent : **Ø, -st, Ø, -n, -t, -n**.

Les verbes faibles ont une forme identique au prétérit de l'indicatif et au subjonctif II.

La forme simple du subjonctif II (on l'appelle présent du subjonctif II) s'emploie principalement pour les verbes auxiliaires et les verbes de modalité.

*sein → er war → **er wäre***
*können → er konnte → **er könnte***
*haben → er hatte → **er hätte***
*sollen → er sollte → **er sollte****
*werden → er wurde → **er würde***
*mögen → er mochte → **er möchte***

*sollen et *wollen* ne prennent pas l'inflexion.

Pour la plupart des autres verbes, on emploie de préférence la forme **würde + infinitif**.
→ *Wenn ich Geld hätte, **würde** ich eine große Reise um die Welt **machen**.*

Le passé se forme sur le modèle du parfait de l'indicatif, avec l'auxiliaire *haben* ou *sein* et le participe II. Il suffit de mettre l'auxiliaire au subjonctif II.
→ *Wenn du zu Hause **geblieben wärest, hättest** du dich nicht **erkältet**.*

6 Le passif

L'action exprimée par un verbe suivi d'un complément d'objet à l'accusatif (verbe transitif), comme par exemple *den berühmten Wartburg herstellen*, peut donner lieu à différents types d'énoncés.

• à l'actif : → *Ab 1955 stellt <u>das Automobilwerk Eisenach</u>*
                                 sujet

<u>*den berühmten Wartburg*</u> *her.*
  compl. accusatif

• au passif :
→ *Ab 1955 **wird** <u>der berühmte Wartburg</u> **hergestellt**.*
                        sujet

La voix active met en valeur le sujet. À la voix passive, on se concentre essentiellement sur l'action, sans nécessairement évoquer l'acteur de cette action.

Le passif se forme avec l'auxiliaire *werden* et le participe II du verbe.

On peut indiquer qui est l'auteur de l'action en introduisant le complément d'agent par la préposition *von* suivie du datif.

→ *Ab 1955 **wird** der berühmte Wartburg <u>vom Automobilwerk Eisenach</u> **hergestellt**.*
                                      compl. d'agent

Le passif peut également s'employer sans sujet.
→ *In dieser Fabrik wird viel gearbeitet.*

Cette tournure correspond à l'emploi de *on* en français :
« Dans cette usine, on travaille beaucoup. »

On peut employer la voix passive aux différents temps du passé. Il suffit de conjuguer l'auxiliaire *werden* au temps voulu. Les autres éléments de la phrase restent inchangés.

Présent : → ***Das Rathaus wird** gerade **umgebaut**.*

Prétérit : → ***Das Rathaus wurde** in den letzten Jahren stark **umgebaut**.*

Parfait : → ***Das Rathaus ist** nach dem Krieg **umgebaut worden**.*

⚠ Au passif, le participe II de *werden* prend la forme particulière **worden**.

Infinitif	3e pers. présent	Prétérit	Parfait	Traduction
*an*fangen	*er fängt an	er fing an	er hat angefangen	*commencer*
*auf*stehen	er steht auf	er stand auf	er **ist** aufgestanden	*se lever*
*aus*leihen	er leiht aus	er lieh aus	er hat ausgeliehen	*emprunter*
befehlen	*er befiehlt	befahl	er hat befohlen	*ordonner*
beginnen	er beginnt	er begann	er hat begonnen	*commencer*
bekommen	er bekommt	er bekam	er hat bekommen	*recevoir*
beweisen	er beweist	er bewies	er hat bewiesen	*prouver*
bewerben (sich)	*er bewirbt sich	er bewarb sich	er hat sich beworben	*postuler*
biegen	er biegt	er bog	er **ist** gebogen	*tourner*
bieten	er bietet	er bot	er hat geboten	*offrir*
bitten	er bittet	er bat	er hat gebeten	*prier, demander*
bleiben	er bleibt	er blieb	er **ist** geblieben	*rester*
brechen	*er bricht	er brach	er hat gebrochen	*casser*
bringen	er bringt	er brachte	er hat gebracht	*apporter*
denken	er denkt	er dachte	er hat gedacht	*penser*
empfehlen	*er empfiehlt	er empfahl	er hat empfohlen	*recommander*
entscheiden	er entscheidet	er entschied	er hat entschieden	*décider*
essen	*er isst	er aß	er hat gegessen	*manger*
fahren	*er fährt	er fuhr	er **ist** gefahren	*aller (en véhicule)*
fallen	*er fällt	er fiel	er **ist** gefallen	*tomber*
finden	er findet	er fand	er hat gefunden	*trouver*
fliegen	er fliegt	er flog	er **ist** geflogen	*voler*
fliehen	er flieht	er floh	er **ist** geflohen	*fuir*
fließen	er fließt	er floss	er **ist** geflossen	*couler*
fressen	*er frisst	er fraß	er hat gefressen	*manger (animaux)*
frieren	er friert	er fror	er hat gefroren	*geler, avoir froid*
geben	*er gibt	er gab	er hat gegeben	*donner*
gefallen	*er gefällt	er gefiel	er hat gefallen	*plaire*
gehen	er geht	er ging	er **ist** gegangen	*aller*
gelingen	es gelingt (mir)	es gelang (mir)	es **ist** (mir) gelungen	*réussir*
genießen	er genießt	er genoss	er hat genossen	*profiter de*
geschehen	*es geschieht	es geschah	es **ist** geschehen	*se passer, arriver*
gewinnen	er gewinnt	er gewann	er hat gewonnen	*gagner*
halten	*er hält	er hielt	er hat gehalten	*s'arrêter, tenir*
hängen	er hängt	er hing	er hat gehangen	*être accroché*
heißen	er heißt	er hieß	er hat geheißen	*s'appeler*
helfen	*er hilft	er half	er hat geholfen	*aider*
kennen	er kennt	er kannte	er hat gekannt	*connaître*
kommen	er kommt	er kam	er **ist** gekommen	*venir*
laden	*er lädt	er lud	er hat geladen	*charger*
lassen	*er lässt	er ließ	er hat gelassen	*laisser*
laufen	*er läuft	er lief	er **ist** gelaufen	*courir*
leiden	er leidet	er litt	er hat gelitten	*souffrir*
lesen	*er liest	er las	er hat gelesen	*lire*

liegen	er liegt	er lag	er hat gelegen	*être couché*
lügen	er lügt	er log	er hat gelogen	*mentir*
messen	*er misst	er maß	er hat gemessen	*mesurer*
nehmen	*er nimmt	er nahm	er hat genommen	*prendre*
nennen	er nennt	er nannte	er hat genannt	*nommer*
pfeifen	er pfeift	er pfiff	er hat gepfiffen	*siffler*
raten	*er rät	er riet	er hat geraten	*conseiller, deviner*
reiten	er reitet	er ritt	er **ist** geritten	*faire du cheval*
rufen	er ruft	er rief	er hat gerufen	*appeler*
scheinen	er scheint	er schien	er **ist**/hat geschienen	*sembler, briller*
schießen	er schießt	er schoss	er hat geschossen	*tirer (avec une arme)*
schlafen	*er schläft	er schlief	er hat geschlafen	*dormir*
schlagen	*er schlägt	er schlug	er hat geschlagen	*frapper*
schließen	er schließt	er schloss	er hat geschlossen	*fermer*
schneiden	er schneidet	er schnitt	er hat geschnitten	*couper*
schreiben	er schreibt	er schrieb	er hat geschrieben	*écrire*
schreien	er schreit	er schrie	er hat geschrien	*crier*
schweigen	er schweigt	er schwieg	er hat geschwiegen	*se taire*
schwimmen	er schwimmt	er schwamm	er **ist** geschwommen	*nager*
sehen	*er sieht	er sah	er hat gesehen	*voir*
singen	er singt	er sang	er hat gesungen	*chanter*
sitzen	er sitzt	er saß	er hat gesessen	*être assis*
sprechen	*er spricht	er sprach	er hat gesprochen	*parler*
stehen	er steht	er stand	er hat gestanden	*être debout*
stehlen	*er stiehlt	er stahl	er hat gestohlen	*voler, dérober*
steigen	er steigt	er stieg	er **ist** gestiegen	*monter*
sterben	*er stirbt	er starb	er **ist** gestorben	*mourir*
streiten	er streitet	er stritt	er hat gestritten	*se disputer*
tragen	*er trägt	er trug	er hat getragen	*porter*
treffen	*er trifft	er traf	er hat getroffen	*rencontrer*
treiben (Sport)	er treibt Sport	er trieb Sport	er hat Sport getrieben	*faire du sport*
trinken	er trinkt	er trank	er hat getrunken	*boire*
treten	*er tritt	er trat	er **ist** getreten	*entrer*
tun	er tut	er tat	er hat getan	*faire*
umziehen	er zieht um	er zog um	er **ist** umgezogen	*déménager*
unterscheiden	er unterscheidet	er unterschied	er hat unterschieden	*différencier*
verbinden	er verbindet	er verband	er hat verbunden	*assembler, relier*
vergessen	*er vergisst	er vergaß	er hat vergessen	*oublier*
vergleichen	er vergleicht	er verglich	er hat verglichen	*comparer*
verlieren	er verliert	er verlor	er hat verloren	*perdre*
verschwinden	er verschwindet	er verschwand	er **ist** verschwunden	*disparaître*
verstehen	er versteht	er verstand	er hat verstanden	*comprendre*
wachsen	*er wächst	er wuchs	er **ist** gewachsen	*grandir, pousser*
waschen	*er wäscht	er wusch	er hat gewaschen	*laver*
werfen	*er wirft	er warf	er hat geworfen	*jeter*
ziehen	er zieht	er zog	er hat gezogen	*tirer, étirer*

* Changement de voyelle à la deuxième et troisième personnes du singulier présent.

Lexique allemand-français

Les verbes forts et les verbes irréguliers sont indiqués par *, les préverbes séparables sont en italique.

A

*ab*bauen	réduire, diminuer
Abend(-e) (der)	soir
Abendessen(-) (das)	dîner
*ab*fahren*	partir
abhängig	dépendant
Abhängigkeit (die)	dépendance
Abitur (das)	baccalauréat
achten (auf + acc.)	faire attention (à)
alle	tous, toutes
allein	seul, e
Alltag (der)	vie quotidienne
als	quand
alt	vieux, vieille
Alter (das)	âge
*an*bieten*	proposer
andere (der / die)	autre (l')
ändern	changer, modifier
anders	autrement
Anfang(¨e) (der)	début
*an*fangen*	commencer
angenehm	agréable
Angebot(-e) (das)	proposition
Angst(¨e) (die)	peur
anhand (+ gén.)	à l'aide de
*an*hören	écouter
*an*kommen*	arriver
Ankunft (die)	arrivée
Ankunftszeit(-en) (die)	heure d'arrivée
Anrufbeantworter(-) (der)	répondeur
*an*rufen* (+ acc.)	appeler au téléphone
*an*schauen, sich	regarder
ansonsten	autrement
*an*sprechen* (+ acc.)	plaire, aborder
anstatt	au lieu de
*an*steigen*	augmenter
anstrengend	fatigant, e
Antwort(-en) (die)	réponse
antworten (auf + acc.)	répondre (à qc)
Anzeige(-n) (die)	annonce
*an*ziehen*	attirer
arbeiten	travailler
auch	aussi
Aufenthalt(-e) (der)	séjour
*auf*fallen*	attirer l'attention
*auf*führen	jouer, interpréter
Aufführung(-en) (die)	représentation
*auf*halten* (+ acc.)	stopper
*auf*hören	arrêter (de faire qc)
Aufnahme(-n) (die)	enregistrement
*auf*nehmen*	enregistrer
*auf*passen	faire attention
*auf*räumen	ranger
aufregend	passionnant
*auf*stehen*	lever (se)
*auf*wachsen*	grandir
Ausbildung (die)	formation
Ausdauersport(-arten) (der)	sport d'endurance
*aus*denken*, sich (etw.)	imaginer qc (s')
Ausdruck(¨e) (der)	expression
*aus*drücken	exprimer
Ausgabe(-n) (die)	numéro d'un journal
Ausland (das)	étranger (pays)
Aussage(-n) (die)	déclaration
Ausschnitt(-e) (der)	extrait
*aus*sehen*	avoir l'air
außerdem	en outre
Aussprache(-n) (die)	prononciation
Ausstellung(-en) (die)	exposition
*aus*suchen	choisir
Austausch(-e) (der)	échange
*aus*tauschen	échanger
*aus*wählen	choisir
Auswirkung(-en) (die)	conséquence
ausverkauft	à guichet fermé
*aus*zeichnen, sich (durch)	distinguer (se) par qc
Auszug(¨e) (der)	extrait
Auto(-s) (das)	voiture

B

Band(-s) (die)	groupe musical
bald	bientôt
basteln	bricoler
Bau(-ten) (der)	construction
bauen	construire
Bayern	Bavière
beachten	respecter
bearbeiten	remanier, retoucher (sur ordinateur)
bedeuten	signifier
Bedingung(-en) (die)	condition
beeindrucken	impressionner
beeindruckend	impressionnant, e
beeindruckt	impressionné, e
beeinflussen	influencer
befassen, sich (mit)	s'occuper
befinden*, sich	se trouver
befragen (+ acc.)	interroger qn
begabt	doué, e
Begabung(-en) (die)	talent
begeben*, sich	rendre (se)
begeistern, sich	enthousiasmer (s')
begeistert	enthousiaste
Beginn (der)	début
beginnen*	commencer
begründen	justifier
begrüßen	saluer
bei (+ dat.)	chez
*bei*bringen*	enseigner (qc à qn)
beide	(tous) les deux
Beispiel(-e) (das)	exemple
Beitrag(¨e) (der)	contribution
*bei*tragen* (zu etw.)	contribuer (à qc)
bekannt	connu, e, célèbre
bekommen*	recevoir
benutzen	utiliser
beraten*	conseiller
Bereich(-e) (der)	domaine
bereit	prêt, e
Berg(-e) (der)	montagne
Bergtour(-en) (die)	randonnée en montagne

Bericht(-e) (der)	compte rendu, rapport
berichten (von)	rendre compte
Beruf(-e) (der)	métier
berühmt	célèbre
Beschäftigung(-en) (die)	occupation
beschreiben*	décrire
besichtigen	visiter (monument, lieu)
Besichtigung(-en) (die)	visite
besiegen (jd/etw.)	vaincre (qn/qc)
besitzen*	posséder
besonders	particulièrement
besser	mieux
bestätigen	confirmer
Beste (der/die/das)	meilleur, e (le/la), mieux (le)
bestehen* (aus)	composer (se)
bestimmt	certainement
Besuch(-e) (der)	visite (personne)
besuchen (+ acc.)	rendre visite
Betrieb(-e) (der)	entreprise
bevor	avant que
bewerben*, sich	postuler, poser sa candidature
Bewerber(-) (der) / Bewerberin(-nen) (die)	candidat, e
bewundern	admirer
bezeichnen	qualifier
beziehen*, sich (auf + acc.)	se rapporter (à)
Beziehung(-en) (die)	relation
Bezirk(-e) (der)	secteur
Bilanz ziehen*	faire/tirer le bilan
Bild(-er) (das)	image
bilden	former, constituer
Bildschirm(-e) (der)	écran (d'ordinateur)
billig	bon marché
bis	jusqu'à
bis bald	à bientôt
bisschen (ein)	un peu
bitte	s'il te/vous plaît
bitten* (+ acc.)	demander, prier
bleiben*	rester
blind	aveugle
brauchen (+ acc.)	avoir besoin (de)
Brief(-e) (der)	lettre
Briefmarke(-n) (die)	timbre
bringen*	apporter
Bühne(-n) (die)	scène
Bühnenbild(-er) (das)	décor (théâtre)
Bundesland(¨er) (das)	État régional
Bundesrepublik (die)	République fédérale

C

Chor(¨e) (der)	chorale, chœur
Comic(-s) (der)	bande dessinée
Computer(-) (der)	ordinateur

D

da	là, puisque
dafür	pour (qc)
dagegen	contre (qc)

dahinter	derrière
damals	autrefois, à l'époque
danach	après, ensuite
dank (+ gén.)	grâce (à)
dann	ensuite
*dar*stellen	représenter, jouer
Datei(-en) (die)	fichier
denken* (an / über + acc.)	penser (à / de)
Denkmal(¨er) (das)	monument
deswegen	pour cette raison
deutsch	allemand, e
Deutsche(-n) (der/die)	Allemand, e
Deutschland	Allemagne
deutschsprachig	de langue allemande
Dialog(-e) (der)	dialogue
Diät(-en) (die)	régime
dick	gros, grosse
dienen (zu etwas)	servir (à)
Ding(-e) (das)	chose
Dirigent(-en, -en) (der)	chef d'orchestre
dort	là-bas
downloaden	télécharger
Drittel (ein)	tiers (un)
*durch*führen	réaliser
dürfen*	avoir le droit

E

egal	sans importance
eigen	propre, personnel
Eigenschaft(-en) (die)	caractéristique
eigentlich	en fait, à dire vrai
ein paar	quelques
Eindruck(¨e) (der)	impression
einfach	simple, facile
Einfluss (der) (auf + acc.)	influence (sur qc/qn)
*ein*fügen	insérer
*ein*geben*	entrer (ordinateur)
einige	quelques
*ein*leben, sich	intégrer (s'), acclimater (s')
einmal	une fois
Eintrag(¨e) (der)	commentaire
einverstanden sein	être d'accord
einzigartig	sans pareil, le
Eltern (pl.)	parents
Ende (das)	fin (la)
enden	terminer (se), finir
endlich	enfin
England	Angleterre
Engländer(-) (der) / Engländerin(-nen) (die)	Anglais, e
englisch	anglais, e
entdecken	découvrir
entfernen	enlever
entscheiden*, sich	décider (se)
Entschuldigung!	pardon !
entsprechen*	correspondre
entstehen*	naître, se développer
Entstehung(-en) (die)	naissance (fig.)
enttäuscht	déçu, e
entwerfen*	concevoir
entwickeln	développer
Entwicklung(-en) (die)	développement
erarbeiten	réaliser
Erbe(-n) (das)	héritage
Erdkunde (die)	géographie

Ereignis(-se) (das)	événement
erfahren*	apprendre (une nouvelle)
Erfahrung(-en) (die)	expérience
erfinden*	inventer
Erfinder(-) (der) / Erfinderin(-nen) (die)	inventeur
Erfindung(-en) (die)	invention
Erfolg(-e) (der)	succès
erfüllen (etw.)	satisfaire (à qc)
ergänzen	compléter
Ergebnis(-se) (das)	résultat
erinnern, sich	souvenir (se)
erklären	expliquer
Erklärung(-en) (die)	explication
erlauben	permettre
erleben	vivre (un événement)
Erlebnis(-se) (das)	expérience (vécue)
ermorden	assassiner
ernähren, sich	nourrir (se)
Ernährung (die)	alimentation
eröffnen	ouvrir, inaugurer
Eröffnung(-en) (die)	ouverture, inauguration
erraten*	deviner
erscheinen*	paraître
erstaunlich	étonnant, e
erstellen	réaliser qc (faire)
erwähnen	citer, évoquer
erzählen	raconter
Erzählung(-en) (die)	récit
es gibt* (+ acc.)	il y a
Essen(-) (das)	repas
essen*	manger
Essgewohnheiten (pl.)	habitudes alimentaires
etwas	quelque chose
Event(-s) (das)	événement

F

fahren*	aller (en véhicule)
Fahrt(-en) (die)	voyage
falsch	faux, fausse
fast	presque
faszinierend	fascinant, e
fehlen	manquer
feige	lâche
Ferien (pl.)	vacances
*fern*sehen*	regarder la télévision
Fernsehturm(¨e) (der)	tour de télévision
fertig	terminé, e, prêt, e
Festplatte(-n) die	disque dur
Festspielhaus(¨er) (das)	palais des festivals
Figur(-en) (die)	personnage
finden*	trouver
Firma(-men) (die)	entreprise
fit	en forme
Fleisch (das)	viande
Folge(-n) (die)	conséquence
folgen (+ dat.)	suivre
folgend	suivant
fördern	favoriser qc
formulieren	formuler
Forscher(-) (der) / Forscherin(-nen) (die)	chercheur, euse
Foto(-s) (das)	photographie
Fotoroman(-e) (der)	roman photo
Frage(-n) (die)	question

Fragebogen (der)	questionnaire
fragen (+ acc.)	questionner, interroger qn
Frankreich	France
Franzose(-n, -n) (der) / Französin(-nen) (die)	Français, e
französisch	français, e
frei	libre
*frei*kommen*	être remis en liberté
Freizeit (die)	temps libre
Fremdsprache(-n) (die)	langue étrangère
fressen*	dévorer, manger (animaux)
freuen, sich (auf + acc.)	se réjouir (de)
Freund(-e) (der) / Freundin(-nen) (die)	ami, e
freundlich	sympathique
Freundschaft(-en) (die)	amitié
frisch	frais, fraîche
früher	autrefois
Frühstück(-e) (das)	petit-déjeuner
frühstücken	prendre le petit-déjeuner
fühlen, sich	sentir, se
führend	leader
Führer(-) (der) / Führerin(-nen) (die)	guide (personne)
Führung(-en) (die)	visite guidée
Funkausstellung(-en) (die)	salon de la radio
für (+ acc.)	pour
Fußgänger(-) (der) / Fußgängerin(-nen) (die)	piéton, piétonne

G

Gabe(-n) (die)	don, talent
ganz	tout, complètement
Ganztagsschule(-n) (die)	école toute la journée
Gebäude(-) (das)	bâtiment
geben*	donner
Gebiet(-e) (das)	région
geboren werden*	naître
Gedicht(-e) (das)	poème
Gefahr(-en) (die)	danger
gefährlich	dangereux, euse
gefallen* (+ dat.)	plaire
Gefühl(-e) (das)	sentiment
gegen (+ acc.)	contre
Geheimnis(-se) (das)	secret
gehen*	aller
Geige(-n) (die)	violon
gelingen*	réussir à faire qc
gelten* (als)	être considéré comme
Gemälde(-) (das)	tableau, peinture
gemeinsam	commun, e, ensemble
Gemüse (das)	légumes (pl.)
Geräusch(-e) (das)	bruit
gern	volontiers
Gesang(¨e) (der)	chant
Geschenk(-e) (das)	cadeau
Geschichte(-n) (die)	histoire
Geschmack (der)	goût
Gespräch(-e) (das)	conversation
gestalten	aménager, organiser
gestern	hier
gesund	en bonne santé, bon pour la santé
Gesundheit (die)	santé

gewinnen*	gagner (à un jeu)
gewöhnen, sich (an + acc.)	habituer, s' (à)
Gewohnheit(-en) (die)	habitude
glauben	croire
gleich	semblable, pareil, eille
glücklich	heureux, euse
grässlich	affreux, euse
Grenze(-n) (die)	frontière
groß	grand, e
Großstadt(¨e) (die)	métropole
gründen	fonder
Gründer(-) (der) / Gründerin(-nen) (die)	fondateur, trice
Gründung(-en) (die)	fondation
Gruppe(-n) (die)	groupe
grüßen	saluer
Gymnasium(-sien) (das)	lycée

H

haben*	avoir
Hälfte(-n) (die)	moitié
halten*	tenir, s'arrêter
halten*, sich (an + acc.)	tenir (à qc), se
halten* (von)	penser (de qn / qc)
Hammer (das ist der)	c'est super
handeln, sich (um)	agir (de), s'
Handlung(-en) (die)	action
Handy(-s) (das)	téléphone portable
hassen	détester
Haupt-	principal
Hauptrolle(-n) (die)	rôle principal
Hauptstadt(¨e) (die)	capitale
Haus(¨er) (das)	maison
Hausaufgabe(-n) (die)	devoir
Heimat (die)	pays natal
heißen*	s'appeler
Held(-en, -en) (der)	héros
Heldentat(-en) (die)	acte héroïque
helfen* (+ dat.)	aider
*heraus*finden*	découvrir, trouver
*her*stellen	fabriquer, produire
Herstellung (die)	production, fabrication
*herunter*laden*	télécharger
hervorragend	formidable
heute	aujourd'hui
hier	ici
Hilfe(-n) (die)	aide
hinten	derrière
hinterlassen*	laisser
*hinzu*fügen	ajouter
hoch	haut, e
Hochdeutsch (das)	allemand standard
hoffen	espérer
Hoffnung(-en) (die)	espoir
holen	aller chercher
Homepage(-s) (die)	page d'accueil
hören	entendre, écouter
Hörspiel(-e) (das)	pièce radiophonique

I

illustrieren	illustrer
Imbiss(-e) (der)	snack
immer	toujours
Innenstadt(¨e) (die)	centre-ville
Innovation(-en) (die)	innovation
innovativ	innovant, e

Insel(-n) (die)	île
insgesamt	en tout, au total
inszenieren	mettre en scène
interessieren, sich (für)	intéresser, s' (à)
internetsüchtig	accro à Internet
inwiefern	dans quelle mesure
inzwischen	entre-temps
Italien	Italie
Italiener(-) (der) / Italienerin(-nen) (die)	Italien, ne
italienisch	italien, ne

J

Jahr(-e) (das)	année
Jahrhundert(-e) (das)	siècle
jährlich	annuel, le
jede, r, s	chaque
jedenfalls	de toute façon
jemand	quelqu'un
jetzt	maintenant
Jubiläum(-äen) (das)	anniversaire
Jugendliche(-n) (der/die)	jeune (le/la)
Jugendlicher (ein)	jeune (un)
jung	jeune

K

Kampf(¨e) (der)	combat
kämpfen (für/gegen)	combattre (pour/contre qc)
Karte(-n) (die)	carte, billet d'entrée
kaufen	acheter
kennen*	connaître
kennen lernen	faire connaissance
Kenntnisse (pl.)	connaissances
Kiez(-e) (der)	(fam.) quartier
Kind(-er) (das)	enfant
Kino(-s) (das)	cinéma
klar	clair, e, évident, e
Klassenfahrt(-en) (die)	voyage scolaire
Klassenkamerad(-en, -en) (der) / Klassenkameradin(-nen) (die)	camarade de classe
Klassenzimmer(-) (das)	salle de classe
klassische Musik	musique classique
klein	petit, e
klettern	faire de l'escalade
klicken	cliquer
klug	intelligent, e
Koch(¨e) (der)	cuisinier
kochen	cuisiner
kommen*	venir
komponieren	composer
Komponist(-en,-en) (der)	compositeur
können*	pouvoir
Konzert(-e) (das)	concert
Konzerthalle(-n) (die)	salle de concert
Konzertsaal(¨e) (der)	salle de concert
Körper(-) (der)	corps
kosten	coûter
Kraft(¨e) (die)	force
kräftig	fort, e
krank	malade
kreativ	créatif, ve
Kreativität (die)	créativité
kreieren	créer
Krieg(-e) (der)	guerre
Küche(-n) (die)	cuisine

Kunst(¨e) (die)	art
Künstler(-) (der)	artiste
künstlerisch	artistique
kurz	court, e
Küste(-n) (die)	côte

L

Land(¨er) (das)	pays, campagne
Landschaft(-en) (die)	paysage
lang	long, longue
langsam	lent, e
Laptop(-s) (der/das)	ordinateur portable
lassen*	laisser, faire (faire)
laufen*	courir
laut	fort, e, bruyant, e
leben	vivre
Leben(-) (das)	vie
Lebenslauf(¨e) (der)	curriculum vitae
Lebensmittel (pl.)	aliments
lecker	délicieux, se
legen	coucher, poser à plat
Lehrer(-) (der) / Lehrerin(-nen) (die)	professeur
leicht	facile
Leidenschaft(-en) (die)	passion
leisten (etw.)	réaliser une performance
Leistung(-en) (die)	résultat, performance
Leistungssport (der)	sport de haut niveau
Leistungssportler(-) (der) / Leistungssportlerin(-nen) (die)	sportif, ve de haut niveau
lesen*	lire
letzt-	dernier, ère
Leute (pl.)	gens
Liebe (die)	amour
Lieblings-	préféré, e
Lieblingsgericht(-e) (das)	plat préféré
Lied(-er) (das)	chanson, chant
links	à gauche
löschen	effacer
lösen	résoudre
lügen*	mentir
Lügner(-) (der)	menteur
Lust haben*	avoir envie
lustig	drôle, amusant, e
Luxusgeschäft(-e) (das)	magasin de luxe

M

machen	faire
Mahlzeit(-en) (die)	repas
Mal(-e) (das)	fois
malen	peindre
Maler(-) (der) / Malerin(-nen) (die)	peintre
malerisch	pittoresque
manchmal	parfois
Mannschaftssport (der)	sport d'équipe
Märchen(-) (das)	conte de fées
Mauer(-n) (die)	mur
mehr	plus
meinen	penser, croire
Meinung(-en) (die)	avis, opinion
meisten (die)	la plupart
meistens	la plupart du temps
Menge(-n) (die)	quantité
Mensch(-en, -en) (der)	être humain
Merkmal(-e) (das)	signe distinctif
Messe(-n) (die)	foire

mindestens	au moins
mit (+ dat.)	avec
*mit*bringen*	apporter
*mit*machen	participer
*mit*nehmen*	emmener, emporter
Mitschüler(-) (der) / Mitschülerin(-nen) (die)	camarade de classe
Mittagessen(-) (das)	déjeuner
Mittelmeer (das)	Méditerranée
Mittelpunkt(-e) (der)	centre
mögen*	aimer, avoir envie de
möglich	possible
Möglichkeit(-en) (die)	possibilité
Monat(-e) (der)	mois
Monument(-e) (das)	monument
Mord(-e) (der)	assassinat
Morgen(-) (der)	matin
Museum(-seen) (das)	musée
Musik (die)	musique
Musikinstrument(-e) (das)	instrument de musique
Musikstück(-e) (das)	morceau de musique
musizieren	faire de la musique
müssen*	devoir (être obligé de)
Mut (der)	courage
mutig	courageux, euse

N

nach (+ dat.)	après
Nachbar(-n) (der)	voisin
nachdem	après que
Nachricht(-en) (die)	nouvelle
nächst-	prochain, e
Nachteil(-e) (der)	inconvénient
nah, nahe	près
näher	de plus près
Name(-n) (der)	nom
natürlich	naturellement
neben (+ acc./dat.)	à côté de
nehmen*	prendre
nennen*	nommer
nett	gentil, le, agréable
Netz (das)	Internet, toile
Netzwerk(-e) (das)	réseau
neu	nouveau, elle
nicht	pas (négation)
nichts	rien
nie/niemals	jamais
niemand	personne
noch einmal	encore une fois
notieren	noter
Notiz(-en) (die)	note
Nudel(-n) (die)	pâtes
nun	maintenant
nur	seulement
nutzen (zu etwas)	utiliser (pour)

O

oben	en haut
Obst (das)	fruits
obwohl	bien que
offen	ouvert, e
öffentlich	public, que
öffnen	ouvrir
oft	souvent
ohne (+ acc.)	sans

ökologisch	écologique
online gehen*	se connecter à Internet
Oper(-n) (die)	opéra
Opernhaus(-̈er) (das)	opéra (bâtiment)
Orchester(-) (das)	orchestre
Ort(-e) (der)	endroit
Österreich	Autriche

P

Partitur(-en) (die)	partition
Partnerschaft(-en) (die)	jumelage
passen	convenir
passieren	se produire
Pause(-n) (die)	récréation
Pausenbrot(-e) (das)	goûter pour la récréation
pausenlos	sans pause
peinlich	gênant, e
Person(-en) (die)	personne
Plakat(-e) (das)	affiche
posten	poster
Praktikum(-ka) (das)	stage
praktisch	pratique
Preis(-e) (der)	prix
*preis*geben*	révéler
prima	super
proben	répéter
Produktion(-en) (die)	production, fabrication
produzieren	fabriquer, produire
Profi(-s) (der)	professionnel (le)
Prozent(-e) (das)	pourcentage
Publikum (das)	public
Punkt(-e) (der)	point

R

Rat (Ratschläge) (der)	conseil
raten*	deviner, conseiller
Rathaus(-̈er) (das)	hôtel de ville
Raubkopie(-n) (die)	copie pirate
Raum(-̈e) (der)	pièce, espace
reagieren	réagir
rechtfertigen	justifier
rechts	à droite
Rede(-n) (die)	discours, parole
Referat(-e) (das)	exposé
Regel(-n) (die)	règle
Regisseur(-e) (der)	metteur en scène
Reihenfolge(-n) (die)	ordre, suite
Reis (der)	riz
Reise(-n) (die)	voyage
reisen	voyager
Reiseziel(-e) (das)	destination de voyage
reiten*	faire du cheval
richtig	correct, e
riesig	énorme
Rolle(-n) (die)	rôle
Rubrik(-en) (die)	rubrique
Rückkehr (die)	retour

S

Sache(-n) (die)	affaire, chose
Saft(-̈e) (der)	jus (de fruit)
Sage(-n) (die)	légende
sagen	dire
sammeln	rassembler, collectionner

sanft	doux, ce
Sänger(-) (der) / Sängerin(-nen) (die)	chanteur / chanteuse
Satz(-̈e) (der)	phrase
sauber	propre
schade	dommage
schaffen	réussir
Schalter(-) (der)	guichet
schauen	regarder
Schauspieler(-) (der)/ Schauspielerin(-nen) (die)	acteur, trice
scheinen*	briller, sembler
schenken	offrir
schicken	envoyer
Schiff(-e) (das)	bateau
Schifffahrt(-en) (die)	promenade en bateau
Schlacht(-en) (die)	bataille
schlafen*	dormir
Schlafsack(-̈e) (der)	sac de couchage
schlagen*	frapper, battre
schlecht	mauvais, e
schließlich	enfin, finalement
Schließung(-en) (die)	fermeture
schlimm	grave
Schloss(-̈er) (das)	château
schmecken	avoir bon goût
schmutzig	sale
schnell	vite, rapide
schon	déjà
schön	beau, belle
schrecklich	horrible
schreiben*	écrire
schreien*	crier
Schule(-n) (die)	école
Schüler(-) (der) / Schülerin(-nen) (die)	élève
Schülerzeitung(-en) (die)	journal de l'école
Schulgemeinschaft(-en) (die)	communauté scolaire
Schulung(-en) (die)	formation
schwach	faible
schwärmen (für etw./jd)	raffoler de qc/qn
Schweiz (die)	Suisse
Schweizer(-) (der) / Schweizerin(-nen) (die)	Suisse, Suissesse
schwer	lourd, e, difficile
Schwester(-n) (die)	sœur
schwierig	difficile
Schwierigkeit(-en) (die)	difficulté
schwimmen*	nager
See(-n) (der)	lac
See(-n) (die)	mer
segeln	faire de la voile
sehen*	voir
Sehenswürdigkeit(-en) (die)	monument
Sehnsucht (die)	nostalgie
sehr	très
sein*	être
seit (+ dat.)	depuis
Seite(-n) (die)	page
selber, selbst	soi-même
selbstbewusst	plein, e d'assurance
selten	rarement
senden*	envoyer
Sendung(-en) (die)	émission
sensibel	sensible
setzen, sich	s'asseoir
sicher	sûr, e

Sieg(-e) (der)	victoire	Stellung nehmen*	prendre position	treffen*, sich (mit)	retrouver (se) avec qn
siegen	vaincre	sterben*	mourir	Treffpunkt(-e) (der)	lieu de rendez-vous
singen*	chanter	still	calme, silencieux, euse	treiben* (Sport)	faire du sport
Sinn(-e) (der)	sens	Stimme(-n) (die)	voix	Trend(-s) (der)	tendance
sinnlos	absurde	stimmen	être exact, e	trennen, sich	séparer (se)
sitzen*	être assis	Stimmung(-en) (die)	ambiance	treten*	entrer
Sitzung(-en) (die)	réunion	stolz	fier, fière	treu	fidèle
Sofa(-s) (das)	canapé	stören	déranger	trinken*	boire
sofort	aussitôt	Strand(¨e) (der)	plage	trösten	consoler
Sohn(¨e) (der)	fils	Straße(-n) (die)	rue	trotz (+ gén.)	malgré
solange	aussi longtemps que, tant que	Straßenbahn(-en) (die)	tramway	trotzdem	néanmoins, pourtant
sollen*	devoir	Streit(-e) (der)	dispute	tun*	faire
sondern	mais	streiten*, sich	disputer (se)		
Song(-s) (der)	chanson	streng	sévère	U-Bahn(-en) (die)	métro
sonst	sinon	Stück(-e) (das)	morceau (de musique), pièce (de théâtre)	über (+ acc. / dat.)	au sujet de, au-dessus
Sorge(-n) (die)	souci, inquiétude			Übergewicht (das)	surpoids
sorgen (für)	veiller (à)	Stunde(-n) (die)	heure (durée)	überlegen	réfléchir
Sorgen machen, sich (um jn)	se faire du souci (pour qn)	suchen	chercher	übermorgen	après-demain
sowohl ... als auch	autant... que	Sucht (die)	la dépendance	übernachten	passer la nuit qq part
Spanien	Espagne	Südtirol	Tyrol du Sud		
Spanier(-) (der) / Spanierin(-nen) (die)	Espagnol, e	surfen (im Internet)	naviguer (sur Internet)	Übernachtung(-en) (die)	nuitée
spanisch	espagnol, e	süß	mignon, onne, sucré, e	übernehmen*	reprendre
spannend	passionnant, e	Szene(-n) (die)	scène	überprüfen	vérifier
Spaß(¨e) (der)	plaisir			übersetzen	traduire
spät	tard			überwinden*	dépasser, dominer
spazieren gehen*	se promener	Tabelle(-n) (die)	tableau	überzeugen	convaincre
Spaziergang(¨e) (der)	promenade	Tablet(-s) (das)	tablette (ordinateur)	übrigens	au fait, d'ailleurs
speichern	enregistrer, sauvegarder	Tag(-e) (der)	jour	Übung(-en) (die)	exercice
spenden	faire un don	täglich	quotidien, ne	Uhr(-en) (die)	horloge, montre, heure
Spiel(-e) (das)	jeu, match	Talent(-e) (das)	talent	umbauen	transformer (construction)
spielen	jouer (jeu, sur scène)	talentiert	talentueux, se	Umfrage(-n) (die)	sondage, enquête
spinnen*	dire n'importe quoi	tanzen	danser	Umgebung (die)	entourage
Sportart(-en) (die)	discipline (sport)	Tat (in der)	en effet	umplanen	modifier un projet
Sportarzt(¨e) (der)	médecin du sport	tausend	mille	umsteigen*	changer (de train)
Sportler(-) (der) / Sportlerin(-nen) (die)	sportif, ve	Teil(-e) (der)	partie	umweltfreundlich	écologique, favorable à l'environnement
Sprache(-n) (die)	langue	teilen	partager		
Sprechblase(-n) (die)	bulle (de bande dessinée)	teilnehmen* (an + dat.)	participer (à qc)	umziehen*	déménager
sprechen*	parler	Teilnehmer(-) (der) / Teilnehmerin(-nen) (die)	participant, e	unbedingt	absolument
Spur(-en) (die)	trace			unbesiegbar	invincible
Stadt(¨e) (die)	ville	Teilung (die)	séparation	Unfall(¨e) (der)	accident
Stadtbesichtigung(-en) (die)	visite de la ville	Termin(-e) (der)	rendez-vous	ungeduldig	impatient, e
		teuer	cher, chère (prix)	ungefähr	environ
Stadtbewohner(-) (der) / Stadtbewohnerin(-nen) (die)	citadin, e	Textauszug(¨e)	extrait de texte	Ungerechtigkeit(-en) (die)	injustice
		texten	écrire, composer	ungesund	malsain, e
Stadtführung(-en) (die)	visite guidée de la ville	Theaterstück(-e) (das)	pièce de théâtre	ungewollt	involontaire, non voulu, e
Stadtrand(¨er) (der)	banlieue, périphérie de la ville	tief	profond, e		
		Tier(-e) (das)	animal	unglaublich	incroyable
Stadtrundgang(¨e) (der) / Stadtrundweg(-e) (der)	tour de la ville, circuit	Tipp(-s) (der)	conseil	Unterhaltung (die)	divertissement
		Tochter(¨) (die)	fille	unklug	imprudent, e
Stadtteil(-e) (der)	quartier d'une ville	Tod(-e) (der)	mort, décès	unmöglich	impossible
Stadtviertel(-) (das)	quartier d'une ville	toll	génial, e, inouï, e	unten	en bas
Stadtzentrum(-tren) (das)	centre-ville	Tonspur(-en) (die)	piste son	unter (+ acc./dat.)	sous
ständig	sans arrêt	tot	mort, e	Unterkunft(¨e) (die)	hébergement
stark	fort, e	töten	tuer	Unternehmen(-) (das)	entreprise
statt (+ gén.)	au lieu de	Tourist(-en, -en) (der)	touriste	unternehmen*	entreprendre
stattfinden*	avoir lieu	tragen*	porter	Unternehmer(-) (der)	entrepreneur
staunen (über + acc.)	être étonné, e	Trainer(-) (der) / Trainerin(-nen) (die)	entraîneur	Unterricht (der)	cours, enseignement
stehen*	être debout, se trouver	trainieren	entraîner, s'	Unterrichtsstunde(n)	heure de cours
		Training (das)	entraînement	unterscheiden*	différencier
stehen* (auf + acc.)	craquer (pour qc/qn)	Träne(-n) (die)	larme	Unterschied(-e) (der)	différence
steigen*	monter	Transportmittel(-) (das)	moyen de transport	unterschiedlich	différent, e
stellen	mettre, poser	Traum-	de rêve	unterstützen	soutenir
		Traum(¨e) (der)	rêve	unterwegs	en chemin
stellen (ins Netz)	publier (sur Internet)	träumen	rêver	untreu	infidèle
		traurig	triste	unvergesslich	inoubliable

unverwundbar	invulnérable
Urlaub machen	prendre des vacances
usw. (und so weiter)	etc.

V

Vater(¨) (der)	père
verändern	changer
veranstalten	organiser
Veranstaltung(-en) (die)	événement
verbessern	améliorer
verbinden*	assembler, relier
verbieten*	interdire
Verbot(-e) (das)	interdiction
verbringen*	passer (un moment)
Verein(-e) (der)	association
vereint	uni, e
verfassen	rédiger
verfügbar	disponible
verfügen (über + acc.)	disposer de
vergessen*	oublier
vergleichen*	comparer
Vergrößerung(-en) (die)	agrandissement
Verhalten (das)	comportement
verhalten*, sich	comporter (se)
Verhältnis(-se) (das)	rapport, relation
verheiratet	marié, e
verkaufen	vendre
Verkehrsmittel(-) (das)	moyen de transport
verlassen*	quitter, abandonner
verliebt	amoureux, euse
verlieren*	perdre
vermissen	manquer à qn
vernetzt	connecté
veröffentlichen	publier
Verrat (der)	trahison
verraten*	trahir
Verräter(-) (der)	traître
verrückt	fou, folle
verschieden	différent, e
verschwinden*	disparaître
verspätet	en retard
versprechen*	promettre
Versprechen(-) (das)	promesse
verstehen*	comprendre
verstehen*, sich	s'entendre
versuchen	essayer (de faire qc)
verteilen	répartir
Vertrauen (das)	confiance
vertrauen (+ dat.)	avoir confiance
Verwandte (pl.)	famille (au sens large)
verwenden	utiliser
verwirklichen	réaliser
verzaubern	ensorceler
verzichten (auf + acc.)	renoncer (à qc)
viel	beaucoup
vielleicht	peut-être
Viertel(-) (das)	quart, quartier
Volk(¨er) (das)	peuple
Vollkornbrot(-e) (das)	pain complet
vor (+ acc./dat.)	devant, avant
vor allem	avant tout
Voraussetzung(-en) (die)	condition (prérequis)
vorbei	terminé, e, passé, e
vorbereiten	préparer

Vorbild(-er) (das)	modèle
vorgestern	avant-hier
vorhaben*	avoir prévu de, avoir l'intention de
vorlesen*	lire à voix haute
Vorname(-n) (der)	prénom
Vorschlag(¨e) (der)	proposition
vorschlagen*	proposer
Vorsicht	attention
vorstellen (etw.)	présenter (qc)
vorstellen, sich	présenter (se)
Vorteil(-e) (der)	avantage
Vorurteil(-e) (das)	préjugé
Vorwort(-e) (das)	préface

W

wachsen*	grandir, pousser
Waffe(-n) (die)	arme
Wahl(-en) (die)	élection, choix
wählen	choisir, élire
wahr	vrai, e
während (+ gén.)	pendant
Wahrzeichen(-) (das)	emblème
Wald(¨er) (der)	forêt
Wand(¨e) (die)	mur
wandern	faire de la randonnée
wann	quand
warm	chaud, e
warnen (vor + dat.)	mettre en garde
warten (auf + acc.)	attendre
warum	pourquoi
was	quoi
waschen*	laver
Wasser (das)	eau
Webseite(-n) (die)	page web
wechseln	changer qc
Weg(-e) (der)	chemin
wegen (+ gén.)	à cause de
wehtun*	faire mal
weil	parce que
weinen	pleurer
Weise(-n) (die)	manière
weit	loin
weiterlesen*	continuer à lire
welcher, e, es	lequel, laquelle, quel, quelle
Welt(-en) (die)	monde
Weltkrieg(-e) (der)	guerre mondiale
Weltkulturerbe (das)	patrimoine culturel mondial
wenig	peu
wenn	si
werden*	devenir
werfen*	jeter
Werk(-e) (das)	œuvre, usine
Wettbewerb(-e) (der)	concours
Wetter (das)	temps (qu'il fait)
wichtig	important, e
wie	comment
wie oft	combien de fois
wieder	de nouveau, encore
wiederholen	répéter
Wiedervereinigung (die)	réunification
Wille (der)	volonté
willkommen	bienvenu, e
wirklich	vraiment

Wirtschaft (die)	économie
wieso	pourquoi
wissen*	savoir
Wissenschaft(-en) (die)	science
Witz(-e) (der)	blague
witzig	drôle, amusant, e
wo	où
Woche(-n) (die)	semaine
Wochenende(-n) (das)	week-end
woher	d'où (origine)
wohin	où (direction)
wohl	probablement
wohlfühlen, sich	être à l'aise
wohnen	habiter
Wohnort(-e) (der)	domicile
Wohnung(-en) (die)	appartement
wollen*	vouloir
Workshop(-s) (der)	atelier
Wort(¨er) (das)	mot
worüber	sur quel sujet
wozu	dans quel but
wunderbar	extraordinaire
wundern, sich (über + acc.)	étonner (s') (de)
Wunsch(¨e) (der)	souhait
wünschen, sich	souhaiter
Wurst(¨e) (die)	saucisse
wütend	en colère

Z

Zahl(-en) (die)	nombre
zahlen	payer
zählen	compter
zeichnen	dessiner
zeigen	montrer
Zeit(-en) (die)	temps (qui passe)
Zeitangabe(-n) (die)	indication de temps
Zeitschrift(-en) (die)	magazine, revue
Zeittafel(-n) (die)	chronologie
Zeitung(-en) (die)	journal
zelten	camper, faire du camping
Zentrum(-tren) (das)	centre
zerstören	détruire
Zerstörung(-en) (die)	destruction
Zettel(-) (der)	note, fiche
ziehen*	tirer
Ziel(-e) (das)	but
Zimmer(-) (das)	chambre, pièce
zitieren	citer
zuerst	d'abord, en premier
zufrieden	satisfait, e
Zug(¨e) (der)	train
Zugabe(-n) (die)	supplément, bis
zuhören (+ dat.)	écouter
Zukunft (die)	avenir
zurück	en arrière, de retour
zurückfahren*	revenir
zusammen	ensemble
zusammenbringen*	rassembler, réunir
Zusammenfassung(-en) (die)	résumé
zutreffen*	être exact
zuverlässig	sérieux, euse, digne de confiance
zweit (zu)	à deux
zwischen (+ acc./dat.)	entre

Lexique français-allemand

A

à cause de	wegen (+ gén.)
à côté de	neben (+ acc./dat.)
à droite	rechts
à gauche	links
accident	Unfall(¨e) (der)
accro à Internet	internetsüchtig
acheter	kaufen
acteur, trice	Schauspieler(-) (der)/ Schauspielerin(-nen)(die)
action	Handlung(-en) (die)
admirer	bewundern
affaire	Sache(-n) (die)
affiche	Plakat(-e) (das)
agir de, s'	handeln, sich (um)
agrandissement	Vergrößerung(-en) (die)
agréable	angenehm
aide	Hilfe(-n) (die)
aider	helfen* (+ dat.)
aimer, avoir envie de	mögen*
ajouter	hinzufügen
alimentation	Ernährung (die)
aliments	Lebensmittel (pl.)
Allemagne	Deutschland
allemand, e	deutsch
aller	gehen*
aller (en véhicule)	fahren*
ambiance	Stimmung(-en) (die)
améliorer	verbessern
aménager, organiser	gestalten
ami, e	Freund(-e) (der) / Freundin(-nen) (die)
amitié	Freundschaft(-en) (die)
amour	Liebe (die)
amoureux, euse	verliebt
animal	Tier(-e) (das)
année	Jahr(-e) (das)
appartement	Wohnung(-en) (die)
appeler au téléphone	anrufen* (+ acc.)
apporter	bringen*, mitbringen*
apprendre (une nouvelle)	erfahren*
après, ensuite	danach
arme	Waffe(-n) (die)
arrêter (de faire qc)	aufhören
arrivée	Ankunft (die)
arriver	ankommen*
art	Kunst(¨e) (die)
artiste	Künstler(-) (der)
assembler, relier	verbinden*
attendre	warten (auf + acc.)
attention	Vorsicht
attirer	anziehen*
au fait, d'ailleurs	übrigens
au lieu de	anstatt, statt (+ gén.)
augmenter	ansteigen*
aujourd'hui	heute
autre (l')	andere (der / die)
autrefois, à l'époque	damals, früher
Autriche	Österreich
avant-hier	vorgestern
avantage	Vorteil(-e) (der)
avec	mit (+ dat.)
avenir	Zukunft (die)
aveugle	blind
avis, opinion	Meinung(-en) (die)
avoir	haben*
avoir besoin (de)	brauchen (+ acc.)
avoir confiance	vertrauen (+ dat.)
avoir l'air	aussehen*
avoir le droit	dürfen*
avoir lieu	stattfinden*

B

baccalauréat	Abitur (das)
bande dessinée	Comic(-s) (der)
bateau	Schiff(-e) (das)
bâtiment	Gebäude(-) (das)
beau, belle	schön
beaucoup	viel
bien que	obwohl
bientôt	bald
bienvenu, e	willkommen
blague	Witz(-e) (der)
boire	trinken*
bon marché	billig
bricoler	basteln
briller, sembler	scheinen*
bruit	Geräusch(-e) (das)
bulle (de bande dessinée)	Sprechblase(-n) (die)
but	Ziel(-e) (das)

C

cadeau	Geschenk(-e) (das)
calme, silencieux, euse	still
camarade de classe	Mitschüler(-) (der) / Mitschülerin(-nen) (die)
camper, faire du camping	zelten
capitale	Hauptstadt(¨e) (die)
caractéristique	Eigenschaft(-en) (die)
célèbre	berühmt
centre	Mittelpunkt(-e) (der)
centre-ville	Innenstadt(¨e) (die)
certainement	bestimmt
chambre, pièce	Zimmer(-) (das)
changer (de train)	umsteigen*
changer, modifier	ändern, verändern
chanson, chant	Lied(-er) (das)
chanter	singen*
chanteur / chanteuse	Sänger(-) (der) / Sängerin(-nen) (die)
chaque	jede, r, s
château	Schloss(¨er) (das)
chaud, e	warm
chef d'orchestre	Dirigent(-en, -en) (der)
chemin	Weg(-e) (der)
cher, chère (prix)	teuer
chercher	suchen
chercheur	Forscher(-) (der)
chez	bei (+ dat.)
choisir	aussuchen, wählen
chorale, chœur	Chor(¨e) (der)
chose	Ding(-e) (das)
cinéma	Kino(-s) (das)
citer, évoquer	erwähnen
clair, e, évident, e	klar
combat	Kampf(¨e) (der)
combattre (pour/ contre qc)	kämpfen (für/gegen + acc.)
combien de fois	wie oft
commencer	anfangen*, beginnen*
comment	wie
commun, e	gemeinsam
comparer	vergleichen*
compléter	ergänzen
comportement	Verhalten (das)
comporter (se)	verhalten*, sich
composer	komponieren
composer (se)	bestehen* (aus)
compositeur	Komponist(-en, -en) (der)
comprendre	verstehen*
compte rendu	Bericht(-e) (der)
compter	zählen
concevoir	entwerfen*
concours	Wettbewerb(-e) (der)
confiance	Vertrauen (das)
confirmer	bestätigen
connaissances	Kenntnisse (pl.)
connaître	kennen*
connecté	vernetzt
connu, e, célèbre	bekannt, berühmt
conseil	Rat (Ratschläge) (der)
conseiller	beraten*, raten*
conséquence	Auswirkung(-en) (die), Folge(-n) (die)
consoler	trösten
construction	Bau(-ten) (der)
construire	bauen
conte de fées	Märchen(-) (das)
contre	gegen (+ acc.)
contribuer (à qc)	beitragen* (zu etw.)
contribution	Beitrag(¨e) (der)
convaincre	überzeugen
convenir	passen
corps	Körper(-) (der)
correspondre	entsprechen*
coucher, poser à plat	legen
courage	Mut (der)
courageux, euse	mutig
courir	laufen*
cours, enseignement	Unterricht (der)
court, e	kurz
coûter	kosten
créatif, ve	kreativ
crier	schreien*
croire	glauben
cuisine	Küche(-n) (die)
cuisiner	kochen
cuisinier	Koch(¨e) (der)
curriculum vitae	Lebenslauf(¨e) (der)

D

d'abord, en premier	zuerst
danger	Gefahr(-en) (die)
dangereux, euse	gefährlich
danser	tanzen
de nouveau, encore	wieder
de plus près	näher
début	Anfang(¨e) (der)
décider (se)	entscheiden*, sich
déclaration	Aussage(-n) (die)
décor (théâtre)	Bühnenbild(-er) (das)
découvrir	entdecken
décrire	beschreiben*
déçu, e	enttäuscht
déjà	schon

déjeuner	Mittagessen(-) (das)
demander, prier	bitten* (+ acc.)
déménager	umziehen*
dépendance	Abhängigkeit (die), Sucht (die)
dépendant	abhängig (von)
depuis	seit (+ dat.)
déranger	stören
dernier, ère	letzt-
derrière	dahinter, hinten
dessiner	zeichnen
destination de voyage	Reiseziel(-e) (das)
destruction	Zerstörung(-en) (die)
détester	hassen
détruire	zerstören
devant, avant	vor (+ acc./dat.)
développement	Entwicklung(-en) (die)
développer	entwickeln
devenir	werden*
deviner	erraten*, raten*
devoir	Hausaufgabe(-n) (die)
devoir	sollen*
devoir (être obligé de)	müssen*
différence	Unterschied(-e) (der)
différencier	unterscheiden*
différent, e	unterschiedlich, anders
difficile	schwierig
difficulté	Schwierigkeit(-en) (die)
digne de confiance	zuverlässig
dîner	Abendessen(-) (das)
dire	sagen
discipline (sport)	Sportart(-en) (die)
discours, parole	Rede(-n) (die)
disparaître	verschwinden*
disposer de	verfügen (über + acc.)
dispute	Streit(-e) (der)
disputer (se)	streiten*, sich
disque dur	Festplatte(-n) die
divertissement	Unterhaltung (die)
domicile	Wohnort(-e) (der)
dommage	schade
donner	geben*
dormir	schlafen*
doué, e	begabt
drôle, amusant, e	lustig, witzig

E

échange	Austausch(-e) (der)
échanger	austauschen
école toute la journée	Ganztagsschule(-n) (die)
écologique	umweltfreundlich
économie	Wirtschaft (die)
écouter	anhören, zuhören (+ dat.)
écran (d'ordinateur)	Bildschirm(-e) (der)
écrire	schreiben*, texten
effacer	löschen
élection, choix	Wahl(-en) (die)
élève	Schüler(-) (der)
emblème	Wahrzeichen(-) (das)
émission	Sendung(-en) (die)
emmener, emporter	mitnehmen*
en arrière, de retour	zurück
en bas	unten
en bonne santé, bon pour la santé	gesund
en effet	in der Tat
en fait, à dire vrai	eigentlich
en haut	oben
en outre	außerdem
en retard	verspätet
endroit	Ort(-e) (der)

enfant	Kind(-er) (das)
enfin	endlich, schließlich
enlever	entfernen
enregistrement	Aufnahme(-n) (die)
enregistrer	aufnehmen*
enregistrer, sauvegarder	speichern
enseigner (qc à qn)	beibringen*
ensemble	zusammen
ensorceler	verzaubern
ensuite	dann
entendre (s')	verstehen*, sich
entendre, écouter	hören
enthousiasmer (s')	begeistern, sich
entourage	Umgebung (die)
entraînement	Training (das)
entraîner, s'	trainieren
entre-temps	inzwischen
entreprendre	unternehmen*
entrepreneur	Unternehmer(-) (der)
entreprise	Firma(-men) (die)
entrer	treten*
entrer (ordinateur)	eingeben*
environ	ungefähr
envoyer	schicken
espérer	hoffen
espoir	Hoffnung(-en) (die)
essayer (de faire qc)	versuchen
État régional	Bundesland(-er) (das)
étonnant, e	erstaunlich
étonner (s') (de)	wundern, sich (über + acc.), staunen
étranger (pays)	Ausland (das)
être	sein*
être à l'aise	wohlfühlen, sich
être assis	sitzen*
être d'accord	einverstanden sein
être debout, se trouver	stehen*
être humain	Mensch(-en, -en) (der)
événement	Ereignis(-se) (das)
exemple	Beispiel(-e) (das)
exercice	Übung(-en) (die)
expérience	Erfahrung(-en) (die)
explication	Erklärung(-en) (die)
expliquer	erklären
exposé	Referat(-e) (das)
exposition	Ausstellung(-en) (die)
expression	Ausdruck(-e) (der)
exprimer	ausdrücken
extrait	Ausschnitt(-e) (der), Auszug(-e) (der)
extraordinaire	wunderbar

F

fabriquer, produire	herstellen, produzieren
facile	leicht
faible	schwach
faire	machen, tun*
faire attention (à)	aufpassen (auf + acc.)
faire connaissance	kennen lernen
faire de l'escalade	klettern
faire de la randonnée	wandern
faire de la voile	segeln
faire du cheval	reiten*
faire mal	wehtun*
faire/tirer le bilan	Bilanz ziehen*
famille (au sens large)	Verwandte (pl.)
fatigant, e	anstrengend
faux, fausse	falsch
favoriser qc	fördern
fichier	Datei(-en) (die)

fidèle	treu
fier, fière	stolz
fille	Tochter(¨) (die)
fils	Sohn(¨e) (der)
fin (la)	Ende (das)
fois	Mal(-e) (das)
fondateur	Gründer(-) (der)
fonder	gründen
force	Kraft(¨e) (die)
forêt	Wald(¨er) (der)
formation	Schulung(-en) (die), Ausbildung (die)
former, constituer	bilden
formuler	formulieren
fort, e	kräftig, stark, laut
fou, folle	verrückt
frais, fraîche	frisch
français, e	französisch
France	Frankreich
frapper, battre	schlagen*
frontière	Grenze(-n) (die)

G

gagner	gewinnen*
gênant, e	peinlich
génial, e, inouï, e	toll
gens	Leute (pl.)
gentil, le, agréable	nett
goût	Geschmack (der)
grâce à	dank (+ gén.)
grand, e	groß
grandir	aufwachsen*, wachsen*
grave	schlimm
gros, grosse	dick
groupe musical	Band(-s) (die)
guerre	Krieg(-e) (der)
guide (personne)	Führer(-) (der) / Führerin(-nen) (die)

H

habiter	wohnen
habitude	Gewohnheit(-en) (die)
habitudes alimentaires	Essgewohnheiten (pl.) (die)
habituer, s' (à)	gewöhnen, sich (an + acc.)
haut, e	hoch
hébergement	Unterkunft(¨e) (die)
héritage	Erbe(-n) (das)
héros	Held(-en, -en) (der)
heure (durée)	Stunde(-n) (die)
heure d'arrivée	Ankunftszeit(-en) (die)
heureux, euse	glücklich
hier	gestern
histoire	Geschichte(-n) (die)
horloge, montre	Uhr(-en) (die)
horrible	schrecklich
hôtel de ville	Rathaus(¨er) (das)

I

ici	hier
il y a	es gibt* (+ acc.)
île	Insel(-n) (die)
image	Bild(-er) (das)
imaginer qc (s')	ausdenken*, sich (etw.)
impatient, e	ungeduldig
important, e	wichtig
impossible	unmöglich
impressionné, e	beeindruckt
impressionner	beeindrucken
inconvénient	Nachteil(-e) (der)
incroyable	unglaublich
indication de temps	Zeitangabe(-n) (die)
influence (sur qc/qn)	Einfluss (der) (auf + acc.)
influencer	beeinflussen

injustice	Ungerechtigkeit(-en) (die)
inoubliable	unvergesslich
insérer	*ein*fügen
instrument de musique	Musikinstrument(-e) (das)
intégrer (s'), acclimater (s')	*ein*leben, sich
interdiction	Verbot(-e) (das)
interdire	verbieten*
intéresser, s' (à)	interessieren, sich (für)
Internet, toile	Netz (das)
inventer	erfinden*
invention	Erfindung(-en) (die)
invincible	unbesiegbar
invulnérable	unverwundbar
jamais	nie/niemals
jeter	werfen*
jeu, match	Spiel(-e) (das)
jeune	jung
jouer	spielen
jour	Tag(-e) (der)
journal	Zeitung(-en) (die)
jumelage	Partnerschaft(-en) (die)
jus (de fruit)	Saft(¨e) (der)
jusqu'à	bis
justifier	begründen
là-bas	dort
lac	See(-n) (der)
laisser	lassen*
langue	Sprache(-n) (die)
langue étrangère	Fremdsprache(-n) (die)
laver	waschen*
lent, e	langsam
lequel, laquelle, quel, quelle	welcher, e, es
lettre	Brief(-e) (der)
lever (se)	*auf*stehen*
libre	frei
lieu de rendez-vous	Treffpunkt(-e) (der)
lire	lesen*
loin	weit
long, longue	lang
lourd, e, difficile	schwer
lycée	Gymnasium(-sien) (das)
magazine, revue	Zeitschrift(-en) (die)
maintenant	jetzt, nun
maison	Haus(¨er) (das)
malade	krank
malgré	trotz (+ gén.)
malsain, e	ungesund
manger	essen*
manquer	fehlen
manquer à qn	vermissen
marié, e	verheiratet
matin	Morgen(-) (der)
mauvais, e	schlecht
médecin	Arzt(¨e) (der)
Méditerranée	Mittelmeer (das)
meilleur, e (le/la), mieux (le)	Beste (der/die/das)
menteur	Lügner(-) (der)
mentir	lügen*
mer	See(-n) (die)
métier	Beruf(-e) (der)
métro	U-Bahn(-en) (die)
metteur en scène	Regisseur(-e) (der)
mettre, poser	stellen
mettre en garde	warnen (vor + dat.)
mettre en scène	inszenieren

mieux	besser
mignon, onne, sucré, e	süß
mille	tausend
modèle	Vorbild(-er) (das)
modifier un projet	*um*planen
mois	Monat(-e) (der)
moitié	Hälfte(-n) (die)
monde	Welt(-en) (die)
montagne	Berg(-e) (der)
monter	steigen*
montrer	zeigen
monument	Denkmal(¨er) (das), Sehenswürdigkeit(-en) (die)
morceau (de musique)	Stück(-e) (das)
mort, décès	Tod(-e) (der)
mort, e	tot
mot	Wort(¨er) (das)
mourir	sterben*
moyen de transport	Verkehrsmittel(-) (das)
mur	Mauer(-n) (die), Wand(¨e) (die)
musée	Museum(-seen) (das)
nager	schwimmen*
naissance (fig.)	Entstehung(-en) (die)
naître	geboren werden*
naître, se développer	entstehen*
naturellement	natürlich
naviguer (sur Internet)	surfen (im Internet)
néanmoins, pourtant	trotzdem
nom	Name(-n) (der)
nombre	Zahl(-en) (die)
nommer	nennen*
note	Notiz(-en) (die)
note, fiche	Zettel(-) (der)
noter	notieren
nourrir (se)	ernähren, sich
nouveau, elle	neu
nouvelle	Nachricht(-en) (die)
occupation	Beschäftigung(-en) (die)
occuper (s')	befassen, sich (mit + dat.)
œuvre	Werk(-e) (das)
offrir	schenken
ordinateur	Computer(-) (der)
ordinateur portable	Laptop(-s) (der/das)
organiser	veranstalten
oublier	vergessen*
ouvert, e	offen
ouverture, inauguration	Eröffnung(-en) (die)
ouvrir	öffnen
ouvrir, inaugurer	eröffnen
page	Seite(-n) (die)
page d'accueil	Homepage(-s) (die)
page web	Webseite(-n) (die)
palais des festivals	Festspielhaus(¨er) (das)
paraître	erscheinen*
parce que	weil
parents	Eltern (pl.)
parfois	manchmal
parler	sprechen*
partager	teilen
participant, e	Teilnehmer(-) (der)
participer (à qc)	*teil*nehmen* (an + dat.)
particulièrement	besonders
partie	Teil(-e) (der)
partir	*ab*fahren*

partition	Partitur(-en) (die)
pas (négation)	nicht
passer la nuit qq part	übernachten
passion	Leidenschaft(-en) (die)
passionnant	aufregend, spannend
payer	zahlen
pays, campagne	Land(¨er) (das)
pays natal	Heimat (die)
paysage	Landschaft(-en) (die)
peindre	malen
peintre	Maler(-) (der)
pendant	während (+ gén.)
penser (à / de)	denken* (an / über + acc.)
penser (de qn / qc)	halten* (von + dat.)
perdre	verlieren*
père	Vater(¨) (der)
permettre	erlauben
personne	Person(-en) (die)
personne	niemand
petit-déjeuner	Frühstück(-e) (das)
petit, e	klein
peu	wenig
peuple	Volk(¨er) (das)
peur	Angst(¨e) (die)
peut-être	vielleicht
phrase	Satz(¨e) (der)
pièce de théâtre	Theaterstück(-e) (das)
pièce radiophonique	Hörspiel(-e) (das)
pièce, espace	Raum(¨e) (der)
piéton	Fußgänger(-) (der)
pittoresque	malerisch
plage	Strand(¨e) (der)
plaire	gefallen* (+ dat.)
plaisir	Spaß(¨e) (der)
pleurer	weinen
plupart	meisten (die)
plus	mehr
poème	Gedicht(-e) (das)
point	Punkt(-e) (der)
porter	tragen*
posséder	besitzen*
possibilité	Möglichkeit(-en) (die)
possible	möglich
postuler, poser sa candidature	bewerben*, sich
pour cette raison	deswegen
pourcentage	Prozent(-e) (das)
pourquoi	warum, wieso
pouvoir	können*
pratique	praktisch
préféré, e	Lieblings-
préjugé	Vorurteil(-e) (das)
prendre	nehmen*
prendre le petit-déjeuner	frühstücken
prénom	Vorname(-n) (der)
préparer	*vor*bereiten
près	nah, nahe
présenter (qc) / présenter (se)	*vor*stellen (etw.) / *vor*stellen, sich
presque	fast
prêt, e	bereit
prix	Preis(-e) (der)
probablement	wohl
prochain, e	nächst-
production	Herstellung (die)
professeur	Lehrer(-) (der)/ Lehrerin(-nen) (die)
professionnel (le)	Profi(-s) (der)
profond, e	tief

promenade	Spaziergang(ˆe) (der)
promenade en bateau	Schifffahrt(-en) (die)
promesse	Versprechen(-) (das)
promettre	versprechen*
prononciation	Aussprache(-n) (die)
proposer	*an*bieten*, *vor*schlagen*
proposition	Angebot (-e) (das), Vorschlag(ˆe) (der)
propre	sauber
propre, personnel	eigen
public	Publikum (das)
public, que	öffentlich
publier	veröffentlichen
publier (sur Internet)	stellen (ins Netz)

Q

qualifier	bezeichnen
quantité	Menge(-n) (die)
quart	Viertel(-) (das)
quartier de la ville	Stadtviertel(-) (das)
quelqu'un	jemand
quelque chose	etwas
quelques	ein paar, einige
question	Frage(-n) (die)
questionnaire	Fragebogen (der)
questionner, interroger qn	fragen (+ acc.)
quitter, abandonner	verlassen*
quoi	was
quotidien, ne	täglich

R

raconter	erzählen
randonnée en montagne	Bergtour(-en) (die)
ranger	*auf*räumen
rapport, relation	Verhältnis(-se) (das)
rarement	selten
rassembler, collectionner	sammeln
réaliser	*durch*führen, erarbeiten
réaliser une performance	leisten (etw.)
recevoir	bekommen*
récit	Erzählung(-en) (die)
récréation	Pause(-n) (die)
rédiger	verfassen
réfléchir	überlegen
regarder	schauen
regarder la télévision	*fern*sehen*
région	Gebiet(-e) (das)
relation	Beziehung(-en) (die)
remanier, retoucher	bearbeiten
rendez-vous	Termin(-e) (der)
rendre (se)	begeben*, sich
rendre compte	berichten (von)
rendre visite	besuchen (+ acc.)
renoncer (à qc)	verzichten (auf + acc.)
répartir	verteilen
repas	Essen(-) (das), Mahlzeit(-en) (die)
répéter	wiederholen
répondeur	Anrufbeantworter(-) (der)
répondre (à qc)	antworten (auf + acc.)
réponse	Antwort(-en) (die)
représentation	Aufführung(-en) (die)
représenter, jouer	*dar*stellen, *auf*führen
réseau	Netzwerk(-e) (das)
résoudre	lösen
rester	bleiben*
résultat, performance	Leistung(-en) (die)
retour	Rückkehr (die)
retrouver (se) avec qn	treffen*, sich (mit)

réunification	Wiedervereinigung (die)
réussir à faire qc	gelingen*
rêve	Traum(ˆe) (der)
revenir	*zurück*fahren*
rêver	träumen
rien	nichts
rôle	Rolle(-n) (die)
rue	Straße(-n) (die)

S

s'appeler	heißen*
s'asseoir	setzen, sich
sale	schmutzig
salle de classe	Klassenzimmer(-) (das)
saluer	begrüßen, grüßen
sans	ohne (+ acc.)
santé	Gesundheit (die)
satisfaire (à qc)	erfüllen (etw.)
satisfait, e	zufrieden
savoir	wissen*
scène	Bühne(-n) (die)
science	Wissenschaft(-en) (die)
se promener	spazieren gehen*
se rapporter (à)	beziehen*, sich (auf + acc.)
se réjouir (de)	freuen, sich (auf + acc.)
se trouver	befinden*, sich
secret	Geheimnis(-se) (das)
secteur	Bezirk(-e) (der)
semaine	Woche(-n) (die)
semblable, pareil, eille	gleich
sens	Sinn(-e) (der)
sentiment	Gefühl(-e) (das)
sentir, se	fühlen, sich
séparation	Teilung (die)
séparer (se)	trennen, sich
servir (à)	dienen (zu)
seul, e	allein
seulement	nur
sévère	streng
siècle	Jahrhundert(-e) (das)
signifier	bedeuten
sinon	sonst, ansonsten
sœur	Schwester(-n) (die)
soi-même	selber, selbst
soir	Abend(-e) (der)
sondage, enquête	Umfrage(-n) (die)
souci, inquiétude	Sorge(-n) (die)
souhait	Wunsch(ˆe) (der)
souhaiter avoir qc.	wünschen, sich
sous	unter (+ acc./dat.)
soutenir	unterstützen
souvenir (se)	erinnern, sich
souvent	oft
sport d'équipe	Mannschaftssport (der)
sport de haut niveau	Leistungssport (der)
sportif, ve	Sportler(-) (der) / Sportlerin(-nen) (die)
stage	Praktikum(-ka) (das)
succès	Erfolg(-e) (der)
Suisse	Schweiz (die)
suivre	folgen (+ dat.)
sûr, e	sicher
surpoids	Übergewicht (das)

T

tableau	Tabelle(-n) (die)
tableau, peinture	Gemälde(-) (das)
tablette (ordinateur)	Tablet(-s) (das)
talent	Begabung(-en) (die), Talent(-e) (das)
talentueux, se	talentiert

tard	spät
télécharger	downloaden, *herunter*laden*
téléphone portable	Handy(-s) (das)
temps (qu'il fait)	Wetter (das)
temps (qui passe)	Zeit(-en) (die)
tendance	Trend(-s) (der)
tenir, s'arrêter	halten*
terminé, e, passé, e	vorbei
terminé, e, prêt, e	fertig
tiers (un)	Drittel (ein)
tirer	ziehen*
toujours	immer
tour de télévision	Fernsehturm(ˆe) (der)
tous, toutes	alle
tout, complètement	ganz
trace	Spur(-en) (die)
traduire	übersetzen
trahir	verraten*
trahison	Verrat (der)
train	Zug(ˆe) (der)
traître	Verräter(-) (der)
transformer (construction)	*um*bauen
travailler	arbeiten
très	sehr
triste	traurig
trouver	finden*
tuer	töten

U

un peu	ein bisschen
uni, e	vereint
utiliser	benutzen, verwenden
utiliser (pour)	nutzen (zu etwas)
vacances	Ferien (pl.) (die)

V

vaincre	siegen, besiegen
veiller (à)	sorgen (für + acc.)
vendre	verkaufen
venir	kommen*
vérifier	überprüfen
victoire	Sieg(-e) (der)
vie	Leben(-) (das)
vieux, vieille	alt
ville	Stadt(ˆe) (die)
violon	Geige(-n) (die)
visite	Besichtigung(-en) (die)
visite (personne)	Besuch(-e) (der)
visiter (monument, lieu)	besichtigen
vite, rapide	schnell
vivre	leben
vivre (un événement)	erleben
voir	sehen*
voisin	Nachbar(-n) (der)
voix	Stimme(-n) (die)
volonté	Wille (der)
volontiers	gern
vouloir	wollen*
voyage	Reise(-n) (die)
voyager	reisen
vrai, e	wahr
vraiment	wirklich

W

week-end	Wochenende(-n) (das)

N° éditeur : 10245859 - Dépôt légal : Juin 2018 - Imprimé en Italie en Juin 2018 par Bona

Crédits photographiques

Couverture

Hd AGE/Imagebroker/KFS , « Bethon », sculpture de Klaus Kammericks, 1986 © Adagp, Paris 2013 ; **Mhd** Hémis.fr/Franck Guiziou, coupole du Reichstag à Berlin, architecte Norman Foster ; **Mg** Getty/Flickr/Rolfo ; **Bg** Getty/Cultura/Echo ; **Md** Getty/E+

10 hg D. R. ; **10 hd** Vox Television GmbH ; **10 mg** Vox Television GmbH ; **10 md** Sat1/Prosieben ; **10 bg** Sat1/Prosieben ; **10 bd** MaxPPP/ DPA/Daniel Reinhardt ; **11** Getty/Blend Images/Jose Luiz Pelaes ; **12 hg** Shutterstock/Chepe Nicoli ; **12 bg** Shutterstock/Goodluz ; **12 d** AGE/Blinckwinkel/E. Teister ; **13** Viacom International Media Networks/Studio 100 ; **15** AGE/Westend61 ; **16** Schweizerische Gesellschaft für Ernährung ; **17 g** MaxPPP/DPA/Harald Tiffel ; **17 d** Rainer Dahmen für Scherz e.V. ; **18 g** Shutterstock/Pressmaster ; **18 m** Shutterstock/Suzanne Tucker ; **18 d** Shutterstock/Pressmaster ; **19** AGE/Westend61/Leander Bärenz ; **20** Arena Verlag ; **21 h** Fotolia/Quade ; **21 g** Getty/Vetta/Anna Furman ; **24 hg** Getty/Look/Brigitte Merz ; **24 hd** Fotolia/Lithian ; **24 b** Brigitte Treuer ; **25 h** Tourismusverband Tannheimer Tal ; **25 b** Thierry Broussan ; **26** MaxPPP/DPA/Armin Weigel ; **27 g** AFP/DDP/Mario Vedder ; **27 d** Daniel Spoerri, Tableau-piège, Série Sévillane N°11, 1991. « eaten by… » des hôtes du banquet pour Séville, 140x80cm. Photo Rita Newman © Adagp, Paris 2013 ; **28 h** Getty/PhotoAlto/Sandro Di Carlo Darsa ; **28 b** 123RF Stock Foto ; **30 h** Sailer Verlag ; **30 bg** Getty/ E+/Dardesport ; **30 bm** Getty/Lifesize ; **30 bd** Getty/Image Bank/Jamie Grill ; **31** RÉA/Laif/Stefan Volk ; **32** AH! Entertainment ; **33 hg** Equilibrium GbR ; **33 hd** Getty/German Select/Franziska Krug ; **33 b** MaxPPP/DPA/Matthias Balk ; **34 h** Accentus Music/ Mitteldeutscher Rundfunk/Arte – NFP Marketing & Distribution GmbH ; **34 b** MaxPPP/DPA/Sören Stache ; **35** Corbis/Lebrecht Music & Arts/Chris Christodoulou ; **36** AGE/Imagebrocker/Movementway ; **37** Photo12/Alamy ; **40 h** Wuppertal Schüler Rock-Festival ; **40 b** MaxPPP/DPA/Christian Fürst ; **41 h** Getty/Comstock/Thinkstock ; **41 bg, bd** Stiftung Jedem Kind ein Instrument ; **42 h** Akg-images/Erich Lessing ; **42 b** Fondation Hartung Bergman © Adagp, Paris 2013 ; **43 h** Bridgeman-Giraudon/Haags Gemeetemuseum ; **43 b** © SWR DASDING D.R. ; **44** Getty/Rubberball/Mike Kemp ; **45 h** Getty/E+/Oleg Prikhodko ; **45 b** Bridgeman-Giraudon/Wien Museum Karlsplatz ; **46** Bridgeman-Giraudon ; **47** Getty/Stockbyte/Altrendo Images ; **48 h** AGE/Artema PL/Clément Philippe ; **48 b** Biosphoto/Dave Watts ; **49 hg** AGE/Bildagentur Waldhaeusl ; **49 hd** Getty/Image Source ; **49 md** Getty/Look/Andreas Strauss ; **49 bg** AGE/José Fuste Raga ; **49 bd** Hémis.fr/Jon Arnold ; **50 h** RÉA/Laif/Christian Kerber ; **50 b** RÉA/Benoît Decout ; **51** Getty/Digital Vision/Abbeimages ; **52** Bridgeman-Giraudon/Artothek ; **53 h** Roger-Viollet/Ullstein Bild/Jürgen Ritter ; **53 m** Shutterstock/Vvoe ; **53 b** Corbis/epa/Arno Burgi ; **56 g** Shutterstock/Justin Black ; **56 d** Shutterstock/Andrey Shadrin ; **57 hg** Shutterstock/Goodluz ; **57 hd** AGE/Blickwinkel/McPhoto ; **57 bg** AGE/Imagebroker/Günter Lenz ; **57 bd** Shutterstock/Janina Dierks ; **58** © Telepool GmbH ; **59 h** Albertina, Vienna, Batliner Collection © Nolde Stiftung Seebüll, Neukirchen, 2013 ; **59 b** Leemage/Selva © Nolde Stiftung Seebüll, Neukirchen, 2013 ; **60** Getty/Ojo Images/Chris Ryan ; **61 h** Getty/Image Bank/Allan Baxter ; **61 mg** Leopold Museum, Vienna ; **61 md** Getty/Flickr/Justin Minns ; **61 b** AGE/Tommaso di Girolama ; **62** Askania Media Filmproduktion GmbH, Saxonia Media Filmproduktion GmbH ; **63** Abaca/Jacques Witt ; **64 h** Akg-images/DPA ; **64 mg** Roger-Viollet/Bilderwelt ; **64 md** OFAJ/ DFJW/Holger Biermann ; **64 b** RÉA/Rainer Unkel ; **65 hg** Shutterstock/Yuri Arcurs ; **65 hd** Shutterstock/Rido ; **65 b** Shutterstock/ Michael Jung ; **66** RÉA/Laif/Gernot Huber ; **67** RÉA/Nicolas Tavernier ; **68** Ullstein Buchverlage GmbH ; **69 h** Getty/Ojo Images/Tom Merton ; **69 mh** RÉA/Laif/Stefan Kroeger ; **69 mb** AGE/Manuel Lesch ; **69 b** Getty/E+/Kevin Russ ; **70** « Eine Freske für die deutsch-französische Freundschaft », illustration de Clémentine Biard, Adame Cherki, Imène Ghobane, Benjamin Le – Lycée Immaculée Conception, Villeurbanne ; **72 h** Leemage/Lee ; **72 bg** Champagne Krug ; **72 bm** Champagne Heidsieck & Co ; **72 bd** Champagne Bollinger ; **73 h** Akg-images © Adagp, Paris 2013 ; **73 b** Mäurer & Wirtz GmbH & Co ; **74** © Les Films à Fleur de Peau/D.R. ; **75** AFP/ Kenzo Tribouillard ; **76** OFAJ/DFJW ; **77** OFAJ/Nader Cacace, projet théâtre franco-allemand « Starke Stücke » ; **78** 2012 Goethe Institut ; **79** AGE/Westend61/Leander Bärenz ; **80 g** Marlene Prinz bei Textstrom Poetry Slam, Vienne 2012 ; **80 d** MaxPPP/DPA/ Henning Kaiser ; **81 h, b** Stiftung Jugend forscht e.V. ; **82 h** MaxPPP/DPA/Chromorange/Dieter Möbus ; **82 b** Opel Media France ; **83 g** S. Petzold ; **83 d** Born Senf & Feinkost GmbH ; **84 g** MaxPPP/DPA/Katja Lenz ; **84 d** Getty/Superstock ; **85 hg** Rue des Archives/ BCA ; **85 hd** Coll. Christophe L ; **85 b** Getty/Universal Image Group ; **86** Illustration Heinz Zehetner/www.enzocomics.com ; **88 h** DKB-Skisport-Halle/Tourismus GmbH Oberhof ; **88 b** Akg-images ; **89 h** RÉA/Benoît Decout ; **89 b** Bridgeman-Giraudon/Alinari © Adagp, Paris 2013 ; **90** © WDR mediagroup GmbH ; **91 hg** Akg-images/Louis Held ; **91 hd** Tecta Bruchhäuser & Drescher OHG © Adagp, Paris 2013 ; **91 b** La Collection/Interfoto © Adagp, Paris 2013 ; **92** Stiftung Jugend forscht e.V. ; **94 h** RÉA/laif/Dominik Asbach ; **94 b** Gustavo Alabiso ; **95** Getty/Riser/Bernhardt Lang ; **96** Getty/Photodisc/Ryan McVay ; **97** AGE/Imagebroker/Jochen Tack ; **98** Toonpool.com/ Comicpiero ; **99** Hilfe für Mädchen und Frauen e.V., Frauenzentrum Hexenbleiche Alzey ; **100** Bundesamt für Kommunikation BAKOM, illustrations Mattias Leutwyler ; **102** Uli Stein/Catprint Media GmbH ; **104 h** RÉA/Laif/Karsten Schoene ; **104 b** MaxPPP/DPA/Karlheinz Schindler ; **105 h** MaxPPP/DPA/Uli Deck ; **105 b** Tobias Günther ; **106** © Medienwerkstatt Biberach e.V. ; **107 h** Courtesy Pipilotti Rist, Hauser & Wirth and Luhring Augustine ; **107 b** Getty/WireImages/Shawn Ehlers ; **108** Getty/Photodisc/Allan Shoemake ; **109** Getty/ Digital Vision/Muriel de Seze ; **110** Bravo Girl 12/2012, Bauer Media Group ; **111** Hémis.fr/Ludovic Maisant ; **112 h** AGE/Imagebroker/ Jürgen Henkelmann ; **112 b** Bridgeman-Giraudon/Werner Forman Archive ; **113 h** RÉA/Panos/Stefan Boness ; **113 b** Hémis.fr/Franck Guiziou ; **114** Hémis.fr/Anna Serrano ; **115 h** AGE/Werner Otto ; **115 b** RÉA/Laif/Gehrardt Westrich ; **116** www.mavil.net ; **117** Roger-Viollet/Ullstein Bild/Günter Peters ; **119** Akg-images ; **120 hd** AGE/Carola Koserowsky ; **120 bg** Getty/Ulrich Baumgarten ; **120 bd** Hémis.fr/Maurizio Borgese ; **121 hg** Akg-images/DPA ; **121 hd** Roger-Viollet/Ullstein Bild/Andrée ; **121 b** Shutterstock/Kirbyzz ; **122** © Berliner Morgenpost ; **123 h** Hémis.fr/John Frumm ; **123 b** Hémis.fr/Franck Guiziou ; **124** AGE/Alvaro Leiva ; **125** Shutterstock/ Linepics ; **126 h** RÉA/Laif/Georg Knoll ; **126 m** Shutterstock/Boris Stroujko ; **126 b** AGE/Iain Masterton ; **127** Album Tell vol. 1 de Daniel Boller, Editions Zampano ; **128 h** Getty/Digital Vision/Hans-Peter Merten ; **128 b** Akg-images ; **129** Bridgeman-Giraudon ; **130** AGE/ De Agostini/A. Dagli Orti ; **131** MaxPPP/DPA/David Ebener ; **132** © Der Spiegel ; **133 h** Rue des Archives/Süddeutsche Zeitung ; **133 m** Archives Nathan ; **133 b** Coll. Christophe L ; **136 h** Bridgeman-Giraudon/Look and Learn ; **136 b** Bridgeman-Giraudon/Archives Charmet ; **137 h** Bridgeman-Giraudon/Archives Charmet ; **137 b** Akg-images ; **138 hg** La Collection/Imagno ; **138 hd** MaxPPP/DPA/David Ebener ; **138 b** © The Metropolitan Opera/D.R. ; **139 h** MaxPPP/DPA/Enrico Nawrath ; **139 b** Photostage/Donald Cooper ; **140** AGE/ Imagebroker/Siepmann ; **141** Bildagentur Huber/Hans-Peter Huber ; **142** MaxPPP/DPA/Waltraud Grubitzsch ; **143** Baumhaus Verlag in der Bastei Lübbe GmbH & Co. KG ; **144** Getty/Cultura/I Love Image ; **145** Getty/Stockbyte/Altrendo Images ; **146** Getty/Westend61.

Crédit sonore
11 © ZDF/aspekte